O ponto da virada

The tipping point

O ponto da virada

The tipping point

MALCOLM GLADWELL

SEXTANTE

Tradução
Talita Macedo Rodrigues
Teresa Carneiro (posfácio)

Preparo de originais
Valéria Inez Prest

Revisão
Ana Grillo e Lara Alves

Projeto gráfico e diagramação
Ilustrarte Design e Produção Editorial

Adaptação da capa
Miriam Lerner

Pré-impressão
ó de casa

Impressão e acabamento
Associação Religiosa Imprensa da Fé

CIP-BRASIL. CATALOGAÇÃO-NA-FONTE
SINDICATO NACIONAL DOS EDITORES DE LIVROS, RJ

G451p   Gladwell, Malcolm, 1963-
        O ponto da virada / Malcolm Gladwell [tradução de Talita Macedo Rodrigues, tradução do posfácio de Teresa Carneiro]. – Rio de Janeiro: Sextante, 2009.

        Tradução de: *The tipping point*
        ISBN 978-85-7542-483-4

        1. Psicologia social. 2. Contágio (Psicologia social). 3. Causalidade (Psicologia social). 4. Efeitos do contexto (Psicologia). I. Título.

CDD: 302
09-1689   CDU: 316.6

Todos os direitos reservados, no Brasil, por
GMT Editores Ltda.
Rua Voluntários da Pátria, 45 – Gr. 1.404 – Botafogo
22270-000 – Rio de Janeiro – RJ
Tel.: (21) 2286-9944 – Fax: (21) 2286-9244
E-mail: atendimento@esextante.com.br
www.sextante.com.br

A meus pais,
Joyce e Graham Gladwell

SUMÁRIO

INTRODUÇÃO

Para os Hush Puppies – os clássicos sapatos americanos de couro nobuck, com solado de borracha levíssimo – o Ponto da Virada ocorreu por volta do fim de 1994 e o início de 1995. Até então, a marca quase tinha desaparecido do mercado. As vendas haviam caído para 30 mil pares por ano, a maioria para o comércio de ponta de estoque do interior do país e lojinhas administradas por famílias de cidades pequenas. A Wolverine, que fabrica os Hush Puppies, estava pensando em interromper a produção com a qual ficara famosa. Mas algo estranho aconteceu. Durante uma sessão de fotos de moda, dois executivos da empresa – Owen Baxter e Geoffrey Lewis – encontraram-se por acaso com um estilista de Nova York que lhes disse que os clássicos Hush Puppies eram a última moda nos clubes noturnos e bares do centro de Manhattan. "Ficamos sabendo", lembra Baxter, "que havia brechós no Village e no Soho vendendo os sapatos. O pessoal ia procurar nas lojinhas de venda a varejo, onde eles ainda podiam ser encontrados, e acabava com o estoque". Baxter e Lewis não entenderam nada. Para eles, não fazia sentido a volta de sapatos tão fora de moda. "Diziam que até Isaac Mizrahi usava", Lewis comenta. "Para falar a verdade, naquela época nem sabíamos quem era Isaac Mizrahi."

No outono de 1995, as coisas começaram a acontecer mais rápido. Primeiro foi o designer de moda John Bartlett quem telefonou. Queria os Hush Puppies para a sua coleção de primavera. Depois, outra designer de moda de Manhattan, Anna Sui, ligou solicitando os sapatos para o seu desfile também. Em Los Angeles, o designer Joel Fitzgerald colocou um cão bassê inflável de 7,5m – símbolo da marca Hush Puppies – no telhado da sua loja em Hollywood e esvaziou uma galeria de arte ao lado para transformá-la numa butique de artigos com a marca Hush Puppies. Ele ainda estava pintando e montando as prateleiras quando o ator Pee-wee Herman entrou e pediu dois pares. "Foi tudo propaganda boca a boca", lembra Fitzgerald.

Em 1995, a empresa vendeu 430 mil pares do modelo clássico e, no ano seguinte, quatro vezes mais, até os sapatos voltarem a ser uma peça básica no guarda-roupa do jovem americano. Em 1996, durante o jantar do Council of Fashion Designers, no Lincoln Center, o presidente da Hush Puppies subiu ao palco ao lado de Calvin Klein e Donna Karan para receber o prêmio pelo melhor acessório – uma conquista com a qual, como ele foi o primeiro a reconhecer, sua empresa quase nada tinha a ver. Os Hush Puppies haviam emplacado de repente, e tudo começara com alguns garotos no East Village e no Soho.

Como isso aconteceu? Aqueles meninos não tinham intenção de promover os Hush Puppies. Usavam os sapatos exatamente porque ninguém usava. Acontece que a novidade agradou a dois designers de moda que os calçaram para promover outra coisa – a alta-costura. Os sapatos foram um toque acidental. Ninguém estava tentando fazer estilo com eles. Mas, de alguma forma, foi o que ocorreu. Eles alcançaram determinado ponto de popularidade e emplacaram. Como um par de sapatos de US$30 saiu dos pés de um grupo de jovens irreverentes e de designers de moda do centro de Manhattan para todos os shoppings dos Estados Unidos em dois anos?

1.

Em Nova York, não faz muito tempo, os bairros paupérrimos de Brownsville e East New York viravam verdadeiras cidades fantasmas ao anoitecer. Os trabalhadores não ousavam caminhar pelas calçadas. As crianças não andavam de bicicleta. Os idosos não se sentavam nos alpendres nem nos bancos das praças. O comércio de drogas era tão intenso e a guerra entre gangues tão comum naquela parte do Brooklyn que à noite a maioria das pessoas preferia a segurança de seus apartamentos. Os policiais que serviram em Brownsville da década de 1980 até o início da de 1990 dizem que, naquela época, bastava o sol se pôr para que em seus rádios só se ouvissem as conversas dos patrulheiros com o pessoal da base sobre todos os tipos de crimes violentos e perigosos imagináveis. Em 1992, aconteceram 2.154 assassinatos na cidade de Nova York e 626.182 crimes graves – a maioria deles em lugares como Brownsville e East New York. Mas então algo estranho aconteceu. Em algum ponto misterioso e crítico, a taxa de criminalidade começou a se inverter. Declinou. Em cinco anos, o número de assassinatos caiu para 770 – 64,3% –, e o total de crimes para quase a metade, 355.893.[1] Em Brownsville e East New York, as calçadas estavam cheias de novo, as bicicletas voltaram a circular, os idosos reapareceram nos alpendres. "Houve um tempo em que era comum ouvir rajadas de tiros, como se a gente estivesse no Vietnã, no meio da selva", diz o inspetor Edward Messadri, chefe da delegacia de polícia de Brownsville. "Eu não escuto mais os tiros."

A polícia de Nova York diz que foi porque as estratégias de policiamento da cidade melhoraram muito. Os criminologistas apontam para o declínio do comércio de crack e o envelhecimento da população. Os economistas afirmam que a melhora da situação econômica da cidade ao longo dos anos 1990 deu oportunidade de emprego àqueles que, de outra forma, poderiam ter se tornado criminosos. Essas são explicações convencionais para a ascensão e queda de problemas sociais, porém não são mais convincentes do que dizer que os garotos do East Village foram a causa da volta dos Hush Puppies. As mudanças no comércio de drogas, na população e na economia são todas tendências de longo prazo, que acontecem em todo o país. Elas não explicam por que o índice de criminalidade caiu muito mais em Nova York do que em outras cidades dos Estados Unidos, assim como não respondem por que tudo isso se deu tão de repente. Quanto aos avanços da polícia, eles também são importantes. Mas há uma lacuna intrigante entre a dimensão das mudanças no policiamento e o tamanho do efeito causado em lugares como Brownsville e East New York. Afinal de contas, a quantidade de crimes não foi se reduzindo lentamente à medida que as condições melhoravam. Ela despencou. Como alterações em alguns índices sociais e econômicos fazem com que a taxa de homicídios sofra uma redução de dois terços em cinco anos?

2.

O Ponto da Virada é a biografia de uma idéia, que é muito simples: a melhor maneira de compreender o surgimento das tendências da moda, o fluxo e refluxo das ondas de crimes, assim como a transformação de livros desconhecidos em best-sellers, o aumento do consumo de cigarros por adolescentes, os fenômenos da propaganda boca a boca ou qualquer outra mudança misteriosa que marque o dia-a-dia, é pensar em todas elas como epidemias. Idéias, produtos, mensagens e comportamentos se espalham como vírus.

A ascensão dos Hush Puppies e a queda do índice de criminalidade em Nova York são exemplos didáticos de epidemias em curso. Embora pareçam não ter muita coisa em comum, elas apresentam o mesmo padrão subjacente básico. Primeiro, são exemplos claros de comportamentos contagiantes. Ninguém publicou um anúncio dizendo que os Hush Puppies tradicionais eram o máximo e que todos deveriam começar a usá-los. Aqueles garotos simplesmente calçavam os sapatos para ir a clubes e cafés e para caminhar pelas calçadas do centro de Nova York. Ao fazerem isso, expunham outras pessoas ao seu conceito de moda. Eles as contagiaram com o "vírus" Hush Puppies.

O declínio da criminalidade em Nova York sem dúvida ocorreu da mesma forma. E não foi porque uma enorme porcentagem de assassinos em potencial decidiu, de repente, em 1993, não cometer mais crimes. Nem foi porque a polícia conseguiu intervir, como num passe de mágica, em numerosas situações que se tornariam fatais. O que aconteceu foi que um pequeno número de pessoas, num reduzido número de situações sobre as quais a polícia ou as novas forças sociais tiveram impacto, começou a se comportar de forma muito diferente, e essa conduta de alguma maneira se espalhou entre outros possíveis criminosos em situações semelhantes. De alguma maneira, uma quantidade significativa de indivíduos em Nova York acabou sendo "contaminado" por um vírus anticrime em muito pouco tempo.

O segundo aspecto diferenciador nesses dois exemplos é que, em ambos os casos, pequenas mudanças surtiram grande efeito. Todas as possíveis razões para a queda do índice de criminalidade em Nova York foram mudanças que aconteceram de modo marginal e com pouca intensidade. O comércio de crack se estabilizou. A população ficou um pouco mais velha. A força policial apresentou ligeira melhora. Mas o resultado foi extraordinário. O mesmo aconteceu com os Hush Puppies. Quantos garotos devem ter começado a usar esses sapatos nas ruas de Manhattan? Vinte? Cinqüenta? Cem, no máximo? No entanto, o que eles fizeram parece ter desencadeado por si só uma tendência de moda que ganhou dimensão internacional.

Por fim, ambas as mudanças aconteceram rápido, e não num ritmo lento e constante. É instrutivo ver um gráfico do índice de criminalidade em Nova York a partir, digamos, de meados da década de 1960 até o fim dos anos 1990. Parece um arco gigante. Em 1965, ocorreram 200 mil crimes na cidade e, a partir daí, essa marca apresenta uma nítida ascensão, dobrando em dois anos e seguindo numa linha quase ininterrupta até chegar a 650 mil crimes anuais em meados da década de 1970. O índice de criminalidade permanece estável nas duas décadas seguintes até cair em 1992 tão acentuadamente quanto subira 30 anos antes. Ele não foi baixando. Não desacelerou aos poucos. Atingiu determinado ponto e despencou.

Estas três características — a possibilidade de contágio, o fato de que pequenas causas podem ter grandes efeitos e de que a mudança acontece não gradualmente, mas num momento decisivo — são os mesmos três princípios que explicam como o sarampo se dissemina numa sala de aula e como a gripe aparece todo inverno. O terceiro traço — a idéia de que a epidemia pode surgir ou sumir num momento decisivo — é o mais importante, porque é o que dá sentido aos dois primeiros e permite entender melhor como ocorre a mudança moderna. O nome que se dá a esse momento decisivo numa epidemia, quando tudo pode mudar de repente, é Ponto da Virada.

3.

Um mundo que segue as regras das epidemias é um lugar muito diferente daquele em que acreditamos estar vivendo hoje em dia. Pense, por um instante, no conceito de contágio. Ao ouvir essa palavra, você logo a associa a resfriado ou gripe ou, quem sabe, a algo muito perigoso como HIV ou Ebola. Temos uma noção muito específica, biológica, do que significa a possibilidade de contaminação. Mas, se é possível haver epidemias de crime e de moda, devem existir muitas coisas tão contagiantes quanto um vírus. Já pensou no bocejo, por exemplo? Bocejar é um ato surpreendentemente forte. Boa parte dos leitores deste livro estará bocejando daqui a pouco somente por ter lido as palavras "bocejo" e "bocejar" nas duas frases anteriores e mais duas vezes agora. Até eu, enquanto escrevo, já bocejei duas vezes. Se você estiver lendo este livro num local público e tiver acabado de bocejar, é provável que muita gente que o tenha visto fazer isso esteja bocejando neste momento e que uma grande parte de quem estava olhando para essas pessoas esteja dando bocejos também, e assim por diante, num círculo interminável.

O bocejo é incrivelmente contagiante. Consegui fazer com que alguns leitores abrissem a boca só por ter escrito essa palavra. Talvez tenha sido o seu caso. Assim, quem bocejou ao ver você fazer isso foi contaminado por essa visão – que é um segundo tipo de contágio. Essas pessoas poderiam até ter bocejado só de ouvi-lo bocejar, pois outra forma de contágio do bocejo é pela audição. Se fizermos com que deficientes visuais escutem gravações de bocejos, eles bocejarão. E, por fim, se você bocejou ao ler isto, passou por sua cabeça – ainda que de modo fugaz e inconsciente – que pudesse estar cansado? Acho que foi isso que aconteceu com alguns leitores, o que significa que os bocejos podem, ainda, ser emocionalmente contagiantes. O simples fato de escrever a palavra me permite incutir um sentimento na sua cabeça.[2] Será que o vírus do resfriado faz isso? O contágio, em outras palavras, é uma propriedade inesperada de todo tipo de coisa, e precisamos nos lembrar disso para reconhecer e diagnosticar a mudança epidêmica.

O segundo princípio da epidemia – de que as pequenas mudanças podem ter grandes efeitos – também é um conceito bastante radical. Como seres humanos, somos fortemente condicionados a fazer uma espécie de aproximação grosseira entre causa e efeito. Quando queremos expressar uma profunda emoção ou quando pretendemos convencer alguém do nosso amor, por exemplo, entendemos que precisamos falar com paixão e franqueza. Se a intenção é transmitir uma notícia ruim, baixamos o tom de voz e escolhemos as palavras com cuidado. Somos treinados para pensar que, em qualquer transação, relacionamento ou sistema, o que entra deve estar associado de modo direto, em intensidade e dimensão, com o que sai. Considere, por exemplo, o seguinte quebra-cabeça. Eu lhe dou uma folha bem grande de papel e peço que a dobre uma vez e, depois, mais uma vez, e assim sucessivamente até que você tenha repetido essa operação umas 50 vezes. Que altura você acha que esse papel dobrado terá no final? Antes de responder, a maioria das pessoas dobrará a folha mentalmente e dirá, num palpite, que ela terá a espessura de uma lista telefônica ou, se forem de fato corajosas, a altura de uma geladeira. Mas a resposta certa é que a altura desse papel dobrado seria quase igual à medida da distância entre a Terra e o Sol. E, se ele for dobrado mais uma vez, sua altura corresponderá ao dobro dessa distância. Em matemática isso se chama progressão geométrica. As epidemias são outro exemplo de progressão geométrica: quando um vírus se dissemina numa população, ele vai se duplicando até deixar de ser (figurativamente) uma simples folha de papel e chegar ao Sol em 50 etapas. Para nós, seres humanos, é muito difícil entender esse tipo de progressão porque o resultado final – o efeito – parece muito desproporcional em relação à causa. Para avaliar a força das epidemias, devemos abandonar essa expectativa de proporcionalidade. Temos que nos preparar para a possibilidade de que às vezes grandes mudanças decorrem de pequenos acontecimentos e que, em alguns casos, elas podem se dar muito depressa.

A possibilidade de mudança súbita é a essência da idéia do Ponto da Virada e pode, muito bem, ser o mais difícil de aceitar.[3] A expressão se tornou popular na década de 1970 para descrever um movimento observado entre as pessoas brancas que moravam nas cidades mais velhas do nordeste americano – elas começaram a fugir para os subúrbios. Quando o número de americanos de origem africana que se instalavam num bairro atingia determinado patamar – 20%, digamos –, os sociólogos observavam que havia uma "virada", ou uma "guinada", na situação da comunidade: a maioria dos indivíduos brancos remanescentes saía quase de imediato. O Ponto da Virada é o momento de massa crítica, o limiar, o ponto de ebulição. No início da década de 1990, houve um Ponto da Virada para os crimes violentos em Nova York e outro para o ressurgimento dos Hush Puppies, assim como existe um Ponto da Virada para a introdução de qualquer nova tecnologia. A Sharp, que em 1984 colocou no mercado o primeiro aparelho de fax de baixo custo, vendeu cerca de 80 mil unidades desse produto nos Estados Unidos naquele ano. Nos três anos seguintes, as empresas foram comprando de forma lenta e constante uma quantidade cada vez maior desses aparelhos até que, em 1987, tantas pessoas os usavam que fazia sentido todo mundo ter um. O ano de 1987 foi o Ponto da Virada para esses equipamentos. Um milhão dessas máquinas foram vendidas naquele ano e, em 1989, mais dois milhões estavam em operação. Os telefones celulares seguiram a mesma trajetória. Durante a década de 1990, eles foram ficando menores e mais baratos, e o serviço melhorou até 1998, quando a tecnologia deu uma guinada e, de repente, todos tinham telefone celular. (Para uma explicação da matemática dos Pontos da Virada, veja as notas referentes à introdução na página 269.)

Todas as epidemias têm Pontos da Virada. Jonathan Crane, sociólogo da Universidade de Illinois, estudou o efeito que a quantidade de modelos de uma comunidade – administradores, professores e outros profissionais que o Census Bureau definiu como de "alto nível" – exerce na vida dos adolescentes de um bairro. Ele encontrou pouca diferença nos índices de gravidez e de abandono dos estudos nos bairros em que a população tem de 5 a 40% de trabalhadores de alto nível. No entanto, quando a quantidade desses profissionais fica abaixo de 5%, explodem os problemas. Entre os estudantes negros, por exemplo, à medida que o percentual de trabalhadores de alto nível cai apenas 2,2 pontos percentuais – de 5,6 para 3,4% –, os índices de evasão escolar mais do que dobram. Nesse mesmo patamar decisivo, os índices de gravidez entre adolescentes – que mal atingem esse ponto – quase duplicam. Supomos, intuitivamente, que os problemas sociais e os dos bairros diminuem numa espécie de progressão constante. Mas, às vezes, essa progressão não existe. No Ponto da Virada, as escolas podem perder o controle dos alunos, enquanto a vida familiar pode se desintegrar ao mesmo tempo.

Ainda me lembro do dia em que, quando criança, vi o primeiro encontro do nosso cãozinho com a neve. Foi um choque, ele ficou encantado. Abanava a cauda nervoso, fuçava a estranha substância fofa, gania diante daquela coisa misteriosa. Naquela manhã do primeiro dia em que ele viu a neve não fazia mais frio do que na noite anterior. Os termômetros devem ter marcado pouco mais de um grau à noite e, de manhã, a temperatura estava apenas meio grau abaixo de zero. Em outras palavras, quase nada havia mudado. No entanto – e esse é o fato interessante –, estava tudo diferente. A chuva se transformara em algo totalmente novo. Neve! Somos todos, em essência, gradualistas – estabelecemos nossas expectativas pela passagem constante do tempo. Mas o mundo do Ponto da Virada é um lugar onde o inesperado se faz esperado – onde a mudança radical é mais do que uma possibilidade. É – contrariando todas as nossas expectativas – uma certeza.

Na busca dessa idéia radical, vou levá-lo a Baltimore para que você saiba como foi a epidemia de sífilis nessa cidade. Apresentarei a você três tipos fascinantes, a quem chamarei de Experts, Comunicadores e Vendedores, que têm papel essencial nas epidemias das comunicações informais que ditam gostos, tendências e modas. Vou lhe mostrar os sets dos programas infantis *As pistas de Blue* e *Vila Sésamo* e o impressionante mundo do homem que ajudou a criar o Columbia Record Club para que você veja como é possível estruturar as mensagens e fazer com que elas exerçam o máximo de impacto sobre o público. Vou conduzi-lo a uma empresa de alta tecnologia em Delaware, para falar sobre os Pontos da Virada que governam a vida em grupo, e ao metrô da cidade de Nova York para que você entenda como a epidemia de crimes terminou ali. O objetivo de tudo isso é responder a duas perguntas simples que estão no cerne daquilo que todos nós gostaríamos de realizar como educadores, pais, profissionais de marketing, executivos e políticos. Por que alguns comportamentos, produtos e idéias deflagram epidemias e outros não? E o que podemos fazer deliberadamente para desencadear e controlar as nossas próprias epidemias positivas?

As três regras que regem as epidemias

Em meados dos anos 1990, a cidade de Baltimore foi acometida por uma epidemia de sífilis. No espaço de um ano, de 1995 a 1996, o número de crianças nascidas com a doença aumentou 500%. Se observarmos os índices de sífilis em Baltimore num gráfico, a linha segue horizontalmente durante anos até que, em 1995, sobe quase que em ângulo reto.[1]

O que fez com que o problema da sífilis sofresse essa virada em Baltimore? De acordo com os Centros de Controle de Doenças (CCD), o problema foi o crack.[2] Sabe-se que esse narcótico provoca um aumento significativo do tipo de comportamento sexual de risco que leva à propagação de males como o HIV e a sífilis. Faz com que muito mais pessoas nas áreas pobres comprem drogas, ampliando a probabilidade de levarem para seus bairros uma infecção. Muda o padrão das relações sociais entre os bairros. O crack, de acordo com esses centros, foi o empurrãozinho de que o problema da sífilis precisava para se transformar numa epidemia de grandes proporções.

John Zenilman, da Universidade Johns Hopkins, em Baltimore, especialista em doenças sexualmente transmissíveis (DST), tem outra explicação: o colapso dos serviços médicos nos bairros mais carentes da cidade. "De 1990 a 1991, registramos 36 mil consultas de pacientes em clínicas públicas para doenças sexualmente transmissíveis", diz ele. "Depois, por causa de problemas de orçamento, a prefeitura decidiu fazer cortes graduais. O número de profissionais da área médica foi reduzido de 17 para 10, enquanto o de médicos passou de três para nenhum. A quantidade de consultas caiu para 21 mil. Ocorreu também uma diminuição semelhante do número de pessoas que trabalhavam no atendimento externo. Havia muita política – coisas que antes eram comuns, como upgrades de computadores, deixaram de ser feitas. Foi o pior caso de mau funcionamento do serviço burocrático de uma cidade. Eles ficaram sem remédios."

Em outras palavras, enquanto havia 36 mil consultas por ano nas clínicas para doenças sexualmente transmissíveis na zona mais pobre de Baltimore, a sífilis era mantida sob controle. Em algum ponto entre 36 mil e 21 mil consultas anuais, segundo Zenilman, a doença irrompeu, passando dos bairros pobres para as ruas e rodovias que ligam essas regiões ao resto da cidade. De repente, pessoas que antes permaneciam infectadas por uma semana até serem atendidas por um médico agora ficavam contaminando outros indivíduos durante duas, três ou quatro semanas antes de serem curadas. A interrupção do tratamento fez da sífilis um problema muito maior do que era antes.

Existe uma terceira teoria, que pertence a John Potterat, um dos principais epidemiologistas do país. Os vilões, para ele, foram as mudanças físicas que afetaram as zonas leste e oeste da cidade naqueles anos. Foi nesses bairros mais carentes, que ladeavam o centro de Baltimore, que o problema da sífilis se concentrou. Em meados da década de 1990, observa ele, a prefeitura deu início a uma política para derrubar os altos prédios dos conjuntos habitacionais construídos no estilo dos anos 1960. Duas das demolições que ganharam maior publicidade – a do Lexington Terrace, na West Baltimore, e a da Courts Lafayette, em East Baltimore –

envolviam construções enormes que abrigavam centenas de famílias e serviam como centros para o crime e doenças infecciosas. Ao mesmo tempo, quem morava nas fileiras de casas geminadas antigas nas zonas leste e oeste começou a se mudar, pois elas também estavam se deteriorando.

"Foi surpreendente", afirma Potterat, falando da primeira vez que visitou aquelas duas áreas. "Metade das casas geminadas estava cercada por tapumes e havia também um trabalho de destruição das construções. O que aconteceu foi uma espécie de escavação das moradias. Isso incentivou a diáspora. Durante anos a sífilis se manteve confinada a uma região específica de Baltimore, dentro de redes sociais e sexuais altamente restritas. O processo de deslocamento habitacional fez com que essas pessoas se transferissem para outras regiões da cidade, e elas partiram levando consigo a sífilis e os comportamentos que adotavam."

O interessante nessas três explicações é que nenhuma delas é extraordinária. Os CCD acharam que o problema era o crack. Não que a droga tivesse chegado a Baltimore em 1995 – ela já estava lá havia anos. O que eles estavam dizendo é que tinha ocorrido um aumento sutil na gravidade da questão do crack em meados da década de 1990 e que isso fora o suficiente para deflagrar a epidemia de sífilis. Zenilman, da mesma forma, não estava afirmando que as clínicas de DST em Baltimore estavam fechadas. Elas apenas haviam passado a atender menos pacientes por causa da redução do número de profissionais da área médica de 17 para 10. Nem Potterat estava dizendo que toda a cidade fora esburacada. A demolição de alguns projetos habitacionais e o abandono de moradias em bairros-chave tinham sido suficientes, observou ele, para que a quantidade de casos de sífilis atingisse as alturas. Basta uma ligeira mudança para se desfazer o equilíbrio e desencadear uma epidemia.

O segundo e talvez o mais interessante fato sobre essas explicações é que todas elas descrevem uma maneira diferente de deflagrar uma epidemia. Os CCD falam do contexto geral da doença – como a introdução de uma droga que vicia e o aumento do seu uso podem alterar de tal forma o ambiente de uma cidade a ponto de fazerem com que uma doença se dissemine em grandes proporções. Zenilman fala da sífilis em si. Com o corte de pessoal e a redução do número de atendimentos, a doença ganhou uma segunda vida. Fora no passado uma infecção aguda. Agora era crônica. Tinha se tornado um problema persistente, que durava semanas. Potterat, por sua vez, concentrou-se nos portadores da sífilis. Segundo ele, essas pessoas eram moradores muito pobres de Baltimore, talvez usuários de drogas e sexualmente ativos. Se, de repente, esses indivíduos fossem transferidos para outro bairro – para uma parte diferente da cidade, onde a sífilis nunca tivesse sido um transtorno –, existiria a possibilidade de ocorrer uma virada no curso da doença.

Em outras palavras, há diversas maneiras de se desencadear uma epidemia. As epidemias envolvem a ação das pessoas que transmitem agentes infecciosos, do agente infeccioso em si e do ambiente em que o agente atua. E, quando uma epidemia é deflagrada, quando o equilíbrio se perde, é porque algo aconteceu, alguma alteração ocorreu em um (dois ou três) desses três elementos. Existem três agentes de mudança que eu chamo de a Regra dos Eleitos, o Fator de Fixação e o Poder do Contexto.

1.

Quando afirmamos que um grupo de garotos do East Village iniciou a epidemia Hush Puppies ou que a dispersão dos moradores de alguns conjuntos habitacionais foi o que bastou para desencadear a epidemia de sífilis em Baltimore, o que estamos realmente dizendo é que, em determinado processo ou sistema, algumas pessoas são mais importantes do que outras. Esse não é um conceito radical. Os economistas costumam mencionar o Princípio 80/20,[3] que é a idéia de que, em qualquer situação, cerca de 80% do "trabalho" é feito por 20% dos participantes. Na maioria das sociedades, 20% dos criminosos cometem 80% dos crimes. Vinte por cento dos motoristas causam 80% de todos os acidentes. Vinte por cento dos bebedores de cerveja tomam 80% de toda a cerveja. Em se tratando de epidemias, entretanto, essa desproporcionalidade é ainda maior: uma porcentagem mínima de pessoas faz a maior parte do trabalho.

Potterat, por exemplo, analisou certa vez uma epidemia de gonorréia em Colorado Springs, Colorado,[4] examinando todas as pessoas que procuravam clínicas de saúde públicas para se tratar da doença no período de seis meses. Descobriu que cerca da metade de todos os casos vinha, essencialmente, de quatro bairros que representavam em torno de 6% da área geográfica da cidade. Metade desses 6%, por sua vez, freqüentava seis bares específicos. Potterat, então, entrevistou 768 pessoas nesse pequeno subgrupo e descobriu que 600 delas não haviam transmitido gonorréia para mais ninguém ou haviam contaminado apenas uma pessoa. A esses indivíduos ele chamou de não-transmissores. Os que fizeram a epidemia crescer – os que estavam passando a doença para duas, três, quatro e cinco outras pessoas – foram os restantes 168. Em outras palavras, em toda a cidade de Colorado Springs – com uma população superior a 100 mil habitantes –, a epidemia de gonorréia sofreu uma virada em conseqüência das atividades de 168 pessoas que viviam em quatro bairros pequenos e freqüentavam, basicamente, os mesmos seis bares.

Quem eram essas 168 pessoas? Elas não são como você nem como eu. É gente que sai todas as noites, que tem muito mais parceiros sexuais do que o normal, que vive e se comporta segundo padrões bastante incomuns. Em meados da década de 1990, por exemplo, nos salões de bilhar e rinques de patinação sobre rodas de East St. Louis, Missouri, havia um homem chamado Darnell "Chefão" McGee. Ele era grandalhão – mais de 1,80m – e charmoso, um ótimo patinador que encantava as garotas com seus feitos no rinque. Sua especialidade eram as meninas de 13 e 14 anos. Ele comprava jóias para elas, levava-as para passear no seu Cadillac, deixava-as drogadas com crack e fazia sexo com elas. Entre 1995 e 1997, quando foi morto a tiros por um assaltante, ele foi para cama com no mínimo 100 mulheres e – descobriu-se mais tarde – contaminou pelo menos 30 com o HIV.

Naquele mesmo período de dois anos, a 2.500km dali, perto de Buffalo, Nova York, outro homem – uma espécie de clone do Chefão – agia nas ruas perigosas do centro de Jamestown. Chamava-se Nushawn Williams, embora também atendesse pelos apelidos de "Face", "Sly" e "Shyteek". Williams fazia verdadeiros malabarismos com dezenas de garotas, mantendo três ou quatro apartamentos espalhados pela cidade e, enquanto isso, vivia do contrabando de drogas do Bronx. (Como um epidemiologista que conhecia o caso me disse, sem nenhum rodeio: "O cara era um gênio. Se eu conseguisse fazer o que Williams fazia, nunca mais precisaria trabalhar na vida.") Williams, como o Chefão, era um sedutor. Comprava flores para as namoradas, deixava que elas trançassem seus longos cabelos e promovia orgias nos seus apartamentos, à base de álcool e maconha, que duravam a noite inteira. "Uma noite, transei com ele umas três ou quatro vezes", contou uma de suas parceiras. "Eu e ele, juntos, era festa o tempo todo... Depois que Face fazia sexo, era a vez dos amigos. Saía um e entrava outro." Williams agora está preso. Sabe-se que infectou pelo menos 16 das suas ex-namoradas com o HIV. E, de forma ainda mais admirável, em *O prazer com risco de vida*, Randy Shilts discute com minúcias o chamado Paciente Zero de AIDS, o comissário de bordo franco-canadense Gaetan Dugas, que disse ter tido 2.500 parceiras em toda a América do Norte e que estava associado a pelo menos 40 dos primeiros casos dessa síndrome na Califórnia e em Nova York.[5] Esse é o tipo de pessoa que impulsiona as epidemias de doenças.

Com as epidemias sociais ocorre exatamente o mesmo processo. Elas também são suscitadas pelo esforço de um grupo de pessoas excepcionais. Nesse caso, o que as caracteriza não é o apetite sexual, mas o nível de sociabilidade ou de energia, de conhecimento e de influência que apresentam entre os colegas. No caso dos Hush Puppies, o grande mistério é saber como esses sapatos saíram dos pés de alguns jovens irreverentes e lançadores de moda do centro de Manhattan para as vitrines de todos os shoppings do país. Qual é a conexão entre o East Village e a classe média americana? A Regra dos Eleitos diz que é porque uma dessas pessoas excepcionais descobriu a tendência e, por meio de seus contatos sociais, da sua energia, do seu entusiasmo e da sua personalidade, espalhou a novidade sobre os Hush Puppies exatamente da mesma forma como indivíduos como Gaetan Dugas e Nushawn Williams conseguiram disseminar o HIV por toda a parte.

2.

Em Baltimore, quando as clínicas públicas da cidade sofreram cortes, a natureza da sífilis que afetava os bairros pobres mudou. Originalmente, a doença era uma infecção aguda, da qual as pessoas podiam se tratar rápido antes que tivessem chance de infectar muitas outras. Mas, com a redução de pessoal, ela foi se tornando uma moléstia crônica, e seus portadores passaram a ter de três a cinco vezes mais tempo para transmiti-la. As epidemias se propagam pelo esforço extraordinário de uma minoria seleta de transmissores. Contudo, isso também acontece, às vezes, quando alguma coisa altera o próprio agente epidêmico.

Esse é um princípio bem conhecido em virologia. As cepas virais que circulam numa epidemia de gripe no início do inverno são bem diferentes das que circulam no fim dessa estação. A mais famosa de todas – a pandemia de 1918, a chamada gripe espanhola – foi identificada na primavera daquele ano e era, relativamente falando, bastante fraca. Entretanto, durante o verão, o vírus sofreu alguma estranha mutação e, nos seis meses seguintes, acabou matando de 20 a 40 milhões de pessoas em todo o mundo. Nada mudou na maneira como o vírus estava sendo transmitido. Mas, de repente, ele se tornou muito mais letal.

O pesquisador holandês da AIDS, Jaap Goudsmit, argumenta que esse mesmo tipo de transformação drástica aconteceu com o HIV.[6] O trabalho de Goudsmit focaliza o que se conhece como pneumocistose, ou pneumonia por *Pneumocystis jiroveci* (antes conhecido como *Pneumocystis carinii*). Todos nós somos portadores desse microrganismo provavelmente desde que nascemos ou o contraímos logo depois. No caso da maioria das pessoas, ele é inofensivo. O sistema imunitário o domina sem dificuldades. No entanto, se o sistema é seriamente danificado por alguma coisa, como o HIV, esse microrganismo se torna incontrolável e é capaz de provocar uma forma letal de pneumonia. De fato, a pneumocistose é tão comum entre os pacientes de AIDS que já é vista como um indício quase certo da presença do vírus HIV. O que Goudsmit fez foi recorrer à literatura médica em busca de casos de pneumocistose, e o que ele encontrou é de dar calafrios. Logo depois da Segunda Guerra Mundial, começando na cidade portuária báltica de Danzig e espalhando-se por toda a Europa central, uma epidemia dessa doença matou milhares de criancinhas.

Goudsmit analisou uma das regiões mais atingidas, a cidade mineradora de Heerlen, na província holandesa de Limburg. Em Heerlen havia um hospital-escola para parteiras chamado Kweekschool voor Vroedvrouwen, no qual uma única unidade – chamada de quartel sueco – era usada na década de 1950 como ala especial para bebês abaixo do peso ou prematuros. Entre junho de 1955 e julho de 1958, 81 bebês naquela unidade adoeceram com pneumocistose e 24 morreram. Goudsmit acha que essa foi uma das primeiras epidemias de HIV e que, de alguma forma, o vírus entrou no hospital e se espalhou de uma criança para outra graças à prática, aparentemente comum na época, de usar várias vezes a mesma agulha nas transfusões de sangue e injeções de antibióticos. Ele escreve:

> É quase certo que pelo menos um adulto – provavelmente um minerador de carvão da Polônia, [da antiga] Tchecoslováquia ou da Itália – tenha levado o vírus para Limburg. Esse único adulto pode ter morrido de AIDS sem chamar muita atenção... Talvez tenha transmitido o vírus para a mulher e o filho. A mulher (ou namorada) contaminada pode ter dado à luz em um quartel sueco uma criança infectada pelo HIV, mas de aparência saudável. Agulhas e seringas não esterilizadas podem ter espalhado o vírus entre as crianças.

O aspecto verdadeiramente estranho nessa história, é claro, é que nem todas as crianças morreram. Só um terço delas pereceu. As outras fizeram o que hoje parece quase impossível: derrotaram o HIV, expulsaram-no de seus corpos e continuaram vivendo sua vida saudáveis. Em outras palavras, as cepas de HIV que circulavam na década de 1950 eram muito diferentes das de hoje. Eram tão contagiosas quanto as atuais. Mas fracas o suficiente para que a maioria das pessoas – até bebês – conseguissem combatê-las e sobrevivessem. Em resumo, não foram somente as enormes mudanças no comportamento sexual das comunidades gays que causaram a rápida propagação do vírus HIV no início da década de 1980. A epidemia também foi desencadeada porque o próprio HIV mudou. Por um motivo ou outro, o vírus ficou muito mais letal. Uma vez infectada, a pessoa permanecia infectada. O vírus se fixava.

Essa idéia da importância da fixação no momento em que as coisas estão mudando tem enormes implicações na nossa maneira de ver as epidemias sociais também. Perdemos muito tempo pensando em como fazer para que as mensagens se tornem mais contagiantes – em como alcançar o maior número possível de pessoas com nossos produtos ou idéias. Mas, quase sempre, o difícil na comunicação é descobrir como ter certeza de que a mensagem não vai entrar por um ouvido e sair pelo outro. A fixação significa que ela causou impacto. Não dá para tirá-la da cabeça. Ela gruda na memória. Quando, por exemplo, a Winston lançou no mercado americano os cigarros com filtro, na primavera de 1954, a empresa usou o seguinte slogan: *Winston tastes good like a cigarette should* ("O Winston tem um gosto tão bom quanto um cigarro deve ter"). Na época, o uso gramaticalmente inadequado e, de certa forma, provocativo da palavra *like* em vez de *as* (o correto seria *Winston tastes **as** good **as** a cigarette should*) causou um pequeno rebuliço entre os falantes de língua inglesa. Era o tipo de frase que as pessoas comentavam, como o slogan "Onde está a carne?", da campanha de 1984 da cadeia de lanchonetes Wendy. Na história sobre a indústria do tabaco escrita por Richard Kluger, ele diz que os profissionais de marketing da R. J. Reynolds, que vende o Winston, ficaram "encantados com a atenção". "Eles transformaram aquele slogan ofensivo nos versos de um animado jingle cantado na televisão e no rádio e, ironicamente, defenderam a sua sintaxe, afirmando que se tratava de um coloquialismo, não de um erro gramatical".[7] Meses depois de seu lançamento, apoiados nessa frase de efeito, os cigarros Winston tinham dado um salto, deixando para trás as marcas Parliament, Kent e L&M e ocupando o segundo lugar, atrás do Viceroy, no mercado americano. Em pouco tempo, era a marca mais vendida nos Estados Unidos. Até hoje, se alguém diz *"Winston tastes good"*, a maioria dos americanos completa *"like a cigarette should"*. Essa é uma frase publicitária de fixação clássica, e a fixação é um fator crítico para que um produto deslanche. Se uma pessoa não se lembra do que eu digo a ela, por que vai mudar o seu comportamento, comprar o meu produto, ou ver o meu filme?

O Fator de Fixação diz que há maneiras específicas de fazer com que uma mensagem contagiante se torne inesquecível – existem alterações relativamente simples na apresentação e na estruturação das informações que causam uma grande diferença na intensidade de seu impacto.

3.

Sempre que alguém procura uma clínica pública em Baltimore para se tratar de sífilis ou gonorréia, John Zenilman insere o endereço da pessoa no seu computador, de forma que o caso aparece como uma estrelinha preta em um mapa da cidade. É mais ou menos como uma versão médica dos mapas que são afixados nas paredes das delegacias, em que alfinetes marcam onde ocorreram crimes. No mapa de Zenilman, os bairros de East e West Baltimore, que ladeiam as zonas leste e oeste do centro da cidade, costumam ficar carregados de estrelas pretas. A partir desses dois pontos, os casos se estendem pelas duas estradas centrais que cortam ambos os bairros. No verão, quando a incidência de doenças sexualmente transmissíveis é maior, os aglomerados de estrelas pretas sobre as estradas que levam a East e West Baltimore se avolumam. Os males estão a caminho. Mas, nos meses de inverno, o mapa muda de aparência. Quando o tempo esfria e as pessoas de East e West Baltimore passam a ficar mais em casa – longe dos bares, dos clubes noturnos e das esquinas onde acontecem as atividades sexuais –, as estrelas das duas localidades vão pouco a pouco perdendo o brilho.

O efeito sazonal sobre o número de casos é tão forte que é fácil imaginar que bastaria um inverno prolongado e intenso para retardar ou diminuir de modo substancial – pelo menos durante uma estação – o crescimento da epidemia de sífilis.

As epidemias, demonstra o mapa de Zenilman, são muito influenciadas por sua situação – pelas circunstâncias, condições e particularidades dos ambientes em que ocorrem. Tudo isso é óbvio. O interessante, entretanto, é até que ponto esse princípio pode ser aplicado. Não são apenas elementos prosaicos, como a temperatura, que influenciam o comportamento. Mesmo os menores, mais sutis e inesperados fatores podem afetar a nossa maneira de agir. Um dos incidentes mais hediondos da história de Nova York, por exemplo, foi o assassinato de Kitty Genovese, morta a facadas, em 1964, no Queens. Em meia hora, ela foi perseguida pelo agressor e atacada três vezes na rua enquanto 38 vizinhos assistiam à cena de suas janelas. Nesse período, no entanto, nenhuma dessas 38 pessoas telefonou para a polícia. O caso provocou ondas de autorecriminação. Tornou-se um símbolo da frieza e da desumanidade da vida urbana. Abe Rosenthal, mais tarde editor do *New York Times*, escreveu um livro sobre o crime:[8]

> Ninguém sabe dizer por que as 38 pessoas não pegaram o telefone enquanto Kitty Genovese estava sendo atacada, visto que elas mesmas não sabem. Pode-se supor, entretan-

to, que foi uma apatia típica das grandes cidades. Quando se vive cercado e pressionado por milhões de pessoas, é quase uma questão de sobrevivência psicológica impedir que elas fiquem interferindo em sua vida o tempo todo, e a única maneira de conseguir isso é ignorá-las sempre que possível. A indiferença pelo vizinho e seus problemas é um reflexo condicionado da vida em Nova York, assim como é em outras grandes cidades.

Esse é o tipo de explicação relativa ao ambiente que, para nós, intuitivamente, faz sentido. O anonimato e a alienação que marcam a vida nos grandes centros urbanos tornam as pessoas duras e insensíveis. A verdade a respeito de Genovese, porém, é um pouco mais complicada – e interessante. Dois psicólogos da cidade de Nova York – Bibb Latane, da Universidade de Columbia, e John Darley, da Universidade de Nova York – realizaram em seguida uma série de estudos para tentar compreender algo que eles chamaram de "problema do espectador". Para isso, encenaram vários tipos de situações de emergência para ver quem apareceria para ajudar. O que eles descobriram, com surpresa, foi que o principal fator que influenciava a disposição de prestar auxílio era o número de testemunhas presentes.

Em uma experiência, por exemplo, Latane e Darley fizeram um aluno, sozinho numa sala, encenar um ataque epilético.[9] Se houvesse apenas uma pessoa na sala vizinha ouvindo, ela corria para ajudar o aluno em 85% das vezes. Contudo, se ela achasse que havia outras quatro também ouvindo o ataque, sairia para acudir o estudante apenas em 31% das vezes. Em outra experiência, os indivíduos que viam fumaça saindo por baixo de uma porta relatavam o incidente 75% das vezes quando estavam sozinhos, mas só 38% se estivessem em grupo. Em outras palavras, quando as pessoas estão em grupo, a responsabilidade de agir fica difusa.

Supõe-se que o outro vai tomar uma providência ou que, como ninguém se mexe, o aparente problema – os ruídos de um ataque na sala ao lado, a fumaça que sai por baixo da porta – não é de fato um problema. Portanto, no caso de Kitty Genovese, argumentam psicólogos sociais, como Latane e Darley, o mais importante a observar não é o fato de ninguém ter telefonado para a polícia apesar de 38 pessoas terem escutado seus gritos, e sim o fato de que ninguém ligou *porque* 38 pessoas a escutaram gritar. Ironicamente, se ela tivesse sido agredida numa rua deserta com apenas uma testemunha, talvez ainda estivesse viva.

A chave para conseguir mudar o comportamento das pessoas, isto é, fazer com que elas se preocupem com um vizinho que está necessitando de socorro, às vezes está em detalhes mínimos de sua situação imediata. O Poder do Contexto diz que os seres humanos são muito mais sensíveis ao seu ambiente do que pode parecer.

4.

As três regras do Ponto da Virada – a Regra dos Eleitos, o Fator de Fixação e o Poder do Contexto – são uma forma de compreender as epidemias. Elas nos dizem como alcançar o Ponto da Virada. Neste livro, pegarei essas idéias e as aplicarei a outras situações e epidemias intrigantes do mundo que nos cerca. De que maneira essas regras nos ajudam a compreender o tabagismo entre os adolescentes, por exemplo, ou o fenômeno da propaganda boca a boca, os crimes e a ascensão de um best-seller? Talvez você se surpreenda com as respostas.

Missão era
Prender em lexington
John Hancock e
Samuel Adams
(Líderes dos colonos)

Depois seguir a
Concord p/ pegar as
Armas e munições.

A Regra dos Eleitos:

COMUNICADORES, EXPERTS E VENDEDORES

Paul Revere

Na tarde do dia 18 de abril de 1775, um jovem que trabalhava numa cavalariça em Boston escutou um oficial do Exército britânico comentar com outro algo a respeito de "uma confusão dos diabos amanhã". O rapaz foi correndo a North End, até a casa de um prateiro chamado Paul Revere, para contar a novidade. Revere o ouviu circunspecto. Não era o primeiro boato que chegava ao seu conhecimento naquele dia. Já tinha escutado falar de uma quantidade fora do comum de oficiais britânicos reunidos perto do cais, conversando em voz baixa. Membros da tripulação britânica haviam sido vistos correndo de um lado para outro nos barcos amarrados ao *HMS Somerset* e ao *30 HMS Boyne*, no porto de Boston. Vários marinheiros tinham sido vistos em terra naquela manhã, cumprindo o que pareciam ser missões de última hora. No transcorrer do dia, Revere e seu amigo Joseph Warren foram se convencendo cada vez mais de que os ingleses estavam prestes a dar o grande passo de que se falava havia muito tempo – marchar até a cidade de Lexington, a noroeste de Boston, para prender os líderes dos colonos, John Hancock e Samuel Adams, e depois seguir para a cidade de Concord e apreender as armas e a munição que algumas milícias coloniais locais tinham armazenado ali.[1]

O que aconteceu em seguida virou lenda, uma história contada em todas as escolas americanas. Naquela noite, às dez horas, Warren e Revere se encontraram e decidiram que era preciso avisar as comunidades ao redor de Boston de que os ingleses estavam chegando, de modo que a milícia local pudesse se preparar para enfrentá-los. Determinado, Revere foi de balsa do porto de Boston até o desembarcadouro em Charlestown. Pulou em um cavalo e iniciou a sua célebre "cavalgada da meia-noite" até Lexington. Em duas horas, percorreu 21km. Em todas as cidades ao longo do caminho – Charlestown, Medford, North Cambridge, Menotomy –, ele batia às portas e dava a notícia, dizendo a todos os líderes dos colonos que os ingleses estavam a caminho e pedindo que espalhassem a notícia. Os sinos das igrejas começaram a tocar. Os tambores a bater. A novidade se alastrou como um vírus quando aqueles que tinham recebido a mensagem de Paul Revere enviaram seus próprios mensageiros a cavalo, até que os alarmes soaram por toda a região. A notícia chegou a Lincoln, em Massachusetts, a uma hora da manhã; em Sudbury às três; em Andover, 64km a noroeste de Boston, às cinco horas; e, às nove, já estava em Ashby, perto de Worcester. Quando, por fim, os ingleses iniciaram a sua marcha sobre Lexington na manhã do dia 19, a incursão pelo interior do país – para seu grande espanto – encontrou uma feroz e organizada resistência. Naquele dia, em Concord, os ingleses foram totalmente derrotados pelo exército dos colonos, e desse confronto originou-se a guerra conhecida como Revolução Americana.

A cavalgada de Paul Revere talvez seja o exemplo histórico mais famoso de uma epidemia de propaganda boca a boca. Uma notícia extraordinária percorreu uma distância enorme em muito pouco tempo, mobilizando toda uma região para pegar em armas. Nem todas as epidemias de propaganda boca a boca são tão sensacionais assim, é claro. Mas podemos dizer com certeza que a informação transmitida desse modo continua sendo – mesmo nesta era da comunicação de massa e das campanhas publicitárias multimilionárias – a forma mais importante de comunicação humana. Pense, por um momento, naquele restaurante caro onde você jantou há pouco tempo, naquela roupa que lhe custou um dinheirão outro dia, no último filme que você viu. Em quantas dessas situações a sua decisão de gastar dinheiro sofreu forte influência da recomendação de um amigo? Muitos executivos de agências de publicidade acham que, exatamente por serem os esforços de marketing hoje em dia tão onipresentes, o apelo da propaganda boca a boca se tornou a única forma de persuasão a que a maioria de nós ainda responde.

No entanto, por isso mesmo, ela continua sendo muito misteriosa. As pessoas trocam informações de todos os tipos, o tempo todo. Mas só raramente isso deflagra uma epidemia de propaganda boca a boca. No meu bairro existe um restaurante pequeno que adoro e sobre o qual venho falando com meus amigos há uns seis meses. Ainda assim, ele continua meio vazio. É óbvio que o meu endosso não basta para iniciar uma epidemia de propaganda boca a boca. Porém, existem outros restaurantes que, na minha opinião, não são melhores do que aquele perto da minha casa e que mal acabaram de ser inaugurados e já estão dispensando clientes. Por que algumas idéias, tendências e mensagens "pegam" e outras não?

No caso da cavalgada de Paul Revere, a resposta parece fácil. Ele levava uma notícia sensacional: os ingleses estavam chegando. De qualquer modo, analisando a fundo o que aconteceu naquela noite, essa explicação também não soluciona o enigma. Enquanto Revere iniciava seu deslocamento nas direções norte e oeste de Boston, um companheiro revolucionário – um curtidor chamado William Dawes – partiu na mesma missão urgente, seguindo até Lexington através das cidades a oeste de Boston. Sua mensagem era idêntica à de Revere, assim como o número de localidades e quilômetros que ele percorreu. Entretanto, a cavalgada de Dawes não incendiou o interior do país. Os líderes da milícia local não ficaram de sobreaviso. De fato, em Waltham – uma das principais cidades por onde ele passou – eram tão poucos homens lutando no dia seguinte que alguns historiadores concluíram depois que essa comunidade era fortemente a favor dos ingleses. Mas não era. O povo de Waltham só descobriu que os ingleses estavam a caminho quando já era tarde demais. Se o importante numa epidemia deflagrada pela propaganda boca a boca fosse apenas a notícia em si, Dawes hoje seria tão famoso quanto Revere. E ele não é. Então, por que Revere foi bem-sucedido, e Dawes, não?

A resposta é que o sucesso de qualquer tipo de epidemia depende muito do envolvimento de pessoas dotadas de um conjunto raro e particular de talentos sociais. A notícia de Revere pegou, mas a de Dawes, não, por causa das diferenças entre os dois homens. Essa é a Regra dos Eleitos, que pincelei no capítulo anterior. Lá mencionei apenas exemplos dos tipos de pessoas – altamente promíscuas, sexualmente predadoras – que são fundamentais no caso de epidemias de DST. Neste capítulo, falo das pessoas essenciais para as epidemias sociais e o que faz com que indivíduos como Paul Revere sejam diferentes de outros como William Dawes. Estamos cercados por pessoas assim. No entanto, com freqüência, não lhes damos o devido crédito pelo papel que representam em nossa vida. Eu as chamo de Comunicadores, Experts e Vendedores.

"O mensageiro é mais importante que a mensagem."

1.

No fim da década de 1960, o psicólogo Stanley Milgram realizou uma experiência para encontrar a resposta ao que se conhece como o problema do pequeno mundo.[2] A questão é esta: como

Teoria
6 graus
por

os seres humanos se relacionam? Pertencemos todos a mundos separados, agindo simultaneamente, mas de forma autônoma, a ponto de serem raros e distantes os vínculos entre duas pessoas, em qualquer lugar do planeta? Ou estamos todos unidos numa grande e entrosada rede? De certa forma, Milgram estava fazendo a mesma pergunta que dá início a este capítulo, isto é: como uma idéia, tendência ou notícia – os ingleses estão vindo! – se propaga por toda uma população?

A idéia de Milgram foi testar essa pergunta por meio de cartas expedidas no sistema de corrente. Ele conseguiu nomes de 160 moradores de Omaha, Nebraska, e enviou a cada um deles um pacote com o nome e o endereço de um corretor de valores que trabalhava em Boston e morava em Sharon, Massachusetts. Cada pessoa deveria escrever o seu próprio nome no pacote e enviá-lo a um amigo ou conhecido que ela achasse que poderia levar a encomenda para mais perto do corretor. Se você vivesse em Omaha, por exemplo, e tivesse um primo fora de Boston, poderia lhe mandar o pacote, supondo que – mesmo não conhecendo o corretor – ele teria muito mais chances de fazê-lo chegar às mãos do destinatário final em duas, três ou quatro etapas. A idéia era ver a lista de todas as pessoas por quem o pacote havia passado até alcançar seu destino e estabelecer quanto alguém escolhido ao acaso numa parte do país está intimamente relacionado com outro indivíduo em outra parte do país. Milgram descobriu que a maioria das cartas alcançou o corretor em cinco ou seis etapas. Foi dessa experiência que tiramos o conceito dos seis estágios de separação.

Essa frase hoje é tão familiar que é fácil perder de vista quanto a experiência de Milgram foi surpreendente. A maioria de nós não tem um círculo particularmente amplo e diversificado de amigos. Em um estudo, um grupo de psicólogos pediu aos moradores do conjunto habitacional Dyckman, no norte de Manhattan, que citassem o nome do seu melhor amigo naquele projeto residencial. Os resultados mostraram que 88% dos amigos moravam no mesmo prédio e que metade residia no mesmo andar. Em geral, as pessoas mencionaram indivíduos de idade e raça similares às suas. No entanto, quando o amigo morava no fim do corredor, a idade e a raça não eram tão importantes.[3] A proximidade reforçava a semelhança. Outro estudo, realizado com alunos da Universidade de Utah, revelou que, se perguntarmos a um indivíduo por que é amigo de determinada pessoa, ele dirá que é porque os dois têm mentalidades semelhantes. Mas, se os indagarmos sobre essa mentalidade, veremos que, mais do que isso, o que eles têm em comum são as atividades. Somos amigos de pessoas com quem fazemos coisas juntos tanto quanto somos daquelas com quem nos parecemos. Em outras palavras, não procuramos amigos, e sim nos associamos às pessoas que ocupam os mesmos pequenos espaços físicos que nós. Quem mora em Omaha não costuma ter amigos em Sharon, Massachusetts, do outro lado do país. "Quando perguntei a um amigo meu, que considero inteligente, quantas etapas ele achava que seriam necessárias, ele calculou que seriam necessários 100 intermediários – ou mais – para ir de Nebraska a Sharon", escreveu Milgram na época. "Muita gente faz estimativas parecidas com essa e se surpreendem ao saber que apenas cinco intermediários – em média – bastam. Seja como for, não é isso que diz a intuição." Como o pacote chegou a Sharon em apenas cinco etapas?

A resposta é que nos seis estágios de separação nem todos os degraus são iguais. Ao analisar a sua experiência, por exemplo, Milgram verificou que muitas das correntes de Omaha a Sharon seguiram os mesmos padrões assimétricos. Vinte e quatro cartas chegaram à casa do corretor em Sharon e, dessas, 16 lhe foram entregues pela mesma pessoa, um comerciante de roupas que Milgram chama de Sr. Jacobs. O restante foi para o seu escritório e, dessa parte, a maioria foi levada por dois outros homens, a quem Milgram chama de Sr. Brown e Sr. Jones. Ao todo, metade das correspondências que o corretor recebeu foi entregue por esses três indivíduos. Pense nisso. Dezenas de pessoas, escolhidas ao acaso numa cidade grande do Meio-Oeste, enviaram as cartas seguindo critérios independentes. Algumas delas as remeteram por intermédio de conhecidos da faculdade. Outras, por meio de parentes. E houve ainda quem as encaminhasse a ex-colegas de trabalho. Cada um dos participantes adotou uma estratégia diferente. Mas, no fim, quando todas essas correntes separadas e idiossincráticas se fecharam, metade das cartas acabou nas mãos de Jacobs, Jones e Brown. O significado dos seis estágios de separação não é o de que as pessoas estão ligadas a todas as outras em apenas seis etapas. Na verdade, o que esse conceito sustenta é que um número muito pequeno de pessoas está vinculado a todas as outras em poucas etapas, enquanto o restante está associado ao mundo por meio dessa minoria especial.

Existe um jeito fácil de examinar essa idéia. Suponha que você faça uma lista de 40 integrantes do seu círculo de amizades (sem incluir familiares e colegas de trabalho) e, em cada caso, vá retrocedendo até conseguir identificar a pessoa que é basicamente responsável por desencadear a série de conexões que levaram a essa amizade. Por exemplo, conheci Bruce, meu amigo mais antigo, no primeiro ano primário, portanto sou a parte responsável. Isso é fácil. Conheci Nigel porque, na nossa época de faculdade, ele morava no mesmo andar do meu amigo Tom, que conheci porque, no primeiro ano, ele me convidou para jogar futebol. Tom é responsável pelo meu contato com Nigel. Depois de fazer todas as conexões, o estranho é que você vai encontrar os mesmos nomes várias vezes. Tenho uma amiga chamada Amy, que conheci quando sua amiga Katie apareceu com ela num restaurante onde eu estava jantando. Conheço Katie porque ela é a melhor amiga da minha amiga Larissa, que conheço porque um amigo que temos em comum, Mike A. – que conheço porque ele freqüentava o mesmo colégio que outro amigo meu, Mike H., que trabalhava num semanário político com meu amigo Jacob – me pediu que a procurasse. Sem Jacob, não haveria Amy. Da mesma maneira, conheci minha amiga Sarah S. na minha festa de aniversário no ano passado porque ela estava lá com um escritor chamado David, que fora convidado por sua agente, Tina, que conheci por intermédio do meu amigo Leslie, que fiquei conhecendo porque sua irmã, Nina, é amiga da minha amiga Ana, que me foi apresentada por minha ex-colega de quarto Maura, que foi minha colega de quarto porque trabalhava com uma escritora chamada Sarah L., que foi amiga de faculdade do meu amigo Jacob. Sem Jacob, não haveria Sarah S. De fato, quando passo em revista a minha relação de 40 amigos, 30 deles, de uma forma ou de outra, me levam de volta a Jacob. Meu círculo social não é, na realidade, um círculo. É uma pirâmide. E no topo da pirâmide está uma única pessoa – Jacob – responsável pela maioria das relações que compõem a minha vida. Não só o meu círculo social não é um círculo, como também não é "meu". É de Jacob. É mais como um clube para o qual ele me convidou. Essas pessoas que nos ligam ao mundo, que fazem a ponte entre Omaha e Sharon, que nos apresentam aos nossos círculos sociais – essas pessoas das quais dependemos mais do que temos consciência disso – são os Comunicadores, gente com um talento especial para reunir as pessoas.

2.

O que faz alguém ser um Comunicador? O primeiro critério – e o mais óbvio – é que os Comunicadores conhecem muita gente. Todos nós conhecemos alguém assim. Só acho que não perdemos muito tempo pensando na importância desse tipo de pessoa. Nem tenho certeza de que a maioria de nós realmente acredita que ela conhece mesmo tanta gente. Mas conhece. Isso é fácil de comprovar. Fiz um teste: escolhi ao acaso 250 sobrenomes na lista telefônica de Manhattan. Cada sobrenome de alguém conhecido valia um ponto. (A definição de "conhecido" aqui é bastante ampla. Por exemplo, aquela pessoa com quem a gente conversa no metrô e acaba se apresentando.) Nomes múltiplos contam. Isto é, se o nome era Johnson e havia três Johnson na lista, eu marcava três pontos. A idéia é que a pontuação obtida nesse teste nos fornece uma idéia aproximada de quanto somos sociáveis. É uma maneira simples de avaliar quantos amigos e conhecidos temos. Esta é a minha lista:

Algazi, Alvarez, Alpern, Ametrano, Andrews, Aran, Arnstein, Ashford, Bailey, Ballout, Bamberger, Baptista, Barr, Barrows, Baskerville, Bassiri, Bell, Bokgese, Brandao, Bravo, Brooke, Brightman, Billy, Blau, Bohen, Bohn, Borsuk, Brendle, Butler, Calle, Cantwell, Carrell, Chinlund, Cirker, Cohen, Collas, Couch, Callegher, Calcaterra, Cook, Carey, Cassell, Chen, Chung, Clarke, Cohn, Carton, Crowley, Curbelo, Dellamanna, Diaz, Dirar, Duncan, Dagostino, Delakas, Dillon, Donaghey, Daly, Dawson, Edery, Ellis, Elliott, Eastman, Easton, Famous, Fermin, Fialco, Finklestein, Farber, Falkin, Feinman, Friedman, Gardner, Gelpi, Glascock, Grandfield, Greenbaum, Greenwood, Gruber, Garil, Goff, Gladwell, Greenup, Gannon, Ganshaw, Garcia, Gennis, Gerard, Gericke, Gilbert, Glassman, Glazer, Gomendio, Gonzalez, Greenstein, Guglielmo, Gurman, Haberkorn, Hoskins, Hussein, Hamm, Hardwick, Harrell, Hauptman, Hawkins, Henderson, Hayman, Hibara, Hehmann, Herbst, Hedges,

Hogan, Hoffman, Horowitz, Hsu, Huber, Ikiz, Jaroschy, Johann, Jacobs, Jara, Johnson, Kassel, Keegan, Kuroda, Kavanau, Keller, Kevill, Kiew, Kimbrough, Kline, Kossoff, Kotzitzky, Kahn, Kiesler, Kosser, Korte, Leibowitz, Lin, Liu, Lowrance, Lundh, Laux, Leifer, Leung, Levine, Leiw, Lockwood, Logrono, Lohnes, Lowet, Laber, Leonardi, Marten, McLean, Michaels, Miranda, Moy, Marin, Muir, Murphy, Marodon, Matos, Mendoza, Muraki, Neck, Needham, Noboa, Null, O'Flynn, O'Neill, Orlowski, Perkins, Pieper, Pierre, Pons, Pruska, Paulino, Popper, Potter, Purpura, Palma, Perez, Portocarrero, Punwasi, Rader, Rankin, Ray, Reyes, Richardson, Ritter, Roos, Rose, Rosenfeld, Roth, Rutherford, Rustin, Ramos, Regan, Reisman, Renkert, Roberts, Rowan, Rene, Rosario, Rothbart, Saperstein, Schoenbrod, Schwed, Sears, Statosky, Sutphen, Sheehy, Silverton, Silverman, Silverstein, Sklar, Slotkin, Speros, Stollman, Sadowski, Schles, Shapiro, Sigdel, Snow, Spencer, Steinkol, Stewart, Stires, Stopnik, Stonehill, Tayss, Tilney, Temple, Torfield, Townsend, Trimpin, Turchin, Villa, Vasillov, Voda, Waring, Weber, Weinstein, Wang, Wegimont, Weed, Weishaus.

Fiz esse teste com pelo menos 12 grupos de pessoas. Um deles era uma turma de calouros do curso Civilizações do Mundo, do City College, em Manhattan. Os alunos tinham cerca de 20 anos. Muitos deles eram imigrantes recentes nos Estados Unidos, de renda média ou baixa. A pontuação média nessa turma foi 20,96, o que significa que o estudante médio naquela turma conhecia 21 pessoas com os mesmos sobrenomes das famílias da minha lista. Realizei o teste também com um grupo de educadores e acadêmicos da área de saúde numa conferência em Princeton, Nova Jersey. Esse grupo era formado na sua maior parte por pessoas que tinham em torno de 45 anos, predominantemente brancas, de alto nível de educação – muitas com Ph.D. – e de alta renda. Sua pontuação média foi 39. Depois apliquei o teste a uma amostragem mais ou menos aleatória de amigos e conhecidos meus, sobretudo jornalistas e profissionais na faixa dos 20 aos 30 anos. A média foi de 41. Esses resultados não deveriam mesmo causar grande surpresa. Alunos de faculdade não têm tantos conhecidos quanto pessoas na casa dos 40 anos. Faz sentido que, entre os 20 e os 40 anos, o número de conhecidos dobre e também que os profissionais de alta renda conheçam mais gente do que os imigrantes de baixa renda. Em todos os grupos houve ainda uma boa variação entre as pontuações máximas e mínimas. Isso também é de se esperar. Corretores de imóveis conhecem mais gente do que os *hackers* que ameaçam nossos computadores. O que causou espanto, porém, foi a enormidade dessa variação. Na turma da faculdade, a pontuação mais baixa foi dois, enquanto a mais alta foi 95. Na minha amostragem aleatória, a pontuação mais baixa foi nove e a mais alta foi 118. Até na conferência em Princeton, que tinha um grupo homogêneo, com idade, educação e renda semelhantes – todos, com poucas exceções, da mesma profissão –, a variação foi enorme. A pontuação mais baixa foi 16; a mais alta, 108. No total, fiz o teste com cerca de 400 pessoas. Dessas, duas dezenas ou mais tiveram pontuação abaixo de 20; oito, acima de 90; e quatro ou mais, acima de 100. Outro fato inesperado foi que encontrei gente com pontuações altas em todos os grupos sociais que pesquisei. A pontuação dos alunos do City College foi mais baixa, em média, do que a dos adultos. Mas até naquele grupo há pessoas cujo círculo social é quatro a cinco vezes maior do que o de outras. Portanto, pulverizado entre todas as camadas sociais, existe um pequeno número de pessoas com um talento extraordinário para fazer amigos e conhecidos. São os Comunicadores.

Uma das pontuações mais altas na pesquisa que fiz com meus conhecidos foi a de um homem chamado Roger Horchow, um executivo bem-sucedido de Dallas. Ele fundou a Horchow Collection, uma empresa de vendas por correio de artigos sofisticados. Também alcançou grande êxito na Broadway, financiando sucessos de bilheteria, como os musicais *Os miseráveis* e *O fantasma da ópera*, e produzindo o musical premiado de Gershwin, *Crazy for You* (Louco por você). Fui apresentado a Horchow por sua filha, que é minha amiga, e o visitei em seu *pied-à-terre* em Manhattan, um elegante apartamento na Quinta Avenida. Horchow é esguio e tranqüilo. Fala devagar, com um leve sotaque texano. Tem aquele tipo de charme irônico que é extremamente sedutor. Se, por acaso, você se sentar ao seu lado num vôo internacional, ele já estará falando antes mesmo de o avião começar a taxiar para a decolagem, enquanto você já estará rindo quando a luzinha do cinto de segurança se apagar – e sequer terá percebido o tempo passar até aterrissarem do outro lado do oceano. Quando entreguei a Horchow a relação dos nomes da lista telefônica de Manhattan, ele correu os olhos pelo papel, sussurrando os nomes e deslizando a ponta do lápis pela folha. Marcou 98. Acho que, se eu tivesse lhe dado mais 10 minutos para pensar, a sua pontuação seria ainda mais alta.

Por que Horchow se saiu tão bem? Quando fui apresentado a ele, fiquei convencido de que conhecer muita gente era uma espécie de habilidade, algo que alguém poderia se dispor a fazer deliberadamente e aperfeiçoar e que essas técnicas eram fundamentais para o fato de ele conhecer todo mundo. Fiquei lhe perguntando como esses contatos o haviam ajudado no mundo dos negócios, pois eu imaginava que essas duas coisas tinham que estar associadas. No entanto, Horchow parecia não entender o que eu estava querendo saber. Não é que os seus relacionamentos não o tivessem auxiliado. É que ele não pensava nesse conjunto de pessoas como uma estratégia de negócios. Achava que era apenas algo que ele fazia. Era o seu jeito. Horchow simplesmente tem uma espécie de dom, instintivo e natural, para as relações sociais. Ele não precisa agir de forma agressiva. Não é um desses tipos que exageram para se mostrar sociáveis, dando tapinhas nas costas dos outros e fazendo do processo de conquistar amigos uma ação óbvia e interesseira. Ele é mais um observador, com o jeito discreto e consciente de alguém que prefere ficar um pouco de fora. Ele gosta de gente – de uma forma autêntica e entusiasmada – e considera fascinante o modo como as pessoas fazem amizade e interagem umas com as outras. Quando conheci Horchow, ele me explicou como conseguiu os direitos de reprisar o musical de Gershwin, *Girl Crazy* (Garota louca), com o título de *Crazy for You*. A história toda levou 20 minutos. Essa é apenas uma parte. Se parece calculada, não deveria. Horchow fez esse relato num tom amável e brincalhão. Ele estava, penso eu, tirando vantagem das idiossincrasias de sua personalidade de um modo intencional. Mas, para um retrato de como a sua mente funciona – e do que faz alguém ser um Comunicador – é perfeito:

> Tenho um amigo chamado Mickey Shaenen, que vive em Nova York. Ele disse: "Sei que você adora Gershwin. Conheci uma ex-namorada de George Gershwin. Chama-se Emily Paley. Ela era também irmã da mulher de Ira Gershwin, Lenore. Ela mora no Village e nos convidou para jantar." Não importa como, mas fiquei conhecendo Emily Paley e vi um retrato dela pintado por Gershwin. Seu marido, Lou Paley, compunha junto com Ira e George Gershwin no início, quando Ira Gershwin ainda se chamava Arthur Francis. Esse foi um elo...
>
> Almocei com um homem chamado Leopold Godowsky, que é filho de Frances Gershwin, irmã de George Gershwin. Ela se casou com um compositor chamado Godowsky.

O filho de Arthur Gershwin também estava lá. Chama-se Mark Gershwin. Então eles disseram: "Ora, por que vamos lhe ceder os direitos de *Girl Crazy*? Quem é você? Nunca fez teatro." Então, comecei a desencavar algumas coincidências. "Sua tia, Emily Paley. Estive na sua casa. O retrato dela com o xale vermelho – já viu?" Fui puxando todos os pequenos elos. Depois fomos todos para Hollywood e passamos pela casa da Sra. Gershwin. Eu disse: "Estou muito feliz em conhecê-la. Conheci sua irmã. Adorava o trabalho do seu marido." Ah, e aí recorri ao meu amigo de Los Angeles. Quando eu estava em Neiman Marcus, uma senhora escreveu um livro de receitas. Seu nome era Mildred Knopf. Seu marido era Edwin Knopf, produtor de cinema. Ele tratava dos negócios de Audrey Hepburn. O irmão dele era o editor. Apresentamos o livro de receitas em Dallas, e Mildred se tornou uma boa amiga. Nós a adorávamos. Quando eu estava em Los Angeles, ia visitá-la. Sempre me mantenho em contato com as pessoas. Ora, acontece que Edwin Knopf era o melhor amigo de George Gershwin. Eles tinham retratos de Gershwin espalhados pela casa inteira. Ele estava com Gershwin quando ele escreveu *Rhapsody in Blue*, em Asheville, na Carolina do Norte. Knopf morreu. Mas Mildred ainda está viva. Tem 98 anos. Assim, quando fui ver Lee Gershwin, mencionamos que tínhamos acabado de estar com Mildred. Ela disse: "Vocês a conhecem? Ah, como não nos encontramos antes?" Imediatamente ela nos cedeu os direitos.

No decorrer de nossa conversa, Horchow fez isso repetidas vezes, encantado em unir pedacinhos de toda uma vida. Para comemorar o seu septuagésimo aniversário, ele tentou localizar um amigo da escola elementar chamado Bobby Hunsicker, com quem não se encontrava havia 60 anos. Escreveu para todos os Bobby Hunsicker que conseguiu encontrar, perguntando se era aquele que morara na Perth Lane, número 4.501, em Cincinnati.

Esse não é um comportamento social normal. É um tanto incomum. Horchow coleciona pessoas como se colecionam selos. Ele se lembra dos garotos com quem brincou há 60 anos, o endereço do seu melhor amigo quando rapaz, o nome do homem por quem a sua namorada na faculdade se apaixonou quando ela foi estudar no exterior. Esses detalhes são cruciais para Horchow. Ele tem em seu computador uma relação de 1.600 nomes e endereços, juntamente com a descrição de como conheceu cada um desses indivíduos. Enquanto conversávamos, ele pegou uma pequena agenda vermelha. "Se nos conhecermos, eu gostar de você e ficar sabendo por acaso o dia do seu aniversário, anoto a data e lhe mando um cartão de parabéns. Veja aqui – segunda-feira foi aniversário de Ginger Vroom, e o primeiro aniversário de casamento dos Whittenburgs. E o de Alan Schwartz é na sexta-feira, o do nosso jardineiro é no sábado."

A maioria de nós, imagino, evita cultivar esse tipo de relacionamento. Temos o nosso círculo de amigos, a quem nos dedicamos. Dos simples conhecidos nos mantemos a determinada distância. Não mandamos cartões de aniversário para quem não damos muita importância, pois não queremos a obrigação de aceitar convites para jantar, ir ao cinema ou visitar no hospital. O propósito de travar um relacionamento, para a maioria de nós, é avaliar se desejamos fazer dessa pessoa um amigo; não achamos que temos tempo nem energia para manter contatos significativos com todo mundo. Horchow é bem diferente. Os nomes das pessoas que ele insere na sua agenda e no seu computador são de conhecidos – gente que talvez veja apenas uma vez por ano ou a cada dois ou três anos –, e ele não se esquiva das obrigações que essas relações exigem. Dominou o que os sociólogos chamam de "laço fraco", uma relação amigável porém casual. Mais do que isso, Horchow se sente feliz com esse tipo de vínculo. Depois que fomos apresentados, senti-me ligeiramente frustrado. Queria conhecê-lo melhor, mas não sabia se teria essa oportunidade. Não acredito que ele tenha tido esse mesmo sentimento em relação a mim. Acho que Horchow é alguém que valoriza os encontros casuais e tem prazer nisso.

Por que Horchow é tão diferente das outras pessoas? Ele não sabe. Acredita que tem a ver com o fato de ter sido filho único de um pai quase sempre ausente. Mas isso não é uma explicação satisfatória. Talvez seja melhor dizer que o impulso do Comunicador é simplesmente isso – um impulso. Mais um dos muitos traços de personalidade que distinguem um ser humano de outro.

3.

Os Comunicadores são importantes não só pelo número de pessoas que eles conhecem, mas também pelo tipo de pessoas que conhecem. Talvez a melhor maneira de compreender essa questão seja com o jogo de salão "As Seis Etapas de Kevin Bacon". A idéia é tentar associar um ator ou atriz, pelos filmes em que trabalharam, ao ator Kevin Bacon em menos de seis estágios. Assim, por exemplo, O. J. Simpson atuou em *Corra que a polícia vem aí* com Priscilla Presley, que atuou em *As aventuras de Ford Fairlane* com Gilbert Gottfried, que atuou em *Um tira da pesada II* com Paul Reiser, que atuou em *Quando os jovens se tornam adultos* com Kevin Bacon. São quatro etapas. Mary Pickford atuou em *Screen Snapshots* com Clark Gable, que atuou em *Combat America* com Tony Romano, que, 35 anos depois, atuou em *Encontros e desencontros* com Bacon. São três etapas.

Um cientista da computação da Universidade da Virgínia, Brett Tjaden, tentou estimar qual seria o número médio de "etapas Bacon" para os 25 mil ou mais atores e atrizes que trabalharam em filmes de televisão ou nas principais produções do cinema – e chegou a 2,8312 estágios.[4] Em outras palavras, qualquer pessoa que já tenha representado pode estar associada a Bacon em menos de três etapas em média. Parece impressionante, a não ser pelo fato de que Tjaden voltou atrás e fez um cálculo ainda mais extremo, imaginando qual seria o grau médio de correlação de um indivíduo qualquer que tenha atuado em Hollywood. Por exemplo, quantas etapas, em média, são necessárias para associar alguém em Hollywood a Robert DeNiro, Shirley Temple ou Adam Sandler? O que Tjaden descobriu foi que, ao listar todos os atores de Hollywood na ordem da sua "correlação", Bacon ficou apenas no 669º lugar. Martin Sheen, por outro lado, pode ser relacionado, em média, com todos os outros atores em 2,63681 etapas, o que o coloca 650 vezes acima de Bacon. Elliot Gould pode ser relacionado ainda mais rápido, em 2,63601. Entre as primeiras 15 pessoas da lista estão Robert Mitchum, Gene Hackman, Donald Sutherland, Shelley Winters e Burgess Meredith. O ator que ocupa a melhor posição entre todos? Rod Steiger.

Por que Kevin Bacon ficou tão para trás? Um importante fator é que Bacon é muito mais jovem do que a maioria deles e, por isso, fez menos filmes. Mas isso explica apenas em parte a diferença. Muita gente que fez um grande número de filmes, por exemplo, não é particularmente bem relacionada. John Wayne, por exemplo, fez 179 filmes em 60 anos de carreira e, ainda assim, aparece em 116º lugar, com 2,7173. O problema é que mais da metade dos seus filmes é de faroeste, o que significa que ele participou do mesmo tipo de produção com o mesmo tipo de atores várias vezes.

Mas veja alguém como Steiger: ele fez grandes filmes como *Sindicato de ladrões*, ganhador de um Oscar, e outros terríveis como *Seqüestro por engano*. Recebeu um Oscar por sua interpretação em *No calor da noite* e também fez filmes classe "B" tão ruins que foram direto para a televisão. Representou Mussolini, Napoleão, Pôncio Pilatos e Al Capone. Participou de 38 dramas, 12 policiais e comédias, 11 filmes de suspense, oito de ação, sete de faroeste, seis de guerra, quatro documentários, três filmes de horror, dois de ficção científica e um musical, entre outros. Rod Steiger é o ator mais bem relacionado porque conseguiu transitar entre todos os mundos, subculturas, nichos e níveis diferentes que sua profissão tem a oferecer.

Os Comunicadores são desse jeito. Eles são os Rod Steiger do dia-a-dia. Pessoas que todos nós podemos alcançar em poucas etapas porque, por um motivo ou por outro, elas conseguem ocupar muitos mundos, subculturas e nichos. No caso de Steiger, é claro, a grande capacidade de se relacionar decorre da sua versatilidade como ator e, provavelmente, de um pouco de sorte. Mas, no caso dos Comunicadores, a capacidade de circular entre muitas áreas tem origem em algo intrínseco à sua personalidade – uma combinação de curiosidade, autoconfiança, sociabilidade e energia.

Certa vez conheci uma Comunicadora em Chicago chamada Lois Weisberg, comissária para Assuntos Culturais da Cidade de Chicago. Mas essa é apenas a atividade mais recente em sua extraordinária cadeia de experiências e carreiras. No início da década de 1950, por exemplo, ela dirigiu um grupo de teatro em Chicago. Em 1956, resolveu encenar um festival em comemoração ao centenário de nascimento de George Bernard Shaw e lançou um jornal dedicado ao escritor, que acabou se tornando um semanário alternativo underground chamado *The Paper*. Nas noites de sexta-feira, pessoas de toda a cidade se encontravam para reuniões editoriais. William Friedkin, que depois dirigiria *Operação França* e *O exorcista*, era presença constante nesses encontros, assim como

Elmer Gertz (um dos advogados de Nathan Leopold, acusado, juntamente com Richard Loeb, do frio assassinato do menino Bobby Franks em Chicago em 1924) e alguns editores da revista *Playboy*, que ficava no fim da rua. Gente como Art Farmer, Thelonius Monk, John Coltrane e Lenny Bruce passavam por ali quando estavam na cidade. (Bruce na verdade morou com Lois Weisberg por uns tempos. "Minha mãe ficou histérica com isso, em especial no dia em que ela tocou a campainha e ele atendeu só de toalha", conta ela. "Tínhamos uma janela que dava para a varanda e, como ele não tinha chave, ela ficava sempre aberta para ele entrar. Havia um grande número de quartos na casa, e muita gente ficava por lá e eu nem sabia. Eu não agüentava as piadas dele. Não gostava da sua atuação. Não suportava o que ele dizia.") Depois que o *The Paper* fechou, Lois conseguiu um emprego de relações públicas num instituto de reabilitação de feridos. De lá, foi trabalhar num escritório de advocacia chamado BPI. Nessa época ficou obcecada com o descaso com que eram tratados os parques públicos em Chicago e juntou um grupo heterogêneo de amantes da natureza, historiadores, ativistas cívicos e donas-de-casa e fundou uma entidade lobista chamada Amigos dos Parques. Depois se assustou porque iam fechar a estrada de ferro que passava na costa sul do lago Michigan – de South Bend a Chicago – e, reunindo um grupo heterogêneo de entusiastas das estradas de ferro, ambientalistas e usuários que iam de trem para o trabalho, fundou o South Shore Recreation, salvando a estrada de ferro. Foi diretora-executiva do Conselho de Advogados de Chicago, um grupo jurídico progressista. Dirigiu a campanha de um congressista local. Depois conseguiu o cargo de diretora de eventos especiais para o primeiro prefeito negro de Chicago, Harold Washington. Após deixar o governo, abriu um ponto de venda num mercado de pulgas. Depois, foi trabalhar para o prefeito Richard Daley – onde está até hoje – como comissária de Assuntos Culturais de Chicago.

Se você contar, a quantidade de mundos a que Lois pertenceu chega a oito: atores, escritores, médicos, advogados, amantes de parques, políticos, admiradores de trens e aficionados de brechós. Quando lhe pedi que fizesse a sua própria lista, ela enumerou 10 porque acrescentou os arquitetos e os recepcionistas com quem trabalha no seu atual emprego. Mas está provavelmente sendo modesta, porque, examinando bem a sua vida, é possível subdividir suas experiências em 15 ou 20 mundos. Não são universos separados, entretanto. O que acontece com os Comunicadores é que, tendo um pé em tantas áreas diferentes, conseguem juntá-las numa só.

Certa vez – e isso deve ter sido pelos meados da década de 1950 –, deu na telha de Lois tomar um trem até Nova York e participar da Convenção dos Autores de Ficção Científica, onde conheceu um jovem escritor chamado Arthur C. Clarke. Ele gostou muito de Lois e quando esteve em Chicago telefonou para ela. "A ligação foi feita de um telefone público", lembra Lois. "Clark perguntou se havia alguém em Chicago que ele devesse conhecer. Disse-lhe que fosse até a minha casa. Lois fala baixo, com uma voz áspera, prejudicada por meio século de nicotina, e interrompe as frases para dar um trago. Mesmo quando não está fumando, ela pára de falar, como que para não perder a prática. "Liguei para Bob Hughes. Ele escrevia para o meu jornal." Pausa. "Perguntei se conhecia alguém em Chicago interessado em conversar com Arthur Clarke. 'Sim', ele respondeu. 'Isaac Asimov está aqui. E aquele sujeito, o Robert, Robert... Robert Heinlein.' Então eles foram lá em casa e ficaram no meu escritório." Pausa. "Depois me chamaram e disseram: 'Lois...' não lembro a palavra que eles usaram. Eles tinham um termo para mim. Algo a respeito de como eu era o tipo de pessoa que une os outros."

Esse é de certa forma o arquétipo da história de Lois Weisberg. Primeiro ela procura alguém, um nome fora do seu mundo. Ela estava no meio teatral naquela época, enquanto Arthur Clarke escrevia ficção científica. Depois, igualmente importante, essa pessoa responde. Muitos de nós tentamos nos aproximar de quem é diferente, mais famoso ou mais bem-sucedido do que nós, mas o gesto nem sempre é recíproco. E aí, quando Arthur Clarke vai a Chicago e quer entrar em contato com alguém, isto é, estabelecer um vínculo com outra pessoa, Lois descobre Isaac Asimov. Ela diz que foi uma sorte Asimov estar na cidade. Contudo, se não fosse ele, seria outro qualquer.

Uma das lembranças que as pessoas guardam dos saraus das sextas-feiras na casa de Lois Weisberg, na década de 1950, era que ali a integração racial se dava sem nenhum esforço. A questão não é que, sem aquelas reuniões, os negros não teriam convivido socialmente com os brancos no North Side. A interação não era comum naquela época, porém acontecia. A questão é que essas situações não ocorriam por acaso, e sim porque determinado tipo de pessoa as fazia acontecer. Isso era o que Asimov e Clarke queriam dizer quando falavam que Lois possuía algo – fosse o que fosse – que une as pessoas.

"Ela não é esnobe", diz Wendy Willrich, que trabalhou para Lois. "Certa vez a acompanhei a um estúdio profissional de fotografia. As pessoas escrevem cartas e ela lê tudo. Nesse caso, o cara tinha esse estúdio e a convidou para ir lá. Lois concordou. Ele era basicamente um fotógrafo de casamentos. Ela resolveu conferir. E eu pensei: 'Meu Deus, vamos andar 45 minutos até lá.' Ficava perto do aeroporto. É da comissária de Assuntos Culturais da Cidade de Chicago que estamos falando. Mas ela o achou interessantíssimo." Ele era mesmo interessante? Quem sabe? A questão é que Lois disse isso porque, de alguma maneira, ela considera todo mundo interessante. Uma de suas amigas comentou comigo: 'Lois sempre me diz que conheceu a pessoa mais fantástica do mundo, que vou adorá-la. E ela fica tão entusiasmada como se fosse a primeira pessoa que conheceu na vida e, sabe do que mais, em geral ela tem razão.' Helen Doria, outra amiga sua, me falou: "Lois vê em nós coisas que nós mesmos não percebemos." O que é uma forma diferente de dizer a mesma coisa – por um capricho maravilhoso da natureza Lois e outras pessoas desse tipo possuem um instinto que as ajuda a se relacionar com os indivíduos que encontram. Quando ela olha o mundo ou quando Roger Horchow se senta ao nosso lado no avião, eles não vêem o mesmo mundo que nós vemos... Eles identificam possibilidades e, enquanto a maioria de nós se preocupa em escolher quem gostaria de conhecer, rejeitando quem não tem a aparência apropriada, quem mora perto do aeroporto ou quem não vemos há 60 anos, Lois e Roger gostam de todo mundo.

4.

Um bom exemplo de como os Comunicadores atuam pode ser visto na obra do sociólogo Mark Granovetter. No seu clássico estudo de 1974, *Getting a Job* (Conseguindo um emprego), ele examinou centenas de profissionais e técnicos do subúrbio de Newton, em Boston, entrevistando-os sobre detalhes de como eles conseguiram seus postos de trabalho.[5] Granovetter descobriu que 56% obtiveram seu emprego por intermédio de alguém conhecido. Outros 18,8% usaram os meios formais – anúncios, caçadores de talentos – e cerca de 20% se apresentaram diretamente. Isso não é novidade – a melhor maneira de entrar em algum lugar é por meio de um contato pessoal. Mas, curiosamente, Granovetter descobriu que, desses contatos pessoais, a maioria eram laços "fracos". Dos que recorreram a alguém para conseguir um emprego, apenas 16,7% viam esse indivíduo com "freqüência" – como um amigo – e 55,6% o viam apenas "de vez em quando".

Vinte e oito por cento o viam "raramente". As pessoas não estavam conseguindo se empregar por intermédio de amigos, e sim de conhecidos.

Por quê? Granovetter diz que isso acontece porque, na hora de encontrar um novo emprego – ou novas informações e novas idéias –, os "laços fracos" são sempre mais importantes do que os fortes. Nossos amigos, afinal de contas, ocupam o mesmo mundo que nós. Talvez trabalhem ao nosso lado ou morem perto de nós, freqüentem a mesma igreja, escola ou festas. O que mais eles saberiam, então, que ainda não sabemos? Os simples conhecidos, por sua vez, ocupam por definição um mundo bem diferente do nosso. É mais provável que estejam a par de algo que ignoramos. Para resumir esse aparente paradoxo, Granovetter cunhou uma frase maravilhosa: a força dos laços fracos. Os conhecidos, em resumo, são uma fonte de poder social, e, quanto mais numerosos eles forem em nossa vida, mais poderosos seremos. Comunicadores como Lois Weisberg e Roger Horchow – mestres dos laços fracos – têm um poder extraordinário. Dependemos deles para ter acesso a oportunidades e mundos a que não pertencemos.

Esse princípio não serve apenas para os empregos, é claro. Vale também para restaurantes, cinemas, tendências da moda e qualquer coisa que passe de uma boca a outra. Não se trata apenas de quanto mais próximo alguém estiver de um Comunicador, mais poderoso ou rico será, ou mais oportunidades vai ter. Trata-se também de quanto mais próximos uma idéia ou um produto estiverem de um Comunicador, mais poder e oportunidades eles terão. Seria esse um dos motivos para os Hush Puppies se tornarem de repente a maior tendência da moda? Do East Village à América Central, um Comunicador ou uma série de Comunicadores devem ter se apaixonado por eles e, por meio de seus vários contatos sociais, suas extensas listas de laços fracos, seus papéis em múltiplos mundos e subculturas, pegaram esses sapatos e os enviaram a milhares de direções ao mesmo tempo – transformando-os numa epidemia. A marca Hush Puppies, em certo sentido, portanto, teve sorte. E talvez uma das razões para tantas tendências da moda não se fixarem nos Estados Unidos seja o fato de que, simplesmente, por azar, elas não tenham a aprovação de um Comunicador ao longo do caminho.

A filha de Horchow, Sally, contou-me que um dia levou o pai a um restaurante japonês novo onde o chef era seu amigo. Horchow gostou e, chegando em casa, ligou o computador, puxou a lista com os nomes de seus conhecidos no bairro e mandou bilhetes por fax dizendo que tinha descoberto um restaurante maravilhoso e que eles deveriam experimentar. Isso, em resumo, é a propaganda boca a boca. Não se trata de eu lhe falar sobre um restaurante recém-inaugurado onde se come muito bem e você contar isso a um amigo e ele passar a novidade adiante. A propaganda boca a boca começa quando, em algum ponto dessa cadeia, alguém menciona o assunto com uma pessoa como Roger Horchow.

Paul Revere vs William Dawes

5.

Aqui, portanto, está explicado por que a cavalgada de Paul Revere desencadeou uma epidemia de propaganda boca a boca, e a de William Dawes, não. Paul Revere foi o Roger Horchow ou a Lois Weisberg de sua época. Era um Comunicador. Ele foi, por exemplo, uma pessoa gregária e muito sociável. Quando morreu, segundo relato de um jornal contemporâneo, "multidões" assistiram ao seu funeral. Revere pescava e caçava, jogava cartas e gostava de teatro, freqüentava bares e tinha sucesso nos negócios. Era membro ativo da Loja Maçônica local e de vários clubes sociais seletos. Foi também um realizador, um homem abençoado – como David Hackett Fischer registra no seu brilhante livro *Paul*

Revere's Ride (A cavalgada de Paul Revere) – com um "estranho talento para estar no centro dos acontecimentos". Fisher escreve:

> Quando Boston importou os seus primeiros postes de iluminação de rua, em 1774, Paul Revere foi convidado a participar da comissão que fez o contrato. No momento em que o mercado de Boston precisou ser regulamentado, Paul Revere foi indicado como seu escrevente. Depois da Revolução, numa época em que as epidemias se disseminavam, ele foi escolhido como funcionário da saúde de Boston e médico-legista de Suffolk County. Quando um enorme incêndio devastou a velha cidade de madeira, ele ajudou a fundar a Companhia de Seguros Mútuos contra Incêndios de Massachusetts. Quando a pobreza se tornou um problema crescente na nova república, ele convocou a reunião que organizou a Charitable Mechanic Association de Massachusetts e foi o primeiro presidente eleito. Quando a comunidade de Boston ficou arrasada pelo julgamento de assassinato de maior repercussão da geração dele, Paul Revere foi selecionado como primeiro jurado.

Se dessem a Revere uma lista com 250 sobrenomes escolhidos ao acaso no censo de Boston, em 1775, não há dúvida de que ele teria uma pontuação bem acima de 100.

Depois da Festa do Chá de Boston, em 1773, os colonos americanos começaram a extravasar a raiva que sentiam de seus governantes ingleses. Dezenas de comitês e reuniões de colonos irados pipocaram por toda a Nova Inglaterra. Não havia uma organização formal nem recursos comunitários estabelecidos. Mas Paul Revere, obviamente, surgiu logo como um elo entre aqueles pontos revolucionários distantes. Ele ia sempre a cavalo até a Filadélfia, Nova York ou New Hampshire, levando mensagens de um grupo a outro. Dentro de Boston, também, seu papel foi especial. Naquela época revolucionária, havia em Boston sete grupos de Patriotas, ou *Whigs* (os partidários da independência), com cerca de 255 homens. A maioria deles – mais de 80% – pertencia a um grupo apenas. Nenhum integrava todos os sete. Somente dois homens eram membros de até cinco dessas agremiações: Paul Revere era um deles.

Não é de surpreender, portanto, que, assim que o Exército britânico iniciou a sua campanha secreta, em 1774, para descobrir e destruir os depósitos de armas e munição do incipiente movimento revolucionário, Paul Revere tenha se tornado uma espécie de central de informações extra-oficiais para as forças antibritânicas. Ele conhecia todo mundo. Pela lógica, era ele que você deveria procurar se fosse um cavalariço na tarde daquele 18 de abril de 1775 e tivesse escutado dois oficiais britânicos comentando a confusão que haveria no dia seguinte. Nem surpreende também que Paul Revere, ao partir para Lexington naquela noite, soubesse como espalhar a notícia da forma mais abrangente possível. Quando encontrava gente na estrada, ele era tão naturalmente social que parava para dar a informação. Ao chegar a uma cidade, ele sabia em que porta bater, quem era o líder da milícia local, quem eram as pessoas-chave. Já havia estado com elas antes. E elas o conheciam e respeitavam também.

Mas e William Dawes? Fischer considera inconcebível que Dawes tenha cavalgado 27km até Lexington sem falar com ninguém pelo caminho. É claro, no entanto, que ele não possuía nenhum dos dons sociais de Revere, pois quase não há registro de que alguém se lembre dele naquela noite. "Ao longo da rota norte de Revere, os líderes das cidades e os capitães das companhias acionaram o alarme na hora", escreve Fischer. "No circuito sul de William Dawes, isso só aconteceu mais tarde. Em pelo menos uma cidade, nem chegou a ocorrer. Dawes não acordou os patriarcas nem os comandantes das milícias das cidades de Roxbury, Brookline, Watertown e Waltham." Por quê? Porque Roxbury, Brookline, Watertown e Waltham não eram Boston. E Dawes era provavelmente um homem com um círculo social comum, o que significa que – como a maioria de nós –, uma vez fora de casa, ele não sabia a que porta bater. Apenas uma pequena comunidade ao longo de sua cavalgada parece ter recebido a mensagem, alguns fazendeiros de um lugarejo chamado Waltham Farms. Mas alertar só essas casas não bastou para disparar o alarme. As epidemias transmitidas oralmente são obra de Comunicadores. William Dawes era apenas um homem comum.

6.

Seria um erro, entretanto, pensar que os Comunicadores sejam as únicas pessoas importantes em uma epidemia social. Roger Horchow enviou dezenas de mensagens por fax promovendo o novo restaurante do amigo da filha. Mas não foi ele quem descobriu esse estabelecimento. Alguém fez isso e lhe contou. Em algum momento na ascensão dos Hush Puppies, os sapatos foram descobertos por Comunicadores que divulgaram amplamente a idéia de que esses calçados eram elegantes. E quem falou dos Hush Puppies para os Comunicadores? É possível que eles recebam novas informações por um processo aleatório – talvez pelo fato de conhecerem tantas pessoas, tenham acesso às novidades onde quer que elas surjam. Contudo, examinando bem as epidemias sociais, vemos que, assim como há pessoas em quem confiamos para nos conectar a outras, também existem aquelas com quem contamos para obter informações. Há especialistas em gente e há especialistas em informações.

"Às vezes, é claro, essas duas especializações se encontram numa só pessoa. Parte do poder especial de Paul Revere, por exemplo, estava no fato de que ele não era apenas um formador de redes, não era apenas o homem com o maior arquivo Rolodex da Boston colonial. Ele era também uma pessoa que se dedicava ativamente a reunir informações sobre os ingleses. No outono de 1774, ele montou um grupo secreto que se reunia com freqüência na Green Dragon Tavern com o objetivo expresso de monitorar o movimento das tropas britânicas. Em dezembro daquele mesmo ano, o grupo soube que os ingleses pretendiam invadir um esconderijo de munições de uma milícia colonial perto da entrada de Portsmouth Harbor, a 80km de Boston. Na manhã gelada do dia 13 de dezembro, Revere cavalgou na direção norte, atravessando uma camada espessa de neve, para avisar a milícia local de que os ingleses estavam chegando. Ele ajudou a encontrar as informações secretas e as passou adiante. Paul Revere era um Comunicador. Mas era ainda – e este é o segundo dos três tipos de pessoas que controlam as epidemias transmitidas oralmente – um Expert.

O Expert é o que acumula conhecimento. Nos últimos anos, os economistas dedicaram muito tempo ao estudo dos Experts, obviamente porque, se os mercados dependem de informações, quem está mais bem informado deve ser mais importante. Por exemplo, às vezes, quando um supermercado quer aumentar as vendas de determinado produto, coloca nele uma etiqueta de promoção com dizeres como "Preços Baixos Todos os Dias!" O preço continua o mesmo. O produto é que fica mais em evidência. Quando fazem isso, as lojas percebem que as vendas sobem de forma vertiginosa, como se o artigo estivesse mesmo em oferta.[6]

Pensando bem, essa é uma informação potencialmente perturbadora. A premissa por trás das vendas e das promoções nos supermercados é de que nós, consumidores, estamos muito atentos ao preço das produtos e reagimos de modo coerente com isto:

compramos mais quando os preços são baixos e menos quando eles são mais altos. No entanto, se um produto vende mais mesmo que seu preço não tenha sido reduzido, então o que impede os supermercados de nunca baixarem os seus preços ou de nos enganar com cartazes mentirosos, como os que dizem "Preços baixos todos os dias"? E, embora a maioria de nós não repare nos preços, todo varejista sabe que um ou outro cliente os observa e que, se encontrar algo errado – uma promoção que não é de fato uma promoção –, vai tomar providências. Quando uma loja tenta forçar as vendas com publicidade enganosa, são eles que descobrem isso, reclamam com a gerência e dizem aos amigos e conhecidos para evitarem aquele lugar. São essas pessoas que garantem a honestidade do mercado. Desde que esse grupo foi identificado, há 10 anos ou mais, os economistas fazem de tudo para compreendê-lo. Esses indivíduos existem em todas as profissões e faixas socioeconômicas. Um dos nomes usados para eles é "vigilantes do preço". O outro, mais comum, é "Experts em Mercado".

Linda Price, professora de marketing da Universidade de Nebraska e pioneira na pesquisa de Experts, gravou em vídeo as entrevistas que fez com vários deles.[7] Numa delas, um homem, muito bem-vestido, conta entusiasmado como faz as compras. Este é o texto, na íntegra:

> Como estou sempre lendo jornais de finanças, começo a ver as tendências. Um exemplo clássico é o caso do café. Na primeira escassez de café, há 10 anos, eu vinha acompanhando as notícias sobre as geadas no Brasil e as conseqüências a longo prazo no preço desse produto. Assim, resolvi estocá-lo.

Nesse momento da entrevista, o rosto do homem se ilumina num sorriso enorme.

Devo ter ficado com umas 35 ou 40 latas de café. E paguei um preço ridículo, quando as latas de 1,3kg custavam entre US$2,79 e 2,89... Hoje a mesma lata custa US$6. Foi divertido.

Estão vendo o nível de obsessão aqui? Ele é capaz de se lembrar dos preços, até dos centavos, das latas de café que comprou há 10 anos.

Mas o que é crítico nos Experts é que eles não são colecionadores passivos de informações. Não estão apenas obcecados por fazer o melhor negócio com uma lata de café. O que os distingue é que, uma vez descobrindo como fazer um grande negócio, eles querem nos contar. "O Expert é uma pessoa que tem informações sobre muitos produtos, preços ou lugares diferentes. Gosta de iniciar discussões com consumidores e responder a solicitações", diz Linda Price. "Gosta de ajudar o mercado. Leva você para fazer compras. Faz compras para você... É quem conecta as pessoas ao mercado e quem está a par de tudo o que acontece ali. Sabe onde fica o banheiro nas lojas. Esse é o tipo de conhecimento que ele tem." É mais do que um perito. Price continua: "O perito falará, digamos, sobre carros porque ama automóveis, e não porque adora você e quer ajudá-lo a se decidir. O Expert em Mercado faz isso. É uma pessoa com mais motivação social."

Ela afirma ainda que mais da metade dos americanos conhece um Expert ou alguém com características parecidas. Ela mesma, de fato, baseou o conceito em alguém que conheceu no curso de pós-graduação, um homem tão impressionante que sua personalidade serve de exemplo para o que hoje é toda uma área de pesquisa no mundo do marketing.

"Estava fazendo meu curso de Ph.D. na Universidade do Texas", relata Linda. "Na época não percebi isso, porém conheci o Expert perfeito. Ele é judeu. Era Páscoa, eu estava procurando um presunto e fui falar com ele. 'Bem, você sabe que sou judeu, mas este é o endereço da delicatéssen aonde você deve ir e este é o preço que deve pagar', ele me disse." Linda ria só de lembrar. "Devia ver a cara dele. Chama-se Mark Alpert."

7.

Mark Alpert é um homem esguio, cheio de energia, na faixa dos 50 anos. Tem os cabelos escuros, o nariz proeminente e olhos pequeninos, brilhantes e inteligentes. Fala muito rápido, com precisão e absoluta autoridade. É o tipo de pessoa que não diz que ontem fez calor, e sim que a temperatura máxima foi de 34 graus. E não sobe as escadas. Pula os degraus, como um menino. Parece sentir interesse e curiosidade por tudo – se você lhe der um laboratório químico infantil, ele, apesar da idade, começará a inventar ali mesmo alguma fórmula estranha.

Alpert cresceu no Meio-Oeste, filho do homem que dirigiu a primeira loja de artigos com descontos no norte de Minnesota. Obteve seu doutorado na Universidade da Califórnia do Sul e hoje ensina na Escola de Administração Comercial da Universidade do Texas. Mas não existe realmente nenhuma relação entre o seu status de economista e o fato de ser um Expert. Se fosse um encanador, teria o mesmo conhecimento exato, profundo e seguro de como funciona o mercado.

Nós nos conhecemos num almoço à beira do lago, em Austin. Cheguei primeiro e escolhi uma mesa. Ele apareceu depois e me convenceu a mudar para outra mesa, que disse ser melhor. E era. Perguntei-lhe como faz as suas compras, e começamos a conversar. Alpert me explicou por que tem uma televisão a cabo, e não por satélite. Deu-me dicas sobre o novo guia de filmes de Leonard Maltin. E também o nome de um contato no Park Central

Hotel, em Manhattan, que é uma grande ajuda para conseguir um bom preço. ("Malcolm, a diária do hotel é US$99, enquanto o preço cheio é US$189!") Ele explicou o que é preço cheio. (O preço inicial, de balcão, sem os descontos.) E apontou para o meu gravador. "Acho que a fita acabou", disse. E tinha acabado. Alpert explicou por que eu não deveria comprar um Audi. ("São alemães, e é uma chateação lidar com eles. Houve um tempo em que davam uma garantia ilegal, mas não fazem mais isso. A rede de revendedores é pequena e é difícil conseguir assistência técnica. Embora eu adore dirigir esses carros, não quero ter um." O que eu deveria comprar, ele me disse, era uma Mercury Mystique porque roda como um sedã europeu muito mais caro. "Não estão vendendo bem, portanto você consegue fazer um bom negócio. Procure um comprador de frota. Vai num dia 25 do mês. Sabe...") E aí disparou uma história enorme, às vezes hilariante, de· quantos meses ele levou para comprar um aparelho de televisão. Se eu ou você tivesse que passar por uma experiência semelhante – envolvendo devolução de aparelhos e laboriosas comparações dos mínimos detalhes eletrônicos e das letras miúdas dos termos de garantia –, acho que seria um inferno. Para Alpert, aparentemente, era ótimo. Os Experts, segundo Linda Price, são aqueles leitores ávidos das revistas *Consumer Reports* (que trazem matérias de interesse geral para o consumidor). Alpert é o tipo de Expert que escreve para essas publicações para corrigi-las. "Certa vez disseram que o Audi 4000 se baseava no Dasher da Volkswagen. Foi no fim da década de 1970. Mas o Audi 4000 é um carro maior. Escrevi uma carta para eles. Aí aconteceu o fiasco do Audi 5000. A revista o colocou na lista dos que não devem ser comprados por causa do problema de aceleração rápida. Mas li muito a respeito disso e achei que era bobagem... Então escrevi de novo e disse que eles deveriam examinar melhor o assunto. Dei algumas informações a serem consideradas. Ninguém me respondeu. Fiquei irritadíssimo. Não deveriam agir assim." Ele balançou a cabeça, desgostoso. Fora mais expert do que a bíblia dos experts.

Alpert não é um desses chatos que sabem de tudo. É fácil ver que ele poderia ser, é claro. Ele mesmo tem consciência disso. "Eu estava ao lado de um garoto no supermercado que precisou mostrar a carteira de identidade para comprar cigarros", Alpert me contou. "Fiquei bastante tentado a dizer a ele que tive câncer no pulmão. De certa forma, esse desejo de ajudar e influenciar – seja no que for – pode ir longe demais. Você acaba se intrometendo na vida das pessoas. Procuro ser um Expert bem passivo... É preciso lembrar que a decisão é das pessoas. A vida é delas." A sua salvação é que ele nunca parece estar se exibindo. Existe algo de automático, reflexivo, no seu nível de envolvimento no mercado. Não é uma encenação. Assemelha-se muito ao instinto social de Horchow e Lois Weisberg. A certa altura, Alpert enveredou por uma história complicada sobre a melhor maneira de usar os cupons no aluguel de vídeos na Blockbuster. Aí ele parou, prestando atenção no que dizia, e caiu na gargalhada. "Veja, você pode economizar US$1! Num ano, talvez junte o suficiente para comprar uma garrafa de vinho." Alpert chega a ser quase que patologicamente prestativo. Ele não se contém. "O Expert é alguém que quer resolver os problemas dos outros, em geral solucionando o seu", disse ele. Concordo, embora eu desconfie de que o oposto também seja verdade: o Expert é alguém que pretende equacionar os seus próprios problemas – suas próprias necessidades emocionais – resolvendo os problemas dos outros. De algum modo Alpert se sentia realizado ao saber que eu agora ia comprar uma televisão, um carro ou reservar um quarto de hotel em Nova York com base no conhecimento que ele me transmitira.

"Mark Alpert é um homem maravilhosamente altruísta", disse-me Leigh MacAlister, que foi sua colega na Universidade do Texas. "Eu diria que, graças a ele, economizei US$15 mil quando cheguei a Austin. Ele me ajudou a negociar a compra de uma casa, pois entende o jogo imobiliário. Eu precisava de uma lavadora e de uma secadora. Alpert conseguiu para mim. Eu necessitava de um carro. Queria comprar um Volvo porque desejava ser exatamente como Mark. Então ele me indicou um serviço on-line com preços desses carros em todo o estado do Texas e foi comigo comprar o automóvel. Também me ajudou a entender o labirinto dos planos de aposentadoria na Universidade do Texas. Simplificou tudo, tem todas as informações processadas. Esse é Mark Alpert. Um Expert em Mercado. Deus o abençoe. Ele é que faz o sistema americano ser tão bom."

8.

O que faz tipos como Mark Alpert serem tão importantes na deflagração de uma epidemia? É evidente que eles sabem de coisas que a maioria de nós desconhece. Lêem mais revistas e mais jornais do que os outros e talvez sejam os únicos a passar os olhos em todo aquele lixo que chega pelo correio. Mark Alpert é um conhecedor de equipamentos eletrônicos. Pode apostar: se você for amigo dele, logo ficará sabendo de todos os detalhes quando for lançada uma novidade em aparelhos de televisão ou em câmeras de vídeo. Os Experts têm o conhecimento e as habilidades sociais para iniciar epidemias de propaganda boca a boca. O que os distingue, porém, não é tanto o que eles sabem, mas como passam adiante o que conhecem. O fato de os Experts quererem ajudar simplesmente porque gostam de fazer isso acaba sendo uma excelente maneira de chamar a atenção dos outros.

Isso também explica, em parte, a força da mensagem de Revere naquela célebre noite. A notícia da marcha dos ingleses não chegou por fax nem por e-mail. Não foi anunciada no jornal da noite, cercada de comerciais. Foi levada a cavalo numa noite fria por um homem, um voluntário, que não tinha outra preocupação pessoal a não ser a liberdade de seus pares. Com os Hush Puppies também. Talvez os sapatos tenham chamado a atenção dos Comunicadores exatamente porque não faziam parte de nenhuma tendência comercial consciente. Pode ser que um Expert em moda tenha ido ao East Village atrás de novas idéias e descoberto que era possível adquirir baratinho os velhos e excelentes Hush Puppies em determinada loja de ponta de estoque. Talvez ele tenha contado isso aos amigos, que compraram os calçados porque alguma coisa na opinião desinteressada e precisa de um Expert os fez parar e ouvir, assim como acontece com a maioria de nós. E por que os guias de restaurantes Zagat são tão populares? Em parte porque são guias úteis, com todos os restaurantes de uma cidade. Mas a sua força está nas críticas de voluntários – de clientes que querem dividir suas opiniões com os outros. De alguma forma, elas são recomendações bem mais incisivas do que o parecer de um especialista cujo trabalho é avaliar restaurantes.

Na minha conversa com Alpert, disse-lhe que estaria em Los Angeles dentro de algumas semanas. "Há um lugar de que gosto muito, em Westwood", ele disse, sem hesitar. "O Century Wilshire. É um hotel no estilo europeu, com pernoite e café da manhã. Tem quartos muito bons. Uma piscina aquecida. Estacionamento no subsolo. Na última vez em que estive lá, há uns cinco ou seis anos, havia quartos com diária a partir de US$70 e suítes a US$110. Eles fazem um preço especial para uma semana e têm um número de telefone de discagem gratuita." Como ele era, afinal de contas, o Grande Expert, hospedei-me no Century Wilshire quando estive em Los Angeles e foi tudo como ele disse e mais ainda. Duas semanas depois de voltar para casa, eu tinha recomendado o lugar para dois amigos – coisa que não costumo fazer, devo acrescentar – e no fim do mês para mais dois.

Quando comecei a calcular quantas pessoas com quem eu havia falado sobre o Century Wilshire tinham feito a mesma coisa e a quantas pessoas como eu o próprio Mark Alpert indicara o hotel, percebi que tinha entrado no meio de uma pequena epidemia de propaganda boca a boca iniciada por ele. Alpert, é claro, não deve conhecer tanta gente quanto um Comunicador como Roger Horchow, portanto não tem o mesmo poder natural de transmissão. Mas, outra vez, se Roger Horchow conversasse com você na véspera de uma viagem a Los Angeles, talvez não lhe sugerisse um hotel. Alpert faz isso sempre. E, se Horchow lhe desse uma indicação desse tipo, talvez você a seguisse, talvez não. Você a levaria tão a sério quanto se ela tivesse partido de um amigo qualquer. No entanto, quando a dica é de Mark Alpert, a pessoa a aceita *sempre*. Um Comunicador pode dizer a 10 amigos onde ficar em Los Angeles. Metade aceitará. Um Expert dirá a mesma coisa a cinco pessoas, porém com tanta ênfase que todas acatarão seu conselho. São personalidades distintas em ação, atuando por diferentes razões. Ambas, entretanto, possuem o poder de deflagrar a epidemia de propaganda boca a boca.

9.

Se há um objetivo que o Expert não tem é persuadir. A motivação de Alpert é ensinar e ajudar. Ele não é do tipo que quer convencer à força. Na nossa conversa, de fato, em vários momentos importantes, ele parecia me sondar para obter informações, para descobrir o que eu sabia, para poder acrescentar isso a seu formidável banco de dados. Um Expert é um professor. No entanto, é também, ainda mais intensamente, um aluno. Os Experts são, na verdade, corretores de informações, que compartilham e trocam o que eles sabem. Para iniciar uma epidemia social, entretanto, é preciso convencer um grande número de pessoas a fazer alguma coisa. Muitos daqueles jovens que compraram os Hush Puppies, por exemplo, eram pessoas que antes jamais usariam aqueles sapatos. Da mesma forma, depois que Paul Revere transmitiu as suas notícias, imagina-se que todos os homens da milícia tenham se reunido e traçado um plano de como enfrentar os ingleses na manhã seguinte. Mas não deve ter sido um processo automático. É provável que algumas pessoas tenham se entusiasmado. Outras talvez tenham duvidado da sensatez de combater, com uma milícia doméstica, um exército treinado, profissional. Pode ser ainda que algumas pessoas – que porventura não conhecessem a personalidade de Paul Revere – não tenham acreditado na exatidão das suas informações. O fato de que todos, no final, aderiram é algo que costumamos creditar à pressão dos demais. Essa pressão, porém, nem sempre é um processo automático ou inconsciente. Significa, quase sempre, que alguém se aproximou de um de seus pares e o pressionou. Numa epidemia social, os Experts são os bancos de dados. Eles fornecem a mensagem. Os Comunicadores são a cola social: eles a espalham. Entretanto, existe também um conjunto seleto de indivíduos – os Vendedores – capazes de nos convencer quando não acreditamos no que estamos ouvindo. Eles são tão importantes para a epidemia da propaganda boca a boca quanto os membros dos outros dois grupos. Quem são os Vendedores? E o que os torna tão eficientes?

Tom Gau é planejador financeiro e vive em Torrance, na Califórnia, ao sul de Los Angeles. Sua empresa – a Kavesh and Gau – é a maior do ramo no sul da Califórnia e uma das principais em sua área no país. Ele fatura milhões de dólares por ano. Donald Moine, psicólogo comportamental com um grande número de trabalhos escritos sobre o tema da persuasão, me disse para procurá-lo porque ele tem a capacidade de "hipnotizar". É verdade. Tom Gau por acaso vende serviços de planejamento financeiro.

Mas, se quisesse, poderia vender absolutamente qualquer coisa. Para compreender a personalidade do tipo persuasivo, ele parece ser um bom começo.

Gau está na faixa dos 40 anos. Tem boa aparência, sem ser bonito. De estatura mediana, é magro, os cabelos escuros, um pouco desgrenhados. Usa bigode e tem um ar ligeiramente culpado. Dê-lhe um cavalo, um chapéu, e ele será um excelente caubói. É parecido com o ator Sam Elliot. Quando nos conhecemos, Gau apertou minha mão. Mas, como me disse depois, quando encontra alguém, costuma dar um abraço ou – se é mulher – um beijo. Como se espera de um bom vendedor, ele tem uma espécie de exuberância natural.

"Adoro meus clientes, sabe? Por eles, faço malabarismos", afirma. "Digo a eles que tenho duas famílias. A minha esposa e meus filhos e eles." Gau fala rápido, porém aos trancos. Está sempre acelerando e reduzindo a marcha. Às vezes, num aparte, ele avança ainda mais rápido, como se estivesse inserindo os seus próprios parênteses verbais. Faz muitas perguntas retóricas. "Adoro meu trabalho. Sou um workaholic. Chego às seis ou sete da manhã. E saio às nove da noite. Administro um bocado de dinheiro. Sou um dos principais empresários do país, mas não digo isso aos clientes. Não estou aqui por causa disso, e sim para ajudar as pessoas. Adoro ser útil. Não preciso mais trabalhar, já tenho independência financeira. Então por que fico aqui depois do expediente? Porque amo ajudar as pessoas. Adoro gente. É o que se chama de relacionamento."

A propaganda de Gau é que a sua empresa oferece um nível de serviços e competência que os clientes não encontram facilmente em outro lugar. No corredor, em frente à sua sala, há um escritório de advocacia, filiado a Kavesh and Gau, que trata de testamentos e custódias em vida e de todas as outras questões legais relacionadas com planejamento financeiro. Gau tem especialistas em seguros para lidar com o que for necessário nessa área, corretores para tratar dos investimentos e peritos em aposentadoria para os clientes mais idosos. Seus argumentos são racionais e coerentes. Moine redigiu em cooperação com Gau, por exemplo, o que ele chama de manual do planejador financeiro. O argumento de Moine é que dá para distinguir um grande vendedor de um vendedor médio pela quantidade e pela qualidade das respostas que eles têm às objeções mais comuns levantadas pelos clientes em potencial. Ele se sentou com Gau, gravou todas as suas respostas e fez um livro. Moine e Gau calculam que existem cerca de 20 perguntas ou frases para as quais um planejador precisa estar preparado. Por exemplo: "Posso fazer isso sozinho" é uma – e para ela o manual relaciona 50 respostas em potencial, como "Você não teme fazer uma movimentação errada e não ter ninguém para ajudá-lo?". E "Tenho certeza de que você é capaz de administrar muito bem o seu dinheiro, mas sabia que a maioria das mulheres vive mais do que os maridos? Se acontecer alguma coisa com você, sua esposa conseguirá resolver tudo sozinha?"

Consigo ver alguém comprando esse manual e decorando todas essas respostas. Posso imaginar também essa mesma pessoa, com o tempo, tão familiarizada com o assunto que passa a avaliar muito bem que resposta funciona melhor com determinado tipo de cliente em potencial. Transcrevendo as interações daquela pessoa com seus clientes, ela soaria exatamente como Tom Gau porque estaria usando as palavras dele. Segundo o padrão que usamos para medir a capacidade de persuasão – pela lógica e pertinência dos argumentos –, isso tornaria os usuários do manual tão persuasivos quanto Tom Gau. Mas isso é mesmo verdade? O interessante é até que ponto ele parecia convincente, porém de uma forma bem diferente do conteúdo das suas palavras. Ele dá a impressão de ter uma espécie de traço indefinível, algo forte, contagiante e irresistível que extrapola o que sai da sua boca, que faz as pessoas que o conhecem quererem concordar com ele. É energia. É entusiasmo. É charme. É simpatia. É tudo isso e mais alguma coisa. Em certo momento, perguntei se ele era feliz. Tom Gau quase saltou da cadeira.

"Muito. É provável que eu seja a pessoa mais otimista que você já imaginou. Pegue o maior otimista que você conhece e eleve à centésima potência, sou eu. Sabe por quê? O poder do pensamento positivo supera um bocado de coisas. Existem muitas pessoas negativas. Algumas dirão: 'Você não pode fazer isso.' E minha reação será: 'O que quer dizer com isso?' Nós nos mudamos para Ashland, no Oregon, há pouco mais de cinco anos. Encontramos uma casa de que gostamos de verdade. Estava anunciada havia bastante tempo e era bem cara. Então eu disse para minha mulher: 'Sabe do que mais? Vou fazer uma oferta absurdamente baixa.' O comentário dela foi que não aceitariam nunca. Eu continuei: 'Talvez não, mas o que temos a perder? O pior que pode acontecer é eles rejeitarem a proposta. Não vou ofender ninguém. Vou tentar convencê-los dos meus motivos. Deixarei bem claro o que estou sugerindo.' E sabe de uma coisa? Eles aceitaram." Quando Gau me contou essa história, não foi difícil vê-lo em Ashland convencendo o vendedor a se desfazer da sua linda casa por um preço ridículo. "Que diabo, se você não tenta, não consegue nunca!", exclamou ele.

10.

O que faz alguém – ou alguma coisa – ser persuasivo é bem mais complicado do que parece. Sabemos quando estamos diante disso. Mas o "que" é exatamente nem sempre é óbvio. Pense nos dois exemplos a seguir, ambos extraídos da literatura de psicologia. O primeiro trata de uma experiência realizada em 1984 durante a campanha para a presidência da República disputada por Walter Mondale e Ronald Reagan, que tentava a reeleição. Nos oito dias que precederam a votação, um grupo de psicólogos liderados por Brian Mullen, da Syracuse University, gravou em vídeo três telejornais noturnos em cadeia nacional cujos âncoras na época, como agora, eram Peter Jennings, da ABC; Tom Brokaw, da NBC; e Dan Rather, da CBS.[8] Mullen examinou as gravações e extraiu todas as referências que eles faziam aos candidatos, até restarem 37 segmentos distintos, cada um deles com cerca de dois segundos e meio de duração. Essas imagens foram então mostradas, sem som, a um grupo de pessoas escolhidas de forma aleatória que deveriam avaliar as expressões faciais dos locutores em cada um dos segmentos. Elas não faziam idéia do estudo em que estavam envolvidas nem do que os âncoras falavam. Apenas tinham que classificar o conteúdo emocional das expressões daqueles três homens numa escala de 21 pontos – o mais baixo equivalendo a "extremamente negativo", e o mais alto, a "extremamente positivo".

Os resultados foram impressionantes. Dan Rather alcançou 10,46 – o que revela uma expressão quase perfeita de neutralidade – ao falar de Mondale e 10,37 ao mencionar Reagan. Ele não mostrava mudanças na face quando se referia ao então presidente nem ao democrata. A mesma coisa aconteceu com Brokaw, que obteve 11,21 no caso de Mondale e 11,50 no de Reagan. Mas com Peter Jennings, da ABC, foi bem diferente. Sua classificação quando se tratou de Mondale ficou em 13,38. No caso de Reagan, porém, seu rosto se iluminou tanto que seus pontos chegaram a 17,44. Mullen e seus colegas fizeram o possível para encontrar uma explicação inocente para isso. Poderia ser, por exemplo, que Jennings fosse apenas mais expressivo em geral do que seus colegas? A resposta parecia ser negativa. Os participantes viram também segmentos de controle dos três locutores relatando notícias tristes e alegres (o funeral de Indira Gandhi, a descoberta do tratamento de uma doença congênita). Jennings, no entanto, não teve uma pontuação superior à dos colegas nos assuntos alegres nem inferior quando se tratava de fatos tristes. Na realidade, parecia ser o menos expressivo dos três locutores. Também não é que Jennings seja alguém que mantenha uma expressão feliz o tempo todo. Mais uma vez, o oposto parecia ser verdade. Nos segmentos "alegres" inseridos a título de comparação, ele marcou 14,13, o que foi significativamente inferior tanto à classificação de Rather quanto à de Brokaw. A única conclusão possível, segundo o estudo, é que Jennings exibia uma "preferência significativa e notável em sua expressão facial" por Reagan.

Agora é que o estudo fica interessante. Mullen e seus colegas então contataram pessoas de várias cidades do país que assistem regularmente aos noticiários noturnos e perguntaram em quem elas votaram. Em todos os casos, o público da ABC votou em Reagan em muito maior número do que o da CBS e o da NBC. Em Cleveland, por exemplo, 75% dos que assistem à ABC deram seu voto ao republicano; no caso dos espectadores da CBS e da NBC, o percentual foi de 61,9%. Em Williamstown, Massachusetts, 71,4% dos espectadores da ABC votaram em Reagan, enquanto apenas 50% dos telespectadores das duas outras redes deram seu voto ao republicano. Em Erie, Pensilvânia, a diferença foi 73,7% a 50%. A preferência sutil por Reagan demonstrada no rosto de Jennings parece ter influenciado o comportamento dos eleitores que assistem à ABC.

Como se pode imaginar, a ABC News contesta esse estudo com bastante veemência. ("Pelo que entendo, sou o único cientista social a ter o duvidoso privilégio de ser chamado de 'imbecil' por Peter Jennings", diz Mullen.) É mesmo difícil de acreditar. Instintivamente, é provável que a maioria de nós pense que a causalidade se dê na direção oposta, isto é, que os partidários de Reagan fossem atraídos pela ABC por causa da preferência de Jennings, e não o contrário. Mas Mullen argumenta de forma bastante convincente que isso não é plausível. Por exemplo, em outros níveis, mais óbvios – como, digamos, a seleção do assunto –, a ABC se mostrou como a rede mais hostil a Reagan, portanto é fácil imaginar republicanos de carteirinha trocando o noticiário dessa emissora pelo das concorrentes. E, quatro anos depois, para verificar se aqueles resultados haviam sido apenas casuais, Mullen repetiu o estudo durante a campanha disputada por Michael Dukakis e George Bush. As conclusões foram idênticas. "Jennings sorria mais ao se referir ao candidato republicano do que ao falar do democrata. E, mais uma vez, uma pesquisa por telefone mostrou que os telespectadores da ABC eram os que mais tendiam a votar em Bush," afirmou ele.

Vejamos outro exemplo das sutilezas da persuasão. Um grande grupo de estudantes foi recrutado para o que eles supunham ser um estudo de pesquisa de mercado realizado por um fabricante de fones de ouvido de alta tecnologia. Os participantes receberam um conjunto de fones e foram informados de que a empresa desejava testar aqueles produtos para ver se funcionavam bem quando o ouvinte estava em movimento – mexendo a cabeça para cima e para baixo ou de um lado para o outro. Todos os estudantes escutaram Linda Ronstadt e os Eagles e, depois, um editorial de rádio defendendo o aumento da mensalidade da faculdade onde eles estudavam, de US$587 para US$750. Um terço deles foi instruído a balançar vigorosamente a cabeça para cima e para baixo enquanto ouvisse o editorial. O outro terço recebeu a orientação de mover a cabeça de um lado para o outro. O terço restante era o grupo de controle e seus integrantes deveriam manter a cabeça imóvel. No fim, todos os estudantes receberam um breve questionário sobre a qualidade do som e o efeito dos movimentos que haviam realizado com a cabeça. Inserida com toda a sutileza no fim da lista estava a pergunta cuja resposta de fato interessava aos pesquisadores: "Na sua opinião, quanto a universidade deveria custar por ano?"[9]

As respostas a essa questão são tão difíceis de acreditar quanto as das pesquisas de opinião dos noticiários. Os alunos que mantiveram a cabeça imóvel ficaram indiferentes ao editorial. O valor que eles julgaram apropriado era US$582 – ou algo em torno do preço em vigor. Os que moveram a cabeça de um lado para o outro enquanto ouviam o editorial – mesmo sabendo que estavam apenas testando a qualidade dos fones – discordaram radicalmente do aumento proposto. Eles queriam que a média anual da mensalidade caísse para US$467. Os que balançaram a cabeça para cima e para baixo acharam o editorial bastante convincente e concordaram com um aumento, em média, para US$646. O simples ato de mover a cabeça para cima e para baixo, mesmo que por outra razão, foi o bastante para fazê-los recomendar uma política que esvaziaria os seus próprios bolsos. De certa forma, o movimento de concordar com cabeça foi tão importante quanto os sorrisos de Peter Jennings nas eleições de 1984.

Nesses dois estudos, acredito, existem pistas significativas quanto ao que torna alguém como Tom Gau – ou, nesse sentido, qualquer vendedor em nossa vida – tão eficaz. A primeira é que as pequenas coisas parecem fazer tanta diferença quanto as grandes. Na experiência que envolveu os fones de ouvido, o editorial não causou impacto em quem estava com a cabeça parada. Não foi particularmente persuasivo. Contudo, para os ouvintes que levantaram e abaixaram a cabeça, ele se tornou muito convincente. No caso de Jennings, Mullen diz que, de modo geral, os sinais sutis a favor de um político ou outro não têm importância. Mas da forma específica, relaxada, como as pessoas assistem ao noticiário, uma leve tendenciosidade surte um bom efeito. "Quando as pessoas vêem o telejornal, elas não ficam filtrando as tendências de modo intencional nem acham que precisam protestar contra a expressão do locutor", explica Mullen. "Não é como se alguém dissesse: 'Este é um candidato muito bom que merece o seu voto.' Não é uma mensagem verbal óbvia contra a qual nos colocaríamos de forma automática. Ela é muito mais sutil e, por isso mesmo, bem mais insidiosa. E se torna ainda mais difícil nos protegermos dela."

A segunda implicação desses estudos é que pistas não-verbais são tão ou mais importantes do que as verbais. As circunstâncias sutis que cercam a maneira como dizemos as coisas podem ser muito mais importantes do que aquilo que dizemos. Jennings, afinal de contas, não estava inserindo comentários a favor de Reagan em seus noticiários. De fato, como mencionei, a ABC se mostrou a emissora mais hostil a Reagan. Uma das conclusões dos autores do estudo com os fones – Gary Wells, da Universidade de Alberta, e Richard Petty, da Universidade de Missouri – foi de que "os anúncios televisivos seriam muito mais eficazes se sua apresentação visual levasse os telespectadores a realizar movimentos verticais repetitivos com a cabeça (por exemplo, uma bola quicando)". Simples movimentos físicos e observações podem afetar profundamente nossa maneira de sentir e pensar.

A terceira implicação desses estudos – e talvez a principal – é que, em geral, a persuasão é feita por meios que não percebemos. Não estou dizendo que sorrisos e movimentos verticais de cabeça sejam mensagens subliminares. Eles são diretos e superficiais. A questão é que são incrivelmente sutis. Se você perguntasse aos que balançaram a cabeça para cima e para baixo por que desejavam um aumento da mensalidade – e pelo qual eles próprios pagariam –, ninguém responderia que era porque estava sacudindo a cabeça enquanto ouvia o editorial. É provável que dissessem que tinham achado o editorial perspicaz ou inteligente. Atribuiriam sua atitude a uma causa mais óbvia, mais lógica. Da mesma forma, os telespectadores da ABC que votaram em Reagan jamais, em tempo algum, diriam que haviam optado pelo candidato republicano porque Peter Jennings sorria sempre que pronunciava o nome dele. Afirmariam que tinham votado no então presidente porque gostavam da sua política ou porque acreditavam que ele estava fazendo um bom trabalho. Jamais lhes ocorreria que poderiam ser convencidos a chegar a uma conclusão por meio de algo tão arbitrário e aparentemente insignificante quanto sorrisos ou movimentos de cabeça do locutor. Portanto, se quisermos entender o que faz alguém como Tom Gau ser tão persuasivo, temos que prestar atenção em muito mais coisas do que a sua óbvia eloqüência. Precisamos ver o que é sutil, o que está oculto e não é dito.

11.

O que acontece quando duas pessoas conversam? Essa é realmente a questão fundamental neste caso, pois se trata do contexto básico em que a persuasão ocorre. Sabemos que as pessoas falam num vaivém. Elas escutam. Interrompem. Gesticulam. No caso do meu encontro com Tom Gau, estávamos sentados numa sala de dimensões modestas. Eu, numa cadeira diante da sua mesa. De pernas cruzadas, bloco e caneta no colo. Vestia uma camisa azul, calça e casaco pretos. Ele estava do outro lado da mesa, numa cadeira de espaldar alto. Usava calça social azul, camisa branca muito bem passada e gravata vermelha. Às vezes se inclinava para a frente e fincava os cotovelos na mesa. Ou se recostava na cadeira e agitava as mãos no ar. Entre nós, sobre a mesa vazia, coloquei meu gravador. Essas são as imagens que você veria se eu lhe mostrasse um vídeo do nosso encontro. No entanto, se esse mesmo vídeo fosse exibido em câmera lenta o suficiente para mostrar nossa interação em frações de segundos, as cenas seriam bem diferentes. Nós dois apareceríamos empenhados no que só pode ser descrito como uma elaborada e precisa coreografia.

O pioneiro nesse tipo de análise – que recebeu o nome de estudo dos microrritmos culturais – é um homem chamado William Condon. Em um de seus projetos de pesquisa mais famosos, na década de 1960, ele tentou decodificar um segmento de filme com duração de quatro segundos e meio no qual uma mulher diz a um homem e a uma criança durante o jantar: "Vocês deviam vir todas as noites. Há meses não jantamos assim." Condon dividiu o filme em fotogramas, cada um com cerca de 1/45 avos de segundo. Depois, ficou observando. Sua descrição:

> Para estudar atentamente a organização e a seqüência disso, a abordagem tem que ser naturalista e etológica. Você apenas se senta e olha por milhares de horas até que a ordem presente no material começa a vir à tona. É como esculpir... O estudo continuado revela mais ordem. Enquanto eu assistia repetidas vezes ao filme, tive uma visão errônea do universo de que a comunicação se dá entre pessoas. De alguma maneira esse era o modelo. Você envia a mensagem, alguém a manda de volta. As mensagens transitam daqui para ali e por toda parte. Mas havia alguma coisa estranha nisso.[10]

Condon passou um ano e meio trabalhando nesse pequeno segmento de filme, até que, por fim, com sua visão periférica, viu o que sempre sentiu que havia ali: "A mulher virando a cabeça exatamente no instante em que as mãos do marido se erguiam." A partir daí, captou outros micromovimentos e padrões que ocorriam várias vezes até perceber que, além de falar e ouvir, as três pessoas à mesa participavam também do que ele chamou de "sincronia interacional". A conversa tinha uma dimensão rítmica física. Cada pessoa, no espaço de um, dois ou três fotogramas de 1/45 avos de segundo, mexia um ombro ou uma bochecha, uma sobrancelha ou mão, sustentava o movimento, depois o interrompia, mudava de direção e recomeçava. Além disso, esses movimentos estavam perfeitamente sincronizados com as palavras de cada um deles – enfatizando, ressaltando e elaborando o processo de articulação –, de modo que o falante, de fato, dançava no ritmo do seu próprio discurso. Ao mesmo tempo, as outras pessoas ao redor da mesa também dançavam, movendo o rosto, ombros, mãos e corpos no mesmo ritmo. Não é que todos estivessem se movimentando de maneira idêntica, assim como indivíduos que estão dançando juntos não se movem todos da mesma forma. É que a regulagem do tempo das paradas e do início dos micromovimentos de cada uma daquelas pessoas – os saltos e as mudanças que se viam no corpo e no rosto – estava em perfeita harmonia.

A pesquisa subseqüente revelou que não são apenas os gestos que são harmonizados, o ritmo da conversa também é. Quando duas pessoas falam, a altura e o tom da voz de ambas se equilibram. O que os lingüistas chamam de taxa de elocução – número de sons da fala por segundo – se equaliza. O mesmo acontece com o que chamamos latência, o tempo transcorrido entre o momento em que uma pessoa pára de falar e a outra começa a fazer isso. Dois indivíduos podem iniciar uma conversa com padrões muito diferentes. Mas eles entram num acordo quase simultaneamente. Todos nós agimos assim o tempo todo. Bebês de não mais de um ou dois dias sincronizam seus movimentos de cabeça, cotovelos, ombros, quadris e pés com os padrões da fala dos adultos. A sincronia tem sido encontrada nas interações de humanos e de macacos. Faz parte da nossa programação.

Quando Tom Gau e eu nos sentamos frente a frente em sua sala, portanto, quase de imediato entramos em harmonia física e conversacional. Estávamos dançando. Mesmo antes de tentar me convencer com suas palavras, ele já tinha criado um elo comigo por meio de seus movimentos e de seu discurso. Então, o que fez o meu encontro com ele ser diferente, muito mais agradável do que as conversas que tenho todos os dias? Tom não estava procurando entrar em harmonia comigo de modo intencional. Alguns livros dirigidos a profissionais de vendas recomendam aos persuasores que espelhem a postura ou o estilo de falar dos clientes para estabelecer uma perfeita compatibilidade com eles. Mas já se viu que isso não dá certo. Ao contrário, deixa as pessoas mais constrangidas, e não mais relaxadas. É obviamente falso demais.

Na realidade, estou me referindo a uma espécie de superreflexo, uma habilidade fisiológica fundamental de que mal temos consciência. E, assim como acontece com todos os traços humanos exclusivos, algumas pessoas o dominam melhor do que outras. Parte do que significa ter uma personalidade forte ou persuasiva, portanto, é ser capaz de fazer os outros entrarem no seu próprio ritmo e ditar os termos da interação. Em alguns estudos, alunos que apresentam algum grau de sincronia com os professores são mais felizes, mais entusiasmados, interessados e tranqüilos. O que senti com Tom Gau foi que eu estava sendo seduzido, não no sentido sexual, é claro, e sim de uma forma global, isto é, que a nossa conversa estava sendo conduzida nos termos dele, não nos meus. Senti que estava entrando em sincronia com ele. Joseph Cappella, professor da Annenberg School of Communication, da Universidade da Pensilvânia, diz o seguinte: "Músicos bem treinados sabem quando as multidões os estão acompanhando – literalmente em sincronia com eles – pelos movimentos da cabeça e pela imobilidade nos momentos de atenção." É estranho admitir isso, pois eu não queria ser atraído. Estava atento a essa possibilidade. Mas a essência do Vendedor é exatamente o fato de, em determinado nível, ser impossível resistir a ele. "Tom, em cinco ou 10 minutos, é capaz de criar um grau de confiança que a maioria das pessoas só consegue em meia hora", Moine comenta a respeito de Gau.

Existe outra dimensão, mais específica, em que isso ocorre. Quando duas pessoas conversam, elas não entram apenas em harmonia física e auditiva. Elas se envolvem também no que chamamos de mímica motora. Se você mostra para alguém fotografias de rostos sorridentes ou zangados, essa pessoa vai sorrir de volta ou amarrar a cara, embora talvez apenas em alterações musculares tão discretas que só sejam percebidas por sensores eletrônicos. Se eu der uma martelada no dedo, a maioria das pessoas que estiver me olhando fará uma careta: imitarão o meu estado emocional. Isso, tecnicamente falando, é empatia. Imitamos as emoções dos outros como um meio de expressar apoio e cuidado e, ainda mais simplesmente, como uma forma de nos comunicarmos.

No seu brilhante livro, *Emotional Contagion* (Contágio emocional), de 1994, os psicólogos Elaine Hatfield e John Cacioppo e o historiador Richard Rapson vão um pouco mais longe.[11] A mímica, eles dizem, é também um meio de nos contagiarmos mutuamente com nossas emoções. Em outras palavras, se eu sorrio e você me vê e sorri também – nem que seja um microssorriso que não dure mais do que uns milionésimos de segundo –, você não estará apenas me imitando ou demonstrando empatia. Talvez eu tenha conseguido lhe transmitir a minha felicidade. A emoção é contagiante. De certa maneira, isso é intuitivo. Todos nós nos sentimos mais animados ao lado de alguém que está de bom humor. No entanto, pensando bem, é uma idéia radical. Em geral, pensamos na expressão do nosso rosto como um reflexo do nosso estado interior. Sinto-me feliz, por isso sorrio. Estou triste, fecho a cara. A emoção vem de dentro para fora. O contágio emocional, entretanto, sugere que o oposto também é verdade. Se consigo fazer você sorrir, posso deixá-lo feliz. Se sou capaz de fazer você amarrar a cara, posso deixá-lo triste. A emoção, nesse sentido, é de fora para dentro.

Considerando as emoções dessa maneira – surgindo de fora para dentro, e não ao contrário –, podemos compreender como determinados indivíduos exercem grande influência sobre outros. Algumas pessoas, afinal de contas, sabem expressar muito bem emoções e sentimentos, o que significa que são muito mais emocionalmente contagiantes do que outras. Os psicólogos as chamam de "emissores". Além de terem personalidades especiais, os "emissores" são também diferentes em termos fisiológicos. Os cientistas que estudam rostos, por exemplo, relatam que as pessoas apresentam diferenças enormes em relação à localização dos seus músculos faciais, na sua forma e até – o que é surpreendente – na sua capacidade de dominar. "Não é uma situação improvável na medicina", diz Cacioppo. "Existem os transmissores, pessoas muito expressivas, e há indivíduos especialmente suscetíveis a se contaminar. Não é que o contágio emocional seja uma doença. Mas o mecanismo é o mesmo."

Howard Friedman, psicólogo da Universidade da Califórnia, em Riverside, desenvolveu o que chama de Teste de Comunicação Afetiva para medir a capacidade de transmitir emoções, de ser contagiante.[12] Trata-se de uma avaliação feita pela própria pessoa em que ela responde a 13 perguntas sobre questões como se consegue ou não ficar quieta ouvindo uma música boa para dançar, se ri muito alto, se toca nos amigos quando está falando com eles, se sabe seduzir com o olhar, se gosta de ser o centro das atenções. A maior pontuação possível é 117 pontos. A média, segundo Friedman, fica em torno de 71 pontos.

O que significa ter uma alta pontuação? Para responder a essa pergunta, Friedman realizou uma experiência fascinante.

Pegou algumas dezenas de pessoas com pontuação muito alta no seu teste – superior a 90 – e algumas dezenas com pontuação baixa – inferior a 60 – e pediu que preenchessem um formulário para avaliar como estavam se sentindo "naquele instante". Em seguida, colocou todos os participantes que tinham pontuação alta em salas separadas e reuniu cada um deles com dois que haviam marcado poucos pontos. Eles receberam a instrução de permanecer sentados juntos ali por dois minutos. Podiam se olhar, mas não conversar. No fim da sessão, foram orientados a preencher outro questionário minucioso sobre como estavam se sentindo. Friedman descobriu que, em apenas dois minutos, sem que se pronunciasse uma palavra, as pessoas com baixa pontuação acabaram assimilando o humor das que tinham marcado muitos pontos. Se o indivíduo contagiante começasse a sessão deprimido, a pessoa inexpressiva, mesmo que estivesse feliz no início, ficaria deprimida também após dois minutos. O inverso, contudo, não aconteceu. Somente os participantes carismáticos conseguiram influenciar os demais com suas emoções.

Foi isso que Tom Gau fez comigo? O que mais me impressionou no meu encontro com ele foi a sua voz – tinha o registro de cantor de ópera. Às vezes, parecia sério. (Sua expressão favorita nesse estado era: "Perdão.") Em outros momentos, arrastava as palavras, de forma preguiçosa e suave. Havia também instantes em que ria enquanto falava, pronunciando as palavras no ritmo das gargalhadas. Em cada um desses modos, seu rosto se iluminava de forma coerente, passando com facilidade e destreza de um estado a outro. Não havia ambigüidade na sua apresentação. Estava tudo escrito no seu rosto. Não dava para ver o meu, é claro, mas suponho que fosse um espelho do de Tom. É interessante, neste contexto, relembrar a experiência que envolveu os fones de ouvido. Aquele foi um exemplo de persuasão de fora para dentro, de um gesto exterior afetando uma decisão interior: será que eu balançava a cabeça para cima e para baixo quando Tom Gau fazia isso com a dele? E será que eu a movia de um lado para o outro quando ele realizava esse gesto? Mais tarde, liguei para ele e pedi que fizesse o teste de carisma de Howard Friedman. À medida que passávamos pelos itens da lista, pergunta após pergunta, ele foi começando a rir. Na pergunta número 11 – "Sou terrível nas pantomimas, assim como em jogos no estilo de charadas" – já estava rindo alto. "Sou ótimo nisso! Sempre acerto as charadas!" Dos 117 pontos possíveis, Tom marcou 116.

12.

Nas primeiras horas do dia 19 de abril de 1775, os homens de Lexington, Massachusetts, começaram a se reunir no campo Lexington Common, área de uso público da cidade. Com idades que variavam dos 16 aos 60 anos, eles levavam uma miscelânea de mosquetes, espadas e pistolas. Quando a notícia se espalhou naquela manhã, o número de pessoas ali foi aumentando com a rápida chegada de grupos de milicianos das localidades vizinhas. Dedham enviou quatro companhias. Em Lynn, os homens partiram para Lexington por conta própria. Nas cidades mais a oeste, que só receberam a notícia de manhã, os fazendeiros estavam com tanta pressa para tomar parte na batalha em Lexington que literalmente largaram os arados nos campos. Em muitas cidades, quase toda a população masculina se alistou. Os homens não tinham uniformes, por isso vestiam roupas comuns: casacos para se proteger do frio da madrugada e chapéus de abas largas.

Enquanto os colonos corriam para Lexington, os soldados do Exército britânico também marchavam em formação para a cidade. Ao alvorecer, enquanto avançavam rumo ao seu destino, os soldados podiam ver formas cercando-os na meia-luz, homens armados atravessando os campos ao redor, ultrapassando-os na pressa de chegar a Lexington. À medida que as tropas britânicas foram se aproximando do centro da cidade, os tambores começaram a soar ao longe. E, quando, por fim, chegaram ao Lexington Common, os dois lados se defrontaram: centenas de soldados ingleses diante de menos de 100 homens. Nesse primeiro embate, os ingleses levaram a melhor, matando sete milicianos com uma rápida rajada de tiros naquele campo. Mas essa foi a primeira das muitas batalhas daquele dia. Quando os ingleses seguiram para Concord em busca das armas e munição que acreditavam estar escondidas ali, eles voltaram a enfrentar a milícia e, dessa vez, foram completamente derrotados. Esse foi o início da Revolução Americana, uma guerra que levou muitas vidas e envolveu toda a colônia americana. Quando os colonos declararam a independência no ano seguinte, eles a saudaram como uma vitória de toda a nação. Mas não foi assim que ela começou. Ela teve origem numa epidemia de propaganda boca a boca que partiu, numa fria manhã de primavera, de um jovem cavalariço para toda a Nova Inglaterra e que contou ao longo do caminho com um pequeno número de pessoas muito especiais: alguns Vendedores e um homem que era ao mesmo tempo um Comunicador e um Expert.

O *Fator de Fixação:*

VILA SÉSAMO, AS PISTAS DE BLUE
E O VÍRUS EDUCACIONAL

No fim dos anos 1960, uma produtora de televisão chamada Joan Gantz Cooney se dispôs a iniciar uma epidemia. Seu alvo eram crianças de três, quatro e cinco anos. O agente infeccioso era a televisão. O "vírus" que ela desejava espalhar era a alfabetização. O programa teria a duração de uma hora e seria transmitido em cinco dias da semana. Sua esperança era a de que, se aquela hora fosse contagiante o bastante, serviria como um Ponto da Virada educacional: dar às crianças de baixa renda uma vantagem quando elas fossem ingressar no ensino fundamental, disseminando valores favoráveis ao aprendizado entre espectadores e não espectadores, contagiando filhos e pais e permanecendo por tempo suficiente para manter o impacto mesmo depois que a garotada parasse de assistir ao programa. Joan Cooney provavelmente não teria usado esses conceitos nem descrito seus objetivos dessa maneira. Mas o que ela queria fazer, em essência, era criar uma epidemia de aprendizado para combater as epidemias dominantes de pobreza e analfabetismo. Ela deu à sua idéia o nome de *Sesame Street* [*Vila Sésamo* na adaptação brasileira].[1]

Em todos os aspectos, foi uma iniciativa audaciosa. A televisão é um meio excelente de atingir um grande número de pessoas, além de fácil e barato. Ela entretém e encanta. Mas não é um instrumento particularmente educacional. Gerald Lesser, psicólogo da Universidade de Harvard que se uniu a Cooney para criar o programa *Vila Sésamo*, diz que, ao ser convidado a participar do projeto, por volta do fim da década de 1960, não levava muita fé na idéia. "Sempre fui favorável a se adaptar o método de ensino ao conhecimento que se tem da criança. Devemos tentar descobrir os seus pontos fortes para aproveitá-los. E temos que procurar compreender os seus pontos fracos para evitá-los. Depois, partimos para ensinar a criança com esse perfil específico... A televisão não tem potencial nem poder para fazer isso", diz ele. O bom ensino é interativo. Envolve a criança de modo individual. Usa todos os seus sentidos. Reage a ela. Um aparelho de televisão não passa de uma caixa falante. Estudos mostram que as crianças que lêem um texto e depois são submetidas a um teste de compreensão sempre obtêm notas superiores às daquelas que assistem a um vídeo sobre o mesmo assunto. Os especialistas em educação classificam a televisão como um meio de "baixo envolvimento". Ela é como uma variedade de resfriado comum que se espalha como um relâmpago por uma população, entretanto só provoca alguns espirros e no dia seguinte já foi embora.

Mas Cooney e Lesser e um terceiro sócio – Lloyd Morrisett, da Markle Foundation, em Nova York – se dispuseram a tentar mesmo assim. Convocaram algumas das mentes mais criativas da época. Copiaram técnicas dos comerciais de televisão para ensinar os números. Usaram desenhos animados, como os transmitidos nas manhãs de sábado, para dar lições sobre o alfabeto. Convidaram celebridades para cantar, dançar e representar em esquetes que mostravam às crianças as virtudes da cooperação e de suas próprias emoções. *Vila Sésamo* mirou mais alto e se empenhou mais do que qualquer outro programa infantil já havia feito. E o extraordinário é que deu certo. Em tese, sempre que o seu valor educacional é testado – e *Vila Sésamo* tem sido sujeito a mais avaliações acadêmicas do que qualquer outro programa de televisão da história –, comprova-se uma melhora na habilidade de leitura e aprendizado dos espectadores. Raros são os educadores e psicólogos infantis que não acreditam que essa atração tenha conseguido difundir sua mensagem contagiante muito além dos lares daqueles que a acompanhavam com regularidade. Os criadores de *Vila Sésamo* realizaram um feito extraordinário, e a história de como conseguiram isso é uma maravilhosa ilustração da segunda regra do Ponto da Virada: o Fator de Fixação. Eles descobriram que, promovendo pequenos, porém críticos, ajustes na forma de apresentar idéias a crianças em idade pré-escolar, seria possível superar as deficiências da televisão como ferramenta de ensino e fazer com que aquilo que pretendiam dizer fosse memorizado. *Vila Sésamo* teve sucesso porque soube como tornar a televisão uma transmissora de mensagens que se fixavam.[2]

1.

A Regra dos Eleitos, de que falei no capítulo anterior, diz que a natureza do mensageiro é um fator crítico nas epidemias. Um par de sapatos, um alerta, uma infecção ou um novo filme podem se tornar altamente contagiantes e dar uma guinada apenas por estarem associados a um tipo específico de pessoa. Em todos esses exemplos, no entanto, considerei o fato de que a mensagem em si era algo capaz de ser transmitido. Paul Revere iniciou uma epidemia de propaganda boca a boca com a frase "Os ingleses estão vindo". Se, em vez disso, ele tivesse saído em disparada a cavalo, noite adentro, para dizer a todo mundo que a sua loja estava liquidando canecas de alumínio, nem mesmo ele, com todas as suas grandes habilidades, teria conseguido mobilizar a área rural de Massachusetts.

Ao enviar bilhetes por fax a todos os seus amigos falando do restaurante a que sua filha o levara, Roger Horchow cumpriu a primeira etapa da criação de uma epidemia de propaganda boca a boca. Mas, obviamente, para que essa epidemia se alastrasse, o restaurante deveria continuar mantendo a qualidade. Tinha que ser do tipo que causa impacto nos clientes. Nas epidemias, o mensageiro é fundamental: é ele que faz alguma coisa se disseminar. Porém, o conteúdo da mensagem também é importante. E o aspecto específico necessário ao seu sucesso é a "fixação". A mensagem – seja ela um filme, uma comida ou um produto – pode ser memorizada com facilidade? Será algo tão simples de lembrar que, de fato, consiga promover uma mudança? Será capaz de estimular alguém a agir?

A fixação parece algo fácil de compreender. Quando queremos garantir que o que estamos dizendo será lembrado, falamos com ênfase. Elevamos a voz e repetimos aquilo várias vezes. Os profissionais de marketing pensam da mesma forma. Em publicidade, existe um lema que diz que, para que alguém se recorde de um anúncio, é preciso que o tenha visto pelo menos seis vezes. Saber disso é bom para a Coca-Cola ou para a Nike, que dispõem de milhões para gastar com propaganda e podem saturar todas as formas de mídia com a sua mensagem. Mas não vale tanto, digamos, para um grupo de pessoas que está tentando deflagrar uma epidemia de alfabetização com um orçamento reduzido e apenas uma hora num canal público de televisão. Existirão meios mais modestos, sutis e fáceis de fazer com que algo se fixe?

Considere a área de marketing direto. Uma empresa anuncia numa revista ou envia uma mala-direta com um cupom que a pessoa deve destacar e remeter para a empresa junto com um cheque para a compra do produto. No marketing direto, a dificuldade não é fazer a mensagem chegar ao consumidor. É conseguir que ele pare, leia a propaganda, lembre-se dela e aja. Para saber que tipo de anúncio alcança melhores resultados, os especialistas em marketing direto realizam uma série de testes. Chegam a criar dezenas de versões diferentes da mesma peça publicitária e as veiculam simultaneamente em diversas cidades comparando os índices de reação a cada uma delas. Anunciantes convencionais costumam saber de antemão o que faz um anúncio funcionar: humor, títulos chamativos, aval de uma celebridade. Os profissionais de marketing direto, ao contrário, têm poucas idéias preconcebidas porque a quantidade de cupons que recebem de volta ou de pessoas que ligam para um número de discagem gratuita em resposta a um comercial na televisão lhes dá uma visão objetiva, rigorosa, da eficiência. No mundo da publicidade, os profissionais de marketing direto são os verdadeiros estudantes da fixação. Algumas das conclusões mais intrigantes sobre como atingir os consumidores originam-se de seus trabalhos.

Na década de 1970, por exemplo, Lester Wunderman, célebre especialista em marketing direto, decidiu resolver com a agência McCann Erickson da Madison Avenue um conflito envolvendo a conta do Columbia Record Club.[3] Na época, o Columbia era – como continua sendo – uma das maiores empresas de vendas pelo correio do mundo, e Wunderman vinha cuidando da publicidade da empresa desde a sua fundação, na década de 1950. Mas o Columbia resolveu contratar a McCann para apresentar uma série de comerciais de televisão como apoio aos anúncios impressos de marketing direto que Wunderman estava criando. Não eram comerciais veiculados tarde da noite, com um número de discagem gratuita. Eram mensagens inseridas entre programas ou segmentos de programa comuns na televisão e destinadas apenas a chamar atenção. Compreensivelmente, Wunderman ficou preocupado. Ele estava à frente da conta do Columbia havia 20 anos e não gostou da idéia de perder nem que fosse uma pequena parte do negócio para um concorrente. Além disso, não estava convencido de que a propaganda da McCann proporcionaria benefícios ao seu cliente. Para resolver a questão, propôs um teste. O Columbia publicaria na íntegra o anúncio criado por sua empresa nas edições locais das revistas *TV Guide* e *Parade* em 26 mercados de mídia em todos os Estados Unidos. Em 13 dessas praças, a McCann teria permissão para transmitir pela TV os seus comerciais de "conscientização". Nas outras 13, seriam veiculados pela TV comerciais criados por Wunderman. Aquele cujos comerciais gerassem a maior reação ao anúncio publicado nas revistas *TV Guide* e *Parade* ficaria com a conta só para ele. O Columbia concordou. Um mês depois os resultados foram contabilizados. As respostas nos mercados de Wunderman chegaram a 80% e apenas a 19,5% nos da McCann. Wunderman obteve uma vitória incontestável.

O segredo do sucesso de Wunderman foi o que ele chamou de "caça ao tesouro". Ele fez o seu diretor de arte colocar uma caixinha dourada no canto do cupom em todos os anúncios publicados na *TV Guide* e na *Parade*. Depois a empresa divulgou o "segredo da Caixa Dourada" numa série de comerciais de TV. Os telespectadores eram informados de que, ao encontrarem a caixa dourada nas suas edições da *Parade* e da *TV Guide*, bastava que escrevessem nela o título de qualquer disco do catálogo do Columbia para recebê-lo de graça. A caixa dourada, teorizava Wunderman, era uma espécie de gatilho. Dava aos espectadores um motivo para procurar os anúncios na *TV Guide* e na *Parade*. Criava uma associação entre a mensagem do Columbia que as pessoas viam na TV e a que liam nas revistas. A caixa dourada, segundo Wunderman, "tornava o leitor/telespectador parte de um sistema interativo de publicidade. Os telespectadores não eram apenas uma platéia, haviam se transformado em participantes. Era como tomar parte num jogo... A eficácia da campanha foi surpreendente. Em 1977, nenhum dos anúncios do

Columbia na sua extensa programação nas revistas tinha dado lucro. Em 1978, com o apoio da caixa dourada pela TV, todas as revistas na programação tiveram lucro, uma reviravolta sem precedentes".

O interessante nessa história é que, de acordo com as expectativas, a McCann deveria ter saído vencedora no teste. A idéia da caixa dourada parecia muito pobre. Os dirigentes do Columbia estavam tão descrentes que Wunderman levou anos tentando convencê-los a experimentar. A McCann, por outro lado, era uma das estrelas da Madison Avenue, empresa célebre por sua criatividade e sofisticação. Além disso, gastou quatro vezes mais do que Wunderman em tempo de mídia – comprou espaços no horário nobre. Os anúncios de Wunderman eram veiculados de madrugada. No último capítulo, eu disse que um dos fatores que concorrem para as epidemias é o número de pessoas atingidas pela mensagem. Por esse padrão, a McCann estava na frente. Ela fez tudo certo. Mas não deu o toque final, faltou aquela caixa dourada, que faria a mensagem se fixar.

Se você examinar as idéias ou mensagens epidêmicas, notará que quase sempre os elementos responsáveis por sua fixação são tão pequenos e aparentemente insignificantes quanto a caixa dourada de Wunderman. Considere, por exemplo, as denominadas experiências "de medo" realizadas pelo psicólogo social Howard Levanthal na década de 1960. Seu objetivo era ver se era capaz de convencer um grupo de veteranos da Universidade de Yale a se vacinar contra o tétano. Ele formou vários grupos com os participantes e deu a todos um folheto de sete páginas contendo explicações sobre os perigos do tétano, a importância da vacinação e a oferta desse serviço no centro de saúde do *campus* a todos os alunos interessados. Os folhetos foram editados em diversas versões. Alguns estudantes receberam a versão de "grande medo", que descrevia o tétano em termos dramáticos e incluía fotos coloridas de vítimas com cateteres urinários, feridas provocadas por traqueostomias e tubos nasais. A versão de "pouco medo" apresentava uma linguagem mais suave e não incluía fotos. Levanthal queria ver o impacto que os diferentes folhetos tinham sobre a atitude dos alunos com relação ao tétano e à probabilidade de tomarem a vacina.[4]

Os resultados foram, em parte, bastante previsíveis. Mais tarde, nas respostas a um questionário, todos os estudantes pareciam muito bem informados sobre os perigos do tétano. Mas os que tinham recebido o folheto com a versão "grande medo" estavam mais convencidos da importância da vacinação e mais inclinados a dizer que pretendiam se vacinar. Todas essas diferenças se evaporaram, entretanto, quando Levanthal conferiu quantos deles de fato tinham se vacinado. Um mês após o experimento, quase ninguém – só cerca de 3% – havia ido ao centro médico para se vacinar. Por alguma razão, tinham se esquecido de tudo o que aprenderam sobre o tétano – assim, as lições não levaram a ações. A experiência não se fixou. Por quê?

Se não conhecêssemos o Fator de Fixação, provavelmente concluiríamos que havia algo errado na maneira como os folhetos explicavam o tétano aos alunos. Poderíamos questionar se a tentativa de assustá-los fora a melhor orientação a tomar ou se havia um estigma social em torno da doença que impedia os alunos de reconhecer que estavam correndo risco ou, quem sabe, o próprio sistema médico os intimidasse. De qualquer maneira, a reação de apenas 3% dos estudantes fazia supor que a meta ainda estava longe de ser atingida. No entanto, o Fator de Fixação sugere algo bem diferente. É provável que o problema não estivesse na concepção geral da mensagem e que talvez a campanha precisasse de uma caixinha dourada. Sem dúvida, quando Levanthal realizou o teste de novo uma pequena mudança foi o suficiente para que o índice de vacinação desse uma guinada para 28%. Bastou incluir no folheto um mapa do *campus*, com o prédio do centro de saúde da universidade assinalado num círculo e o horário de vacinação bem visível.

Esse estudo apontou dois resultados interessantes. O primeiro revelou que, dos 28% de alunos que se vacinaram, o número de estudantes do grupo de grande medo foi igual ao do grupo de pouco medo. O fator extra de persuasão no folheto de grande medo, fosse qual fosse, mostrou-se irrelevante. Mesmo sem verem fotos chocantes, os alunos sabiam dos riscos do tétano e tinham noção do que era preciso fazer. O segundo ponto interessante é que, sendo veteranos, eles deveriam saber onde ficava o centro de saúde e, certamente, já tinham estado lá muitas vezes. Duvida-se que algum deles tenha usado o mapa. Em outras palavras, o que a campanha a favor da vacinação contra o tétano teve que incluir para dar uma guinada não foi uma avalanche de novas informações, e sim uma mudança sutil e significativa na sua apresentação. Os alunos precisavam saber como encaixar aquela história do tétano em sua vida. Assim, o mapa e o horário das vacinas fizeram com que o folheto deixasse de corresponder a uma aula abstrata sobre riscos médicos – uma lição acadêmica igual a tantas outras que eles já tinham recebido durante o curso universitário – e se tornasse um alerta médico prático e pessoal. E, quando o conselho é prático e pessoal, é fácil nos lembrarmos dele.

Os experimentos de medo de Levanthal e o trabalho de Wunderman com o Columbia Record Club apresentam grandes implicações para a questão de como as epidemias sociais se deflagram e atingem o Ponto da Virada. Vivemos constantemente assediados por pessoas que tentam atrair a nossa atenção. Nos Estados Unidos, o tempo dedicado aos anúncios num canal de televisão aumentou, na última década, de seis para nove minutos e continua subindo todo ano. A Media Dynamics, empresa sediada em Nova York, estima que o americano médio está exposto a 254 mensagens comerciais diferentes por dia, quase 25% mais do que acontecia em meados da década de 1970. Existem hoje milhões de sites na internet, sistemas a cabo transmitem mais de 50 canais de programação e uma espiada na seção de revistas de qualquer livraria mostra que milhares de publicações desse tipo são lançadas todos os meses, abarrotadas de anúncios e informações. Em publicidade, esse excesso de informação é chamado de "saturação" – um problema que dificulta cada vez mais a fixação de qualquer mensagem. A Coca-Cola pagou US$33 milhões pelos direitos de patrocínio das Olimpíadas de 1992; contudo, apesar do enorme esforço publicitário, apenas 12% dos que assistiram às competições pela televisão perceberam que ela era a patrocinadora oficial do evento, enquanto 5% acharam que era a Pepsi. Segundo um estudo feito por uma empresa de pesquisa de publicidade, sempre que há pelo menos quatro anúncios diferentes de 15 segundos num intervalo comercial de dois minutos e meio, a eficácia de qualquer um deles cai quase a zero. Simplesmente nos esquecemos de grande parte do que nos dizem e do que lemos e vemos. A era da informação criou um problema de fixação. Mas os exemplos de Levanthal e Wunderman sugerem que podem existir meios simples de aumentar a fixação e inseri-la de forma sistemática numa mensagem. Esse é um fato de extrema importância para profissionais de marketing, professores e administradores. Talvez ninguém tenha feito mais para ilustrar o potencial desse tipo de engenharia da fixação do que os criadores de programas educativos infantis, em particular, *Vila Sésamo* e, mais tarde, a atração para a qual ele serviu de inspiração – *As pistas de Blue*.

2.

Vila Sésamo é um programa mais conhecido pelos gênios criativos que atraiu. Pessoas como Jim Henson, Joe Raposo e Frank Oz, que intuitivamente entenderam o que é preciso para atingir as crianças. Mas é um engano pensar em *Vila Sésamo* como um projeto concebido em um lampejo. Sua diferença foi exatamente o fato de ser o contrário disso – seu produto final era construído de modo deliberado e trabalhoso. *Vila Sésamo* foi montado em torno de um insight exclusivo e inovador: o de que, se conseguisse prender a atenção de uma criança, seria capaz de instruí-la.

Pode parecer óbvio, mas não é. Até hoje, muita gente que critica a televisão argumenta que o perigo é que ela vicia, que as crianças e até os adultos a assistem como zumbis. De acordo com esse ponto de vista, o que prende a nossa atenção são as características formais da televisão – violência, luzes fortes, ruídos engraçados e altos, cortes rápidos de edição, lentes que se aproximam e se distanciam dos objetos, ação exagerada e todas as outras coisas que associamos com a TV comercial. Em outras palavras, para continuar olhando, não é preciso compreender nem absorver o que se vê. É isso que as pessoas querem dizer quando chamam a televisão de meio passivo. Nós assistimos aos programas quando somos estimulados por toda aquela agitação. E desviamos o olhar ou mudamos de canal quando nos chateamos.[5]

Contudo, o que os pioneiros da pesquisa sobre a televisão – Daniel Anderson, da Universidade de Massachusetts, em particular –, começaram a perceber, nas décadas de 1960 e 1970, é que não é assim que as crianças em idade pré-escolar assistem à TV. "A idéia era de que a garotada se sentava, pregava os olhos na tela e se desligava do mundo", disse Elizabeth Lorch, psicóloga do Amherst College. "Mas, observando-as melhor, descobrimos que o mais comum eram as olhadelas rápidas. Havia muito mais variações. As crianças não ficavam simplesmente sentadas olhando. Elas dividiam sua atenção entre uma ou duas atividades. E não faziam isso de forma aleatória. Havia influências previsíveis naquilo que as levava a se voltar de novo para a tela, e não eram coisas banais, não eram apenas luzes e movimentos rápidos." Por exemplo, certa vez Lorch reeditou um episódio de *Vila Sésamo* colocando determinadas cenas-chave de alguns esquetes fora de ordem. Se as crianças estivessem interessadas somente em luzes e movimentos, isso não faria a menor diferença. O programa, afinal de contas, continuava com as mesmas canções, os Muppets, o colorido vivo, a ação e todas as coisas que o tornam maravilhoso. Mas fez diferença. As crianças pararam de prestar atenção no programa. Como não conseguiam entender aquilo a que estavam assistindo, deixaram de olhar para a TV.

Em outra experiência, Lorch e Daniel Anderson exibiram um episódio de *Vila Sésamo* a dois grupos de crianças de cinco anos. As de um grupo, entretanto, ficaram numa sala com vários brinquedos atrativos espalhados pelo chão. As demais, que permaneceram numa sala sem brinquedos, assistiram a 87% do programa, enquanto as outras a apenas 47%. É natural que crianças se distraiam com brinquedos. Mas, quando os dois grupos foram testados para ver em que medida as crianças se lembravam do conteúdo daquele episódio e quanto o tinham compreendido, as pontuações foram exatamente iguais. Esse resultado deixou os dois pesquisadores estupefatos. As crianças eram muito mais sofisticadas na sua maneira de assistir ao programa do que eles haviam imaginado. "Fomos levados a concluir", escreveram, "que as crianças de cinco anos do grupo que tinha os brinquedos estavam vendo televisão de uma forma bastante estratégica, dividindo a sua atenção entre brincar e se voltar para a tela, de maneira que olhavam o que, para elas, eram as partes mais informativas do programa. Essa estratégia era tão eficaz que prestar mais atenção não teria feito diferença."

Juntando esses dois estudos – o dos brinquedos e o da edição –, chegamos a uma conclusão bastante radical sobre crianças e televisão. Não é que elas prestem atenção quando são estimuladas e desviam o olhar quando se chateiam. Na verdade, elas prestam atenção enquanto compreendem o que estão vendo e desviam o olhar quando se sentem confusas. Para quem trabalha na área da televisão educativa, essa diferença é fundamental. Significa que, para saber se – ou o que – as crianças estão aprendendo com um programa de TV, basta identificar aquilo em que elas estão prestando atenção. E, para saber o que elas não estão aprendendo, é só observar o que elas não estão olhando. Em outras palavras, as crianças em idade pré-escolar têm um comportamento tão sofisticado como telespectadores que é possível determinar a fixação dos programas infantis pela simples observação.

Nos primeiros anos de *Vila Sésamo*, o chefe de pesquisa do programa era o psicólogo do Oregon Ed Palmer, especialista no uso da televisão como instrumento de aprendizagem.[6] Quando o Children's Television Workshop (CTW) foi criado, no fim da década de 1960, o recrutamento de Palmer aconteceu naturalmente. "Eu era o único acadêmico que vinha pesquisando a TV infantil", comenta, rindo. Ele recebeu a tarefa de descobrir se o elaborado currículo educativo arquitetado pelos consultores acadêmicos de *Vila Sésamo* estava realmente atingindo os telespectadores. Foi uma missão fundamental. De fato, entre os que participaram do projeto há quem diga que, sem Ed Palmer, o programa não teria durado mais do que uma temporada.

Palmer criou uma inovação que chamou de o Distraidor. Ele passava um episódio de *Vila Sésamo* num monitor de televisão e, numa tela ao lado, projetava uma série de slides, exibindo uma nova imagem a cada sete segundos e meio. "Tínhamos o mais variado conjunto de slides que você possa imaginar", disse Palmer. "Mostrávamos um corpo correndo pela rua com os braços esticados para a frente, a fotografia de um prédio alto, uma folha flutuando na água, um arco-íris, uma fotografia tirada por meio de um microscópio, um desenho de Escher. Qualquer coisa que fosse novidade, era a idéia." Crianças em idade pré-escolar entravam na sala, duas de cada vez, e eram instruídas a assistir ao programa na televisão. Palmer e seus assistentes sentavam-se ligeiramente de lado, com lápis e papel, anotando em silêncio quando elas prestavam atenção em *Vila Sésamo* e quando perdiam o interesse e desviavam o olhar para os slides. A cada mudança de slide, Palmer e seus assistentes faziam uma nova anotação, de forma que, no fim da exibição, tinham relacionadas, quase que segundo a segundo, as partes do episódio que conseguiam prender a atenção dos espectadores e as que não eram capazes disso. O Distraidor era uma máquina de fixação.

"Colávamos com fita adesiva vários daqueles papéis enormes de imprimir tabelas, de 60cm por 1,20m", diz Palmer. "Tínhamos dados pontuados a cada sete segundos e meio, o que soma quase 400 para um único programa. Ligávamos todos esses pontos com um traço vermelho de forma que parecia um relatório da variação das ações em Wall Street. Ele podia tanto despencar quanto descer gradualmente, e aí nos perguntávamos: 'Opa, o que está acontecendo aqui!?' Em outros momentos, ele ia lá para cima e dizíamos: 'Nossa! Esse segmento está mesmo chamando a atenção das crianças.' Tabulamos essas pontuações do Distraidor em porcentagens. Às vezes, chegávamos a 100%. A atenção média para a maioria dos programas girava em torno de 85 a 90%. Nesses casos, os produtores ficavam contentes. Quando girava em torno dos 50%, eles voltavam para a prancheta de desenho."

Palmer testou outros programas infantis, como os desenhos *Tom e Jerry* e *Captain Kangaroo*, e comparou os segmentos que davam certo nesses programas com os que funcionavam em *Vila Sésamo*. Tudo o que Palmer descobria ele passava para os produtores e redatores do programa, de modo que pudessem realizar os ajustes. Um dos mitos comuns sobre a televisão infantil, por exemplo, sempre foi o de que as crianças adoram ver animais. "Os produtores traziam um gato, um tamanduá ou uma lontra, mostravam-nos e os deixavam ficar brincando por ali", diz Palmer. "Achavam que isso seria interessante. Mas nosso Distraidor revelou que era sempre um fracasso." Eles dedicaram grande empenho a um personagem de *Vila Sésamo* chamado o Homem do Alfabeto, cuja especialidade eram trocadilhos. Palmer mostrou que as crianças o detestavam. Ele foi dispensado. O Distraidor indicou que nenhum segmento isolado deveria ultrapassar quatro minutos e que três minutos era o tempo perfeito. Ele forçou os produtores a simplificar os diálogos e abandonar certas técnicas copiadas da televisão para adultos. "Descobrimos surpresos que nossa platéia não gostava quando personagens adultos discutiam", recorda-se. "Não apreciavam ver duas ou três pessoas falando ao mesmo tempo. E este é o instinto natural dos produtores: chamar atenção para a cena causando confusão. É para dizer ao espectador que aquilo é excitante. O fato é que as crianças se desligavam desse tipo de situação. Em vez de captar a indicação de que havia alguma coisa estimulante acontecendo, elas percebiam o sinal de algo confuso. E perdiam o interesse."

"Depois da terceira ou quarta temporada, eu diria que era raro termos um segmento com um nível de atenção inferior a 86%. Quase não víamos mais nada variando entre 50 e 60% e, se isso acontecesse, corrigíamos a situação. Você sabe o que Darwin disse sobre a sobrevivência dos que se adaptam melhor? Tínhamos um mecanismo para identificar o que se adaptava melhor e decidir o que deveria sobreviver."

A descoberta mais importante de Palmer com o Distraidor, entretanto, ocorreu bem no início, antes de *Vila Sésamo* ir ao ar. "Foi no verão de 1969. Faltava um mês e meio para a data do lançamento", recorda Lesser. "Decidimos fazer um esforço máximo. Produzir cinco programas inteiros – de uma hora cada um –

antes de estrearmos e ver o que tínhamos nas mãos." Para testar os episódios, Palmer os levou para a Filadélfia. Na terceira semana de julho, exibiu-os a grupos de crianças em idade pré-escolar em 60 lares de toda a cidade. Foi um período difícil. A Filadélfia estava enfrentando uma onda de calor, o que deixava a garotada inquieta e desatenta. Além disso, naquela mesma semana, a *Apollo II* aterrissara na Lua. Portanto, é compreensível que algumas crianças preferissem aquele momento histórico a *Vila Sésamo*. O pior de tudo foram as conclusões do Distraidor de Palmer. "O que descobrimos quase nos destruiu", diz Lesser.

O problema foi que na concepção original do programa decidiu-se que tudo o que fosse fantasia estaria separado dos elementos da realidade. Isso por insistência de muitos psicólogos infantis que achavam que misturar fantasia e realidade confunde as crianças. Os Muppets, portanto, só eram vistos com outros Muppets. Da mesma forma, nas cenas que transcorriam na própria rua Sésamo apareciam apenas adultos e crianças reais. O que Palmer descobriu na Filadélfia, entretanto, foi que, assim que se passava para as cenas de rua, as crianças perdiam o interesse. "A rua deveria ser a 'cola'", explicou Lesser. "Sempre voltávamos para lá, pois ela unia o programa. Mas apareciam somente adultos fazendo coisas e conversando sobre assuntos que não interessavam às crianças. Os níveis de atenção que conseguíamos eram incrivelmente baixos. A garotada ia abandonando o programa. Quando os Muppets retornavam, os níveis de atenção subiam novamente, porém não podíamos nos dar ao luxo de ficar perdendo as crianças assim." Lesser chama os resultados de Palmer de "momento decisivo da história de *Vila Sésamo*". Eles sabiam que, mantendo a rua daquele jeito, o programa morreria. "Foi tudo rápido demais. Fizemos o teste no verão e entraríamos no ar no outono. Tínhamos que encontrar uma solução", contou ele.

Lesser decidiu desafiar a opinião dos consultores científicos. "Resolvemos escrever uma carta a todos os outros psicólogos do desenvolvimento dizendo: 'Sabemos o que vocês acham de misturar fantasia com realidade. Mas vamos fazer isso assim mesmo. Caso contrário, daremos com os burros n'água.'" Os produtores então voltaram e regravaram todas as cenas de rua. Henson e seus colaboradores criaram bonecos que pudessem andar, falar e conviver na rua com os personagens adultos do programa. Segundo Palmer "foi assim que surgiram Big Bird, Oscar the Grouch e Snuffleupagus [Garibaldo, Gugu e Funga-Funga na adaptação brasileira]." O que hoje consideramos a essência de *Vila Sésamo* – a engenhosa mistura de monstros peludos e adultos sérios – surgiu de um desesperado desejo de que o programa se fixasse.

O Distraidor, entretanto, com todos os seus pontos fortes, é um instrumento bastante rudimentar. Ele diz que uma criança compreende o que está acontecendo na tela e, conseqüentemente, que está prestando atenção. Mas não revela o que ela entende ou, para ser mais exato, não informa se ela está prestando atenção no que deveria.

Considere os dois segmentos seguintes de *Vila Sésamo*, ambos chamados de exercícios de combinação visual – eles ensinam às crianças que ler consiste em misturar sons distintos. Em um deles, "Hug" (abraço, em inglês), uma personagem feminina dos Muppets se aproxima da palavra HUG no centro da tela. Ela pára atrás do H, pronunciando o som com a maior clareza possível. Em seguida, vai até o U e, depois, ao G. Ela repete o movimento, da esquerda para a direita, pronunciando cada letra separadamente antes de juntar os sons para dizer *hug*. Ao fazer isso, o Muppet Henry Monster entra e repete a palavra com ela. O segmento termina com Henry Monster abraçando a encantada garotinha Muppet.

Em outro segmento, chamado "Oscar's Blending" (A combinação de Oscar), Oscar the Grouch [o personagem Gugu na adaptação brasileira], e o Muppet Crummy fazem um jogo chamado "Breakable Words", em que as palavras são montadas e depois desmontadas. Oscar começa chamando o C, que salta do canto inferior esquerdo da tela. Oscar diz a Crummy que o som da letra C é "cuh". Em seguida, as letras AT pulam do canto inferior direito e Crummy pronuncia as letras juntas – "at". Os dois personagens andam para a frente e para trás – Oscar dizendo "cuh", e Crummy, "at" – cada vez mais rápido até que os sons se unem, formando a palavra *cat* (em inglês, gato). Quando isso acontece, as letras na base da tela também se juntam para criar "cat". Os dois Muppets repetem essa palavra algumas vezes até ela sumir acompanhada do barulho de algo se quebrando. E o processo recomeça com o termo *bat* (morcego).

Esses dois segmentos são divertidos. Prendem a atenção das crianças. Avaliados no Distraidor, obtêm uma pontuação alta. Mas será que eles de fato ensinam os fundamentos da leitura? Isso é muito mais difícil de responder. Por esse motivo, em meados da década de 1970, os produtores de *Vila Sésamo* chamaram um grupo de pesquisadores da Universidade de Harvard, sob a liderança da psicóloga Barbara N. Flagg, que eram especializados num tema chamado fotografia do movimento do olho.[7] A pesquisa nesse campo baseia-se na idéia de que o olho humano é capaz de focalizar apenas uma área muito pequena de cada vez – o que se denomina espaço de percepção. Quando lemos, conseguimos perceber apenas uma palavra-chave mais quatro caracteres à esquerda e 15 à direita de cada vez. Saltamos de um desses grupos para outro, descansando – ou fixando – neles o olhar por tempo suficiente para entender cada letra. A razão de enfocarmos com clareza somente esse trecho de texto é que a maioria dos sensores em nossos olhos – os receptores que processam o que vemos – se concentra numa pequena região bem no meio da retina, a fóvea. É por isso que movemos os olhos quando lemos: a única maneira de captarmos informações suficientes sobre a forma, a cor e a estrutura das palavras é fazendo com que a fóvea as focalize diretamente. Tente, por exemplo, reler este parágrafo olhando para o centro da página. É impossível.

Portanto, acompanhando o movimento da fóvea e o ponto onde ela se fixa, é possível dizer com extraordinária precisão para o que uma pessoa está realmente olhando e que tipo de informação ela está recebendo. Não surpreende que os criadores de anúncios para a televisão sejam obcecados pelo movimento do olhar. Se eles fizerem um comercial de cerveja com uma linda modelo, é importante saber se o homem de 22 anos que representa a média de seu público-alvo se fixa apenas na garota ou acaba olhando para a lata de cerveja. *Vila Sésamo* foi analisado em Harvard em 1975 pela mesma razão. Quando as crianças assistiam a "Oscar Blending" ou a "Hug", estavam aprendendo as palavras ou apenas vendo os Muppets?

O teste foi realizado com 21 crianças de quatro e cinco anos, levadas pelos pais à Harvard School of Education, onde permaneceram por uma semana. Uma a uma, elas se sentaram numa antiga cadeira de barbeiro com descanso de cabeça acolchoado, a cerca de 1m de distância de um aparelho de televisão de 17 polegadas. Um monitor Eye-View infravermelho da Gulf & Western foi posicionado à esquerda, cuidadosamente calibrado para acompanhar os movimentos da fóvea de cada uma das crianças. O que os pesquisadores descobriram foi que "Hug" era um estrondoso sucesso. Sessenta e seis por cento de todas as fixações ocorreram nas letras. Melhor ainda, 83% das crianças se fixaram nas letras numa seqüência da esquerda para a direita –

copiando, em outras palavras, o processo real de leitura. "Oscar's Blending", por outro lado, foi um desastre. Somente 35% das fixações foram nas letras. E nenhuma das crianças leu da esquerda para a direita. Qual era o problema? Primeiro, a letra não deveria ficar na base da tela porque, como a maioria das pesquisas de movimento dos olhos demonstra, os telespectadores tendem a manter o olhar no centro da tela. O importante, porém, é que as crianças não estavam olhando para as palavras porque estavam prestando atenção em Oscar. Elas estavam observando o modelo, e não a lata de cerveja. "Eu me lembro de 'Oscar's Blending'", diz Flagg. "Oscar era muito ativo. Fazia uma bela confusão ao fundo, entretanto a palavra não ficava perto dele. Ele movia muito a boca e as mãos. Segurava coisas. Havia uma série de distrações. As crianças não se concentravam nas letras porque o personagem era muito interessante." Oscar as fazia fixar a atenção. A aula, não.

3.

Este foi o legado de *Vila Sésamo*: quem prestasse bastante atenção na estrutura e no formato do seu próprio material aumentaria radicalmente a fixação da atenção sobre ele. Mas é possível fazer um programa com uma capacidade de fixação ainda maior do que *Vila Sésamo*? Foi isso que três jovens produtores de televisão, da Nickelodeon Network, em Manhattan, se perguntaram em meados da década de 1990. Era um questionamento sensato. *Vila Sésamo*, afinal de contas, foi um produto dos anos 1960 e nas três décadas seguintes houve progressos significativos no sentido de compreender o funcionamento da mente infantil. Um dos produtores da Nickelodeon, Todd Kessler, tinha trabalhado em *Vila Sésamo* e deixara o programa sentindo-se insatisfeito. Ele não gostava daquele formato rápido de "show de variedades". "Adoro *Vila Sésamo*", diz ele. "Mas sempre achei que as crianças não tinham pouca capacidade de concentração. Acreditava que elas podiam ficar sentadas durante meia hora." Para ele, a televisão infantil tradicional era muito estática. "Como a comunicação verbal ainda não é o forte desse público, é importante contar a história visualmente", continuou. "A TV é um meio visual e, para que ela penetre, para que tenha força, é preciso fazer uso disso. Há muitos programas infantis em que se fala o tempo todo. As crianças fazem um esforço enorme para acompanhar." Angela Santomero, colega de Kessler, cresceu assistindo a *Vila Sésamo* e tinha as mesmas dúvidas. "Queríamos aprender com o programa e levá-lo adiante", disse Santomero. "A TV é um ótimo meio para a educação. Até agora, no entanto, esse potencial não foi explorado. Ela tem sido usada de uma forma mecânica. Achei que poderíamos mudar isso."

O que eles inventaram foi *As pistas de Blue*. É um programa de meia hora, não de uma hora. Não tem elenco. Apenas uma pessoa de verdade, Steve, um rosto diferente, de vinte e poucos anos, com calças cáqui e camiseta de *rugby*, atuando como apresentador. Em vez do formato de variedades, cada episódio segue apenas uma linha narrativa – as aventuras de uma cadelinha de animação chamada Blue. É plano, bidimensional, mais parecido com uma versão em vídeo de um livro ilustrado do que com um programa de televisão. O ritmo é lento. O roteiro é pontuado por pausas excessivamente longas. Não tem nada do humor, dos jogos de palavras nem da inteligência que caracterizam *Vila Sésamo*. Um dos personagens animados do programa, uma caixa de correio, chama-se Caixa de Correio. Dois outros personagens habituais, uma pá e um balde, são chamados de Pá e Balde. E a protagonista, é claro, chama-se Blue porque é azul. Para um adulto, é difícil ver *As Pistas de Blue* sem se perguntar em que esse programa é melhor do que *Vila Sésamo*. No entanto, ele é. Meses depois de sua estréia, em 1996, derrotava *Vila Sésamo* nos índices de audiência. No teste do Distraidor, alcança uma pontuação superior à do concorrente na captura da atenção das crianças. Jennings Bryant, pesquisadora educacional da Universidade do Alabama, realizou um estudo com 120 participantes, comparando, numa série de testes cognitivos, o desempenho dos espectadores habituais de *As pistas de Blue* com o de crianças que viam outros programas educativos.

"Seis meses depois, começamos a perceber diferenças significativas", disse Jennings Bryant. "Em quase todas as nossas medidas de flexibilidade de pensamento e solução de problemas, registrávamos diferenças expressivas em termos estatísticos. Se havia 60 itens no teste, víamos que os espectadores de *As pistas de Blue* identificavam corretamente 50, enquanto o grupo de controle só marcava 35." *As pistas de Blue* talvez seja um dos programas de TV com o maior nível de fixação de atenção até hoje.

Como uma atração tão pouco sedutora consegue fazer com que as crianças fixem mais a atenção do que *Vila Sésamo*? A resposta é que *Vila Sésamo*, embora seja bom, tem muitas limitações, sutis, mas não insignificantes. Considere, por exemplo, o problema criado pela insistência do programa em ser inteligente. Desde o início, seu objetivo era atrair tanto crianças quanto adultos. A idéia era a de que um dos maiores obstáculos que as crianças enfrentavam – sobretudo as de famílias de baixa renda – era a falta de participação dos pais em sua educação. Os criadores de *Vila Sésamo* queriam um programa que as mães vissem junto com os filhos. Por isso o excesso de elementos "adultos", as constantes piadas e referências à cultura popular, como a paródia de Samuel Beckett "Esperando por Elmo". O problema é que as crianças em idade pré-escolar não entendem esse tipo de humor nem a presença de trocadilhos sofisticados. E esses elementos podem servir como distração.

Um bom exemplo disso é um episódio de *Vila Sésamo* chamado "Roy", exibido na noite de Natal de 1997. A história começa com o personagem Big Bird [que em inglês significa Pássaro Grande e que na adaptação brasileira se chama Garibaldo] esbarrando numa mensageira, que nunca tinha estado em *Vila Sésamo* antes. A moça entrega a Big Bird um pacote, e o pássaro grandalhão fica intrigado: "Se é a primeira vez que você vem aqui, como sabe que sou Big Bird?", ele pergunta.

> MENSAGEIRA: – Ora, você tem que admitir, é fácil de adivinhar! [E gesticula abrindo bem os braços para Big Bird].
> BIG BIRD: [Olha para si mesmo] – Ah, estou vendo. O pacote é para Big Bird e eu sou um pássaro grande. Às vezes me esqueço. Sou exatamente o que meu nome diz. Big Bird é um pássaro grande.

Big Bird fica triste. Percebe que todos têm um nome – como Oscar ou Snuffy – e ele tem só uma descrição. Ele pergunta à mensageira como ela se chama. Ela responde: "Imogene."

> BIG BIRD: – Puxa, que nome bonito. [Olhando para a câmera, pensativo.] Gostaria de ter um nome de verdade assim, e não um que simplesmente diz o que eu sou, como se eu fosse uma maçã, uma cadeira ou uma coisa.

Daí começa a busca de Big Bird por um novo nome. Com a ajuda de Snuffy, ele pede sugestões a todos em *Vila Sésamo* antes de se decidir por Roy. Mas, quando todos começam a chamá-lo pelo seu novo nome, Big Bird percebe que não está gostando.

"Não me parece certo", diz ele. "Acho que cometi um grande engano." E volta atrás. "Mesmo que Big Bird não seja um nome comum", conclui, "é o meu nome, e gosto de como todos os meus amigos o pronunciam".

Esse foi, pelo menos é o que parece, um excelente episódio. A premissa é polêmica e conceitual, mas fascinante. Aborda as emoções de uma forma sincera e, ao contrário de outros programas infantis, diz às crianças que elas podem não se sentir felizes o tempo todo. Acima de tudo, foi engraçado.

Deve ter sido o maior sucesso, certo?

Errado. O episódio "Roy" foi testado pela equipe de pesquisa *Vila Sésamo* e os números foram decepcionantes. O primeiro segmento com Snuffy e Big Bird foi bem. Como era de se esperar, os espectadores ficaram curiosos. Aí as coisas começaram a desmoronar. Na segunda cena de rua, a atenção caiu para 80%. Na terceira, 78%. Na quarta, 40%, depois 50% e, então, 20%. Depois de assistirem ao programa, as crianças foram questionadas a respeito do que tinham visto. "As perguntas eram muito específicas, queríamos respostas claras", disse Rosemary Truglio, chefe de pesquisa de *Vila Sésamo*. "O programa foi sobre o quê? Sessenta por cento sabiam. O que Big Bird queria fazer? Cinqüenta e três por cento sabiam. Qual era o novo nome de Big Bird? Vinte por cento sabiam. Como Big Bird se sentiu no fim? Cinqüenta por cento sabiam." Em comparação, outros programas testados por *Vila Sésamo* naquela mesma hora registraram 90% a mais de respostas corretas no questionário posterior à exibição. O episódio simplesmente não estava causando nenhuma impressão. Não fixava a atenção.

Por que houve essa falha? O problema está na premissa do episódio – a piada essencial de que Big Bird não quer ser conhecido como um pássaro grande. Uma criança em idade pré-escolar não entende esse tipo de jogo de palavras. Ela vai fazendo várias suposições sobre as palavras e seus significados no decorrer da aquisição da linguagem, sendo uma das mais importantes o que a psicóloga Ellen Markman chama de princípio de mútua exclusividade.[8] Trocando em miúdos, isso quer dizer que as crianças pequenas acham difícil acreditar que um objeto possa ter dois nomes diferentes. Segundo Ellen Markman, elas supõem naturalmente que, se um objeto ou pessoa recebe um segundo rótulo, então este último deve se referir a alguma propriedade ou atributo secundário. É fácil ver como essa suposição é útil para uma criança diante da extraordinária tarefa de atribuir uma palavra a tudo no mundo. Quando uma criança aprende a palavra "elefante", ela sabe, com absoluta certeza, que não se trata da mesma coisa que cachorro. A cada nova palavra aprendida, o conhecimento que ela tem do mundo se torna mais preciso. Sem a mútua exclusividade, porém, ela poderia pensar que elefante é apenas outra designação para cachorro, então a cada nova palavra o mundo ficaria mais complicado. A mútua exclusividade também a ajuda a raciocinar com clareza. "Vamos supor que uma criança que já conhece as palavras 'maçã' e 'vermelha' ouça alguém se referir a uma maçã como 'redonda'. Pela mútua exclusividade, ela pode eliminar o objeto (maçã) e sua cor (vermelha) como o significado de 'redondo' e tentar analisar o objeto em busca de outra propriedade para rotular", explica Ellen Markman.

O que isso quer dizer, no entanto, é que as crianças têm dificuldade com objetos que têm dois nomes ou que mudam de nome. Elas acham difícil a idéia, digamos, de que um carvalho seja ao mesmo tempo carvalho e árvore e podem muito bem supor que, nesse caso, "árvore" é um termo para coleção de carvalhos.

Portanto, é quase certo que a idéia de Big Bird de não querer mais ser chamado de Big Bird, e sim de Roy, deixa a criança em idade pré-escolar confusa. Como alguém que tem um nome pode decidir ter outro? Big Bird está dizendo que seu nome apenas descreve o tipo de animal que ele é e que ele deseja um nome particular. Ou seja, ele não quer ser uma árvore, e sim um carvalho. Mas crianças de três e quatro anos de idade não compreendem que uma árvore também pode ser um carvalho. E, se elas têm alguma compreensão do que está acontecendo, é provável que pensem que Big Bird está tentando se transformar em algo diferente – em outro tipo de animal ou de coleção de animais. E como ele pode fazer isso?

Existe um problema maior, *Vila Sésamo* é um programa de variedades. Um episódio típico tem, no mínimo, 40 segmentos distintos de até três minutos – cenas de rua com atores e bonecos Muppets, filmes de animação e segmentos curtos de cenas externas. Foi no fim da década de 1990, com episódios como "Roy", que os redatores tentaram pela primeira vez vincular alguns desses elementos a um tema comum. No entanto, na maior parte da história do programa, os segmentos eram totalmente autônomos. De fato, novos episódios de *Vila Sésamo* foram montados, na sua maioria, misturando-se novas cenas de rua com partes de desenhos de animação e seqüências de filmes existentes nos arquivos.

Os criadores tinham uma razão para querer editar *Vila Sésamo* assim. Eles achavam que as crianças em idade pré-escolar só tinham capacidade de concentração para segmentos muito curtos, com um foco rígido. "Verificamos os padrões de observação das crianças e descobrimos que elas estavam assistindo ao show *Laugh-In*", diz Lloyd Morrisett, um dos fundadores do programa. "Isso teve um efeito muito forte nos primeiros episódios de *Vila Sésamo*. Piadinhas bobas, relativamente rápidas. A garotada parecia adorar." Os criadores de *Vila Sésamo* estavam ainda mais impressionados com o poder dos comerciais de televisão. A década de 1960 foi a era dourada da Madison Avenue. Na época parecia lógico que, se um segmento de 60 segundos na televisão era capaz de vender cereais para o café da manhã a uma criança de quatro anos, então poderia vender também o alfabeto. Parte da atração que os criadores do programa sentiram por Jim Henson e os Muppets era de fato porque, nos anos 1960, Henson dirigira uma agência de publicidade de grande sucesso. Muitos dos Muppets mais famosos foram criados para campanhas publicitárias: Big Bird é uma variação do dragão de 2m desenvolvido por Henson para os comerciais da La Choy; o Cookie Monster [O Come-Come da adaptação brasileira] era o garoto-propaganda da Frito-Lay; Grover foi usado em filmes promocionais da IBM. (Os comerciais com os Muppets de Henson, nas décadas de 1950 e 1960, são muito engraçados, mas têm uma característica mordaz e sombria que, obviamente, não foi incluída em seu trabalho para *Vila Sésamo*.)

"Acho que o aspecto mais significativo no formato de um comercial é que ele tem um objetivo", diz Sam Gibbon, um dos primeiros produtores de *Vila Sésamo*. "O objetivo é vender uma idéia. O conceito de partir a produção de *Vila Sésamo* em unidades suficientemente curtas para se alcançar uma só meta educativa, como uma letra individual, deve-se muito a essa técnica dos comerciais."

Mas a teoria de se usar a técnica dos comerciais no aprendizado é válida? Segundo Daniel Anderson, pesquisas recentes sugerem que, na verdade, as crianças não gostam tanto de anúncios quanto se pensava porque eles "não contam histórias, e as histórias têm uma ênfase e uma importância muito grande para elas". O *Vila Sésamo* original era antinarrativo – era, intencionalmente, uma coleção de esquetes desconexos. "Não foram apenas os anúncios que influenciaram a fase inicial do programa", afirma Anderson. "Havia também uma perspectiva teórica, na época, em parte baseada em Piaget [influente psicólogo·infantil], de que a criança em idade pré-escolar não conseguiria acompanhar uma narrativa longa." A partir do fim da década de 1960, entretanto, essa idéia se inverteu. Aos três, quatro e cinco anos, as crianças podem não ser capazes de acompanhar tramas e subtramas complicadas. Mas a forma narrativa, hoje os psicólogos acreditam, é fundamental para elas. "É a única maneira que elas têm de organizar o mundo, de ordenar as experiências", afirma Jerome Bruner, psicólogo da New York University. "Como elas não têm capacidade de criar teorias que agrupem as coisas em termos de causa, efeitos e relacionamentos, transformam tudo em histórias e, quando tentam dar um sentido à sua vida, usam essas versões de suas experiências como base para outras reflexões. Se algo na estrutura narrativa escapa à sua compreensão, isso não se fixa muito bem na memória e parece ficar inacessível para outros tipos de considerações."

No início da década de 1980, Bruner participou de um projeto fascinante – "Narratives from the Crib" (Narrativas do berço)[9] – que foi fundamental para a mudança de visão de muitos especialistas em crianças. O projeto girava em torno de uma menina de dois anos, de New Haven, chamada Emily, cujos pais – ambos professores universitários – começaram a perceber que à noite, antes de pegar no sono, a menina falava sozinha. Curiosos, eles colocaram um microgravador no berço e, durante 15 meses, várias noites por semana, gravaram tanto as conversas que tinham com Emily ao colocá-la na cama quanto o que ela dizia a si mesma antes de dormir. As transcrições – 122 ao todo – foram analisadas por um grupo de lingüistas e psicólogos liderados por Katherine Nelson, da Universidade de Harvard. O que eles descobriram foi que as conversas de Emily consigo mesma eram mais avançadas do que as que ela mantinha com os pais. Na verdade, eram muito mais elaboradas. Um dos membros da equipe que se reunia para discutir as gravações de Emily, Carol Fleisher Feldman, escreveu mais tarde:

> Em geral, o seu discurso consigo mesma é tão mais rico e complexo [do que o discurso com os adultos] que todos nós, estudiosos do desenvolvimento da linguagem, começamos a pensar se o quadro de aquisição da linguagem fornecido pela literatura até hoje não representa mal os verdadeiros padrões do conhecimento lingüístico da criança pequena. Afinal, assim que as luzes se apagam e os pais saem do quarto, Emily revela um surpreendente domínio de formas de linguagem do qual jamais suspeitaríamos com base em sua fala [no dia-a-dia].

Carol Feldman estava se referindo a aspectos como vocabulário e gramática e – o mais importante – à estrutura dos monólogos de Emily. A menina criava histórias, relatos que explicavam e organizavam o que tinha acontecido com ela. Às vezes, esses casos eram o que os lingüistas chamam de narrativas temporais. Emily inventava uma história para tentar integrar eventos, ações e sentimentos numa única estrutura – processo importante para o desenvolvimento mental da criança. Esta é uma das que ela contou para si mesma aos dois anos e meio e que citarei na íntegra para enfatizar como a fala de uma criança se torna mais sofisticada quando ela está sozinha.

> Amanhã quando levantarmos da cama, primeiro eu e papai e mamãe, você, tomamos café, tomamos café como costumamos fazer, e depois vamos brincar, assim que papai chega, Carl vem aqui e depois vamos brincar um pouco. E então Carl e Emily vão sair de carro com alguém, e vamos até a escola maternal [sussurrado] e depois, quando chegarmos lá, vamos sair do carro, entrar na escola, e papai vai nos beijar, depois vai embora, e aí diz, e aí dizemos até logo, depois ele vai para o trabalho e nós vamos brincar na

escola. Não vai ser engraçado? Porque às vezes eu vou à escola porque é dia de escola. Às vezes eu fico com Tanta a semana inteira. E às vezes brincamos de mamãe e papai. Mas em geral, às vezes eu, hum, ah vou para a escola. Mas hoje eu vou para a escola de manhã. De manhã, papai na, quando e como sempre, vamos tomar café como sempre e depois vamos... e depois vamos... brincar. E aí nós vamos, aí a campainha vai tocar, e entra o Carl, e aí o Carl, e depois vamos todos brincar, e aí...

Emily está descrevendo a sua rotina das sextas-feiras. No entanto, essa não é uma sexta-feira específica. É o que ela considera uma sexta-feira ideal, hipotética em que tudo o que ela quer que aconteça se realiza. É como Bruner e Joan Lucariello escrevem em seu comentário sobre o trecho:

> Um impressionante ato de construção do mundo... ela usa a ênfase tonal, a prolongação de palavras-chave e uma espécie de "reencenação" que lembra o cinema *verité* "estamos lá" (com uma narrativa sobre seu amigo Carl praticamente desde que ele entra). Como um modo de enfatizar que tem tudo "na ponta da língua", ela monologa de forma ritmada, quase cantando. E, no decorrer do seu solilóquio, até se sente livre para comentar a parte cômica do curso que os acontecimentos estão tomando ("Não vai ser engraçado?").

É difícil ver essa prova da importância da narrativa e não se maravilhar com o sucesso de *Vila Sésamo*. Esse era um programa que não usava o que se revelou ser o meio mais importante de atrair a atenção das crianças bem novas. E também diluía o seu apelo a elas com piadas voltadas apenas para os adultos. Mesmo assim, teve êxito. Essa foi a genialidade de *Vila Sésamo*, que, com a inteligência de seu texto e com a afetuosidade e o carisma dos Muppets, conseguiu vencer o que seria o maior dos obstáculos. Mas agora é fácil saber o que nós faríamos para dar a um programa infantil uma capacidade ainda maior de fixação do que a de *Vila Sésamo*. Nós o criaríamos de forma totalmente literal, sem jogos de palavras nem piadas que confundissem a meninada. E ensinaríamos às crianças a pensar da mesma maneira que elas ensinam a si próprias – por meio de histórias. Em outras palavras, faríamos *As pistas de Blue*.

4.

Todos os episódios de *As pistas de Blue* são construídos do mesmo modo. Steve, o apresentador, expõe ao público um quebra-cabeça do qual participa Blue, a cadelinha de animação. Em um dos episódios, o desafio é descobrir qual é a história preferida de Blue. Em outra, o seu prato predileto. Para ajudar o telespectador a desvendar o mistério, Blue vai deixando uma série de pistas, que são objetos com a marca de suas patinhas. Entre a descoberta de uma pista e outra, Steve faz com o público uma série de miniquebra-cabeças cujos temas estão relacionados com a pergunta principal. No programa sobre a história favorita, por exemplo, um dos miniquebra-cabeças mostra o apresentador e Blue sentados com os Três Ursos, cujas tigelas de mingau foram trocadas. Eles pedem aos telespectadores que os ajudem a colocar as tigelas pequena, média e grande corretamente diante de Mamãe Ursa, Papai Urso e Filhote Ursinho. No desenrolar do programa, Steve e Blue passam de um set de animação a outro, da sala de estar para o jardim e para lugares fantásticos, saltando por soleiras mágicas, conduzindo os telespectadores numa jornada de descobertas. No fim da história, Steve volta à sala de estar. Ali, no clímax de cada programa, ele se senta numa cadeira confortável para pensar – uma cadeira conhecida no mundo literal de *As pistas de Blue*, é claro, como a Cadeira Pensante. Ele tenta entender as três pistas da cadelinha e arrisca uma resposta.

Isso representa de fato uma divergência bastante radical de *Vila Sésamo*. Contudo, depois de rejeitarem aquela parte do legado de *Vila Sésamo*, os criadores de *As pistas de Blue* mudaram de idéia e copiaram os aspectos do programa que consideravam bons. Na verdade, fizeram mais do que copiar. Pegaram os elementos que fixavam a atenção e tentaram intensificá-los ainda mais. O primeiro foi a idéia de que, quanto mais a garotada prestava atenção em algo – intelectual e fisicamente –, mais esse tópico era lembrado e se tornava significativo. "Percebi que alguns segmentos de *Vila Sésamo* faziam com que as crianças interagissem muito quando solicitadas", diz Daniel Anderson, que trabalhou com a Nickelodeon no projeto de *As pistas de Blue*. "Algo que não saía da minha cabeça era que, quando Kermit [Caco, o Sapo na adaptação brasileira] apontava para a tela e desenhava uma letra animada, as crianças levantavam o dedo e escreviam a letra junto com ele. Ou, vez por outra, quando um personagem fazia uma pergunta, elas respondiam em voz alta. Mas *Vila Sésamo* nunca desenvolveu essa idéia. Eles sabiam que as crianças agiam assim de vez em quando, porém jamais tentaram construir o programa em torno desse conceito. A Nickelodeon criou alguns programas-piloto antes de *As pistas de Blue*, em que as crianças eram chamadas a interagir de forma direta e – veja só – havia muitas evidências de que elas participariam. Portanto, foi juntando essas idéias, de que a garotada gosta de estar intelectualmente ativa quando assiste à televisão e que, tendo oportunidade, também se manterá ativa fisicamente, que surgiu a filosofia de *As pistas de Blue*."

Steve, por esse motivo, passa quase o tempo todo falando para a câmera. Quando solicita ajuda do público, está realmente pedindo essa colaboração. Com freqüência, seu rosto aparece em close-up, então é como se ele estivesse quase na sala com o telespectador. Sempre que pergunta algo, faz uma pausa. Mas não é uma parada comum – é específica para crianças em idade pré-escolar, muito mais longa do que qualquer adulto esperaria para ter um retorno. No fim, uma platéia escondida no estúdio grita a resposta. E a criança em casa também tem a chance de responder o que quiser. Às vezes, Steve se faz de bobo. Não consegue encontrar determinada pista que pode ser óbvia para o telespectador e fica olhando intrigado para a câmera. A idéia é a mesma: fazer a criança participar verbalmente, envolver-se de forma ativa. Se você assistir a esse programa com algumas crianças, verá que o sucesso dessa estratégia é evidente. É como se elas fossem um grupo de torcedores fanáticos numa partida de futebol.

O segundo aspecto que *As pistas de Blue* copiou de *Vila Sésamo* foi a idéia da repetição. Ela já havia fascinado os pioneiros da CTW. Nos cinco programas-piloto que Palmer e Lesser levaram para a Filadélfia em 1969, havia um segmento de um minuto chamado "Wanda the Witch" (Wanda, a feiticeira) que usava repetidas vezes o som da letra W, como *Wanda the Witch wore a wig in the windy winter in Washington* (Wanda, a Feiticeira usou peruca no inverno em Washington). "Não sabíamos quantas vezes era possível repetir elementos", diz Lesser. "Transmitimos três vezes na segunda-feira, três na terça, três na quarta, pulamos a quinta e retomamos no fim do episódio da sexta-feira. No fim do programa da quarta-feira, algumas crianças já estavam dizendo: 'Wanda the Witch de novo, não.' Quando Wanda the Witch voltou na sexta, elas pulavam e batiam palmas. A garotada atinge um ponto de saturação. Mas depois sente saudades."

Não muito tempo depois (e por acaso), os redatores de *Vila Sésamo* descobriram por que as crianças gostam tanto de repetições. O segmento em questão dessa vez exibia o ator James Earl Jones recitando o alfabeto. Como mostra a gravação original, Jones fazia uma longa pausa entre as letras, pois a idéia era inserir outros elementos naquele intervalo. Jones, porém, agradou tanto que os produtores de *Vila Sésamo* deixaram o filme como estava e o repetiram diversas vezes durante anos: uma letra aparecia na tela, havia uma longa pausa, em seguida Jones pronunciava o nome da letra bem alto e ela desaparecia. "Percebemos que, na primeira vez, as crianças gritavam o nome da letra depois de Jones", diz Sam Gibbon. "Após duas repetições, elas diziam o nome da letra antes dele, durante a longa pausa. Após muitas repetições, davam o nome da letra antes que ela aparecesse na tela. As crianças estavam seguindo uma seqüência: primeiro aprendiam o nome da letra, depois associavam o seu nome ao seu aparecimento e, por fim, aprendiam a sua ordem alfabética." Os adultos consideram as repetições monótonas porque elas obrigam a reviver a mesma experiência várias vezes. Mas para crianças em idade pré-escolar a repetição não cansa porque, sempre que assistem a alguma coisa, elas as vivenciam de forma inteiramente nova. Em CTW, a idéia de aprender pela repetição ficou sendo chamada de efeito James Earl Jones.

As pistas de Blue é, em essência, um programa construído em torno do efeito James Earl Jones. Em vez de exibir sempre novos episódios e depois reprisá-los nas férias – como ocorre com qualquer outra atração televisiva do gênero –, a Nickelodeon transmite o mesmo episódio de *As pistas de Blue* durante cinco dias seguidos, de segunda a sexta-feira, antes de mudar. Como você pode imaginar, a emissora não aceitou essa idéia tão facilmente. Santomero e Anderson tiveram que realizar um trabalho de convencimento. (O fato é que a empresa estava sem dinheiro para produzir uma série inteira de programas para aquela temporada.) "Eu tinha o programa-piloto em casa e, na época, minha filha, com três anos e meio, assistia a ele repetidas vezes", conta Anderson. "Ela viu o episódio 14 vezes com o mesmo entusiasmo." Quando o levamos ao ar para ser testado, aconteceu a mesma coisa. Durante cinco dias seguidos ele foi visto por um grande grupo de crianças em idade pré-escolar e, no transcorrer da semana, sua atenção e compreensão foram aumentado. Isso só não se passou com as crianças mais velhas, de cinco anos, cuja atenção caiu no fim. Como os garotos que assistiam a James Earl Jones, elas reagiam ao programa de uma forma diferente a cada apresentação, ficando mais animadas e respondendo cada vez mais rápido a um número maior das perguntas de Steve. "Se você pensar no mundo de uma criança bem nova, verá que ela está cercada de elementos que não compreende – de coisas novas. Portanto, o que a estimula não é a busca por novidade, como acontece com as crianças mais velhas, e sim a procura por compreensão e previsibilidade", diz Anderson. "Para as crianças mais novas, a repetição é preciosa. Elas a exigem. Quando vêem um programa várias vezes, além de passarem a compreendê-lo melhor, o que é uma forma de poder, a simples previsão do que vai acontecer lhes dá uma noção real de auto-afirmação e valor. E *As pistas de Blue* reforça esse sentimento porque elas também sentem que estão participando de alguma coisa. Estão ajudando Steve."

É claro que nem sempre as crianças gostam de repetições. Aquilo que estiverem vendo tem que ser complexo o bastante para permitir, com a repetida exposição, níveis cada vez mais profundos de compreensão. Ao mesmo tempo, não pode ser tão complexo a ponto de, logo da primeira vez, deixar a criança frustrada e desviar a sua atenção. Para atingir o equilíbrio, *As pistas de*

Blue está comprometido com o mesmo tipo de pesquisa de *Vila Sésamo*, porém num nível muito mais intenso. Enquanto *Vila Sésamo* testa determinado episódio apenas uma vez – e já concluído –, *As pistas de Blue* realiza três avaliações antes de levar a atração ao ar. E, enquanto *Vila Sésamo* testa geralmente apenas um terço de seus programas, *As pistas de Blue* põe todos os episódios à prova.

Acompanhei a equipe de pesquisa de *As pistas de Blue* em uma de suas excursões semanais para conversar com crianças em idade pré-escolar. A líder do grupo era Alice Wilder, diretora de pesquisa do programa, uma mulher animada, de cabelos escuros, que tinha acabado de se doutorar em Educação pela Columbia University. Integravam o grupo mais duas mulheres, ambas com vinte e poucos anos – Alison Gilman e Allison Sherman. Na manhã em que nos encontramos, elas estavam testando um roteiro numa escola em Greenwich Village.

O roteiro tratava de comportamento animal. Era basicamente um rascunho disposto num livro de ilustrações que correspondiam mais ou menos a como o episódio real se desenrolaria, cena por cena, na televisão. O pesquisador de *As pistas de Blue* fazia o papel de Steve e acompanhava a reação das crianças ao roteiro, anotando todas as perguntas a que elas respondiam corretamente e as que as deixavam frustradas. Em determinado momento, por exemplo, Sherman sentou-se ao lado de um lourinho de cinco anos chamado Walker e de Anna, uma menina de quatro anos e meio que usava saia xadrez vermelha e branca. Ela começou a ler o roteiro. Blue tinha um animal preferido. As crianças a ajudariam a descobrir qual era? Elas estavam prestando muita atenção. Sherman começou a mostrar alguns dos miniquebra-cabeças, um a um. Exibiu a figura de um tamanduá.

– O que um tamanduá come? – perguntou ela.

– Formigas – respondeu Walker.

Sherman virou a página, mostrou um elefante e apontou para a tromba.

– O que é isto?

Walker esticou o pescoço para olhar:

– Uma tromba.

Ela apontou para as presas:

– Você sabe o que são estas coisas brancas?

Walker olhou de novo:

– Narinas.

Ela lhes mostrou a figura de um urso, em seguida veio a primeira pista de Blue, uma pequena mancha nas cores preta e branca tatuada junto com as pegadas da cadelinha.

– Isto é preto-e-branco – disse Anna.

Sherman olhou para os dois.

– Que animal Blue gostaria de conhecer melhor? – Ela fez uma pausa. Anna e Walker olharam intrigados. Por fim, Walker quebrou o silêncio:

– É melhor a gente passar para a outra pista.

A segunda rodada de quebra-cabeças foi um pouco mais difícil. Havia a figura de um pássaro. As crianças tinham que dizer o que ele estava fazendo – cantando, responderam – e por quê. Elas conversaram sobre castores e minhocas e chegaram à segunda pista de Blue – um iceberg. Anna e Walker continuavam confusos. Passaram para a terceira rodada, uma longa discussão sobre peixes. Sherman mostrou a figura de um peixinho camuflado no fundo do mar, espiando um peixe grande.

– Por que o peixe está se escondendo? – perguntou ela.

WALKER: – Por causa do peixe gigante.

ANNA: – Porque ele vai comer ele.

E chegaram à terceira pista. Era um cartão recortado no formato das pegadas de Blue. Sherman o pegou e moveu-o na direção de Walker e Anna, sacudindo-o.

– O que as pegadas estão fazendo? – Sherman perguntou.

Walker franziu o rosto concentrado:

– Estão andando como uma pessoa.

– Estão se balançando como uma pessoa?

– Estão andando como um pato – disse Anna.

Sherman mostrou novamente as pistas em ordem: preto-e-branco, gelo, andando como um pato.

Fez-se uma pausa. De repente, o rosto de Walker se iluminou.

– É um pingüim! – Ele gritava alegre com a descoberta. – O pingüim é preto-e-branco. Mora no gelo e anda como um pato!

As pistas de Blue só obtém sucesso como uma história de descoberta se as pistas estiverem na ordem certa. O programa tem que começar de modo fácil – para que o público se sinta confiante – e depois, aos poucos, ficar mais difícil, desafiando as crianças cada vez mais, fazendo com que mergulhem na narrativa. O primeiro grupo de miniquebra-cabeças sobre tamanduás e elefantes tinha que ser mais simples do que o outro sobre castores e minhocas que, por sua vez, precisava ser menos complexo do que o conjunto final, sobre peixes. A estrutura do programa é o que possibilita às crianças vê-lo quatro ou cinco vezes: elas passam a dominá-lo cada vez mais, acertando um número crescente de questões até que, no fim, sabem de antemão todas as respostas.

Depois do teste, a equipe de *As pistas de Blue* reviu os resultados dos miniquebra-cabeças, um a um. Treze das 26 crianças responderam corretamente que os tamanduás comiam formigas, o que não era um bom índice para a primeira pista. "Gostamos de começar com força", disse Wilder. Eles continuaram folheando as anotações. Os resultados do desafio sobre castores não agradaram a Wilder. Diante da figura do dique construído por um castor, as crianças não souberam responder à primeira questão: o que o castor estava fazendo? Mas se saíram muito bem na segunda pergunta: por que ele estava construindo o dique? Das 26 crianças, 19 acertaram a resposta "A ordem está trocada", disse Wilder. Ela queria que a indagação mais fácil viesse antes. Para a pergunta sobre os peixes – por que o peixinho se escondia do peixão? –, Sherman consultou suas notas. "Recebi uma ótima explicação: 'Porque o peixinho não quer assustar o peixão.'" Todos riram.

Por fim, veio o questionamento mais importante. A ordem das pistas de Blue estava correta? Wilder e Gilman as tinham apresentado na seqüência estipulada pelo roteiro: gelo, andar como pato e, depois, preto-e-branco. Quatro das 17 crianças com quem elas falaram responderam "pingüim" após a primeira pista, outras seis disseram depois da segunda pista e quatro após as três pistas. Wilder então se voltou para Sherman, que introduzira as suas pistas numa ordem diferente: preto-e-branco, gelo e andar como pato.

– Não obtive nenhuma resposta certa de nove crianças após a primeira pista – ela relatou. – Depois de gelo, uma respondeu. Após andar como pato, foram seis respostas corretas.

– A sua pista decisiva foi andar como pato? Isso parece funcionar – afirmou Wilder. – Mas enquanto isso elas mencionavam muitas coisas diferentes?

– Ah, sim. Depois de uma pista, elas diziam cachorro, vaca, urso panda e tigre. Depois de gelo, responderam urso polar e puma.

Wilder balançou a cabeça como se estivesse concordando com algo. A ordem de Sherman fez com que as crianças pensassem da forma mais abrangente possível no início do programa, porém manteve o suspense do pingüim até o fim. As pistas na ordem que Wilder e Gilman tinham – a que lhes pareceu melhor quando o roteiro estava sendo escrito – revelavam a resposta muito cedo. A seqüência de Sherman tinha suspense. A original, não. A equipe havia passado a manhã inteira com um grupo de crianças e descobriu exatamente o que elas queriam. Era só uma pequena mudança. Mas em geral é o que basta.

Todos esses exemplos deixam vir à tona algo que contraria bastante as expectativas quando se trata de definir fixação. Wunderman fugia do horário nobre para os seus comerciais, veiculando-os em períodos alternativos, o que vai de encontro a todos os princípios da publicidade. Ele evitou mensagens "criativas" vistosas para uma caça ao tesouro aparentemente pouco atrativa chamada "Caixa Dourada". Levanthal descobriu que a técnica agressiva – a de fazer com que os alunos se vacinassem contra o tétano aterrorizando-os com a doença – não funcionava. O que deu certo, ele concluiu, foi usar um mapa, de que os estudantes não precisavam, mostrando onde ficava o centro médico que eles já sabiam que existia. *As pistas de Blue* abandonou o talento e a originalidade que tornaram *Vila Sésamo* o programa de televisão preferido da sua geração, criou uma atração literal e trabalhosa e repete cada episódio cinco vezes seguidas.

Todos nós queremos acreditar que o segredo do impacto que causamos em alguém está na qualidade inerente das idéias que apresentamos. Mas em nenhum desses casos ninguém alterou substancialmente o conteúdo do que estava dizendo. Pelo contrário, eles conseguiram disseminar a mensagem em alta escala remendando-a, aqui e ali, com suas idéias. Ou seja, colocando os Muppets por trás das letras H, U, G, misturando Big Bird com adultos, repetindo episódios e sátiras mais de uma vez, fazendo Steve dar uma pausa apenas um segundo mais longa do que o normal depois de fazer uma pergunta, inserindo uma caixinha dourada no canto de um anúncio. O limite entre hostilidade e aceitação, isto é, entre uma epidemia que se alastra e outra que não vai adiante, pode ser mais tênue do que parece.

Os criadores de *Vila Sésamo* não jogaram no lixo o programa inteiro depois do desastre na Filadélfia. Apenas acrescentaram Big Bird, e ele fez toda a diferença. Howard Leventhal não dobrou os seus esforços para assustar os estudantes e motivá-los a se vacinar. Limitou-se a traçar um mapa e informar o horário de atendimento. A Regra dos Eleitos diz que existem pessoas excepcionais capazes de iniciar epidemias. Basta encontrá-las. A lição sobre fixação é a mesma. Há uma forma simples de embalar uma informação que, nas circunstâncias certas, a torna irresistível. É só descobrir qual é.

O *Poder do Contexto (parte um):*

BERNIE GOETZ E A ASCENSÃO
E QUEDA DO CRIME EM NOVA YORK

No dia 22 de dezembro de 1984, no sábado antes do Natal, Bernhard Goetz deixou o seu apartamento em Greenwich Village, em Manhattan, e caminhou até a entrada do metrô na esquina da Rua 14 com a Sétima Avenida.[1] Era um homem esguio, de quase 40 anos, cabelos claros, de óculos. Naquele dia usava calça jeans e blusão. No metrô, pegou o expresso número dois para o centro da cidade e se sentou ao lado de quatro jovens negros. Havia cerca de 20 pessoas no vagão, mas quase todas elas sentadas na outra ponta, evitando os quatro rapazes porque eles estavam, segundo os relatos posteriores de testemunhas, "fazendo confusão", "provocando arruaça". Goetz pareceu não perceber. "Tudo bem, tio?", um deles, Troy Canty, perguntou a Goetz quando ele entrou. Canty estava deitado quase de bruços num dos bancos. Ele e um dos outros rapazes, Barry Allen, chegaram perto de Goetz e lhe pediram US$5. Um terceiro, James Ramseur, fez um gesto mostrando um volume suspeito no bolso, como se tivesse uma arma.

– O que vocês querem? – perguntou Goetz.

– Passa US$5 – repetiu Canty.

Goetz olhou para cima e, como disse mais tarde, viu que "os olhos de Canty estavam brilhando, ele estava se divertindo com a história... tinha um sorriso enorme no rosto". De alguma maneira, aquele sorriso e aquele olhar o enfureceram. Goetz colocou a mão no bolso e tirou uma Smith and Wesson calibre 38, cromada, de cinco tiros, e disparou nos garotos, um a um. Quando o quarto, Darrell Cabey, caiu estirado no chão gritando, Goetz se aproximou dele e disse: "Você está bem. Aqui vai outra", antes de disparar a quinta bala, que se alojou na coluna de Cabey, deixando-o paralítico para sempre.

No tumulto, alguém puxou o freio de emergência. Os outros passageiros correram para o vagão seguinte, exceto duas mulheres que o pânico deixara paralisadas. "Tudo bem com você?", Goetz perguntou a uma delas. Ela respondeu que sim. A outra estava deitada no chão. Fingia-se de morta. "Você está bem?", ele perguntou, duas vezes. Ela fez um gesto afirmativo com a cabeça. O condutor, agora em cena, perguntou a Goetz se ele era da polícia.

"Não, não sei por que fiz isso." E depois de algum tempo: "Eles tentaram me limpar."

O condutor pediu a Goetz que lhe desse a arma. Ele se recusou. Cruzou a porta na parte da frente do vagão, soltou a corrente de segurança e pulou para os trilhos, desaparecendo na escuridão do túnel.

Naquela semana, os disparos no metrô causaram comoção nacional. Os quatro rapazes tinham ficha na polícia. Cabey já fora preso por assalto à mão armada, Canty por roubo. Três deles levavam chaves de fenda nos bolsos. Pareciam personificar o tipo de jovem assassino temido por quase todos os habitantes das cidades, e o misterioso atirador que os alvejara era um anjo vingador. Os tablóides começaram a chamar Goetz de "Vigilante do Metrô" e "Atirador Suicida". Nos programas de rádio e nas ruas, ele era tratado como herói, o homem que realizara a fantasia de todo nova-iorquino que já tinha sido agredido, intimidado ou assaltado no metrô. Na véspera do Ano-Novo, uma semana depois do confronto, Goetz se entregou à polícia, na delegacia de New Hampshire. Quando ele foi transferido para a cidade de Nova York, o jornal *New York Post* publicou duas fotografias na primeira página: uma dele, algemado e de cabeça baixa, sendo levado preso, e outra de Troy Canty – negro, desafiador, os olhos sob uma tarja preta, braços cruzados – saindo livre do hospital. A manchete dizia: "Algemado enquanto Delinqüente Ferido Fica em Liberdade." No julgamento, Goetz foi absolvido com a maior facilidade das acusações de agressão e tentativa de homicídio. Na noite do veredicto, houve uma festa improvisada e bastante barulhenta em frente ao seu prédio.

1.

O caso Goetz se tornou símbolo de uma época sombria da história de Nova York, quando os crimes ali se transformaram num problema de proporções epidêmicas. Durante a década de 1980, a cidade atingiu uma média anual superior a 2 mil assassinatos e 600 mil crimes graves. Nos espaços subterrâneos, no metrô, as condições só podiam ser descritas como caóticas. Antes de Bernie Goetz entrar no expresso número dois naquele dia, ele deve ter aguardado numa plataforma mal iluminada, cercado por paredes escuras, úmidas e pichadas. É provável que o trem tenha demorado porque em 1984 havia um incêndio por dia no sistema metroviário de Nova York e um descarrilamento a cada duas semanas. Fotografias da cena do crime tiradas pela polícia mostram que o vagão em que Goetz viajara era nojento, o chão coberto de lixo e as paredes e o teto imundos de pichação. Entretanto, isso não era novidade. Naquele ano, os 6 mil vagões da Transit Authority, com exceção do trem que circula na região central de Manhattan, eram pichados – de cima a baixo, por dentro e por fora. No inverno, esses carros eram frios – poucos deles tinham aquecimento adequado. No verão, o calor era sufocante porque não havia ar-condicionado. Hoje, o expresso número dois passa acelerado, a mais de 60km por hora em direção à parada expressa da Chambers Street. Mas duvido que o trem de Goetz fosse assim tão rápido. Em 1984, havia 500 áreas do metrô com "tarja vermelha" – locais onde danos nos trilhos ameaçavam a segurança das composições que passassem por ali a mais de 25km por hora. O calote na bilheteria era tão comum que estava dando à Transit Authority um prejuízo de US$150 milhões por ano. Ocorriam cerca de 15 mil delitos anuais graves no sistema metroviário – número que chegaria a 20 mil por ano no fim da década. Além disso, o assédio de pedintes e pequenos criminosos era tão habitual que a freqüência dos usuários caiu ao nível mais baixo da história daquele serviço de transporte. William Bratton, que mais tarde seria uma figura essencial para o sucesso da luta de Nova York contra os crimes violentos, conta, na sua autobiografia, que era usuário do metrô dessa cidade na década de 1980, depois de ter morado em Boston durante anos, e ficava atônito com o que via:[2]

> Depois de esperar numa fila aparentemente infindável para comprar uma ficha, tentei inserir uma moeda numa roleta e vi que ela havia sido bloqueada de propósito. Impossibilitados de pagar para entrar no metrô, tínhamos que passar por um portão que uma figura de aparência desgrenhada mantinha aberto, deixando a mão esticada – depois de avariar a roleta, ele agora exigia que as pessoas lhes dessem as fichas. Enquanto isso, um dos seus colegas chupava as moedas presas nas ranhuras, deixando tudo babado. A maioria das pessoas estava intimidada demais para se revoltar: "Aqui, toma a ficha. Que me importa?" Outros cidadãos

passavam por cima, por baixo, davam a volta ou se enfiavam pela roleta, entrando de graça. Parecia uma versão do *Inferno*, de Dante, no transporte público.

Assim era Nova York na década de 1980, uma cidade nas garras da pior epidemia de crimes da sua história. No entanto, de repente e sem aviso, a epidemia deu uma guinada. Do seu ponto mais alto, em 1990, o índice de criminalidade entrou em vertiginoso declínio. A quantidade de assassinatos caiu em dois terços. O número de delitos graves diminuiu 50%. Outras cidades viram sua taxa de crimes se reduzir no mesmo período. Mas em nenhum lugar o nível de violência baixou tanto e tão rápido quanto em Nova York. No fim dos anos 1990, a ocorrência de ilícitos penais graves nas estações de metrô era 75% menor do que no início da década. Em 1996, quando Goetz foi a julgamento pela segunda vez, agora como réu num processo civil movido por Darrell Cabey, o caso foi ignorado pela imprensa e a própria figura de Goetz parecia quase anacrônica. Numa época em que Nova York se tornara a metrópole mais segura do país, era difícil lembrar exatamente o que Goetz um dia simbolizara. Era inconcebível que uma pessoa puxasse uma arma para atirar em alguém no metrô e ainda fosse chamada de herói por isso.

2.

Essa idéia do crime como epidemia, devo dizer, é um tanto estranha. Falamos de "epidemia de violência" e de ondas de crimes, contudo não está claro se, de fato, acreditamos que os delitos sigam as mesmas regras das epidemias como aconteceu, por exemplo, com os Hush Puppies e a cavalgada de Paul Revere. Aquelas epidemias envolveram elementos de certa forma objetivos e simples – um produto e uma mensagem. O crime, por sua vez, não é algo único e isolado – sua denominação serve para descrever um conjunto imensamente variado e complexo de comportamentos. Atos criminosos têm graves conseqüências. Eles exigem que o delinqüente execute uma ação que o coloca em grande risco pessoal. Dizer que uma pessoa é criminosa é o mesmo que chamá-la de nociva, violenta, perigosa, desonesta, instável ou uma combinação qualquer de algumas dessas características – nenhuma delas é um estado psicológico que possa ser transmitido de modo casual de um indivíduo para outro. Em outras palavras, os criminosos não parecem ser o tipo de gente propensa a ser arrebatada pelos ares contagiantes de uma epidemia. Mas, de certa forma, foi isso que aconteceu em Nova York. Do início a meados da década de 1990, a cidade não recebeu nenhum transplante de população. Ninguém saiu às ruas e conseguiu ensinar a cada futuro bandido a diferença entre certo e errado. No auge da onda de crimes e em seu ponto mais baixo, continuavam vivendo ali as mesmas pessoas com problemas psicológicos e tendências criminosas. No entanto, por alguma razão, milhares delas deixaram, de repente, de cometer delitos. Em 1984, um confronto no metrô entre um usuário irritado e quatro jovens negros resultou em derramamento de sangue. Hoje, nas estações do metrô de Nova York, uma situação desse tipo não termina mais em violência. Como isso aconteceu?

A resposta está no terceiro princípio da transmissão epidêmica, o Poder do Contexto. No capítulo sobre a Regra dos Eleitos você leu sobre os tipos de pessoas que são essenciais para a divulgação de informações. No capítulo sobre *Vila Sésamo* e *As pistas de Blue* abordei a questão da fixação, sugerindo que, para conseguir deflagrar uma epidemia, as idéias precisam ter a capacidade de se manter em nossa memória e nos fazer agir. Vimos indivíduos que espalham idéias, assim como vimos as características das idéias bem-sucedidas. Contudo, o assunto deste capítulo – o Poder do Contexto – não é menos importante do que os dois primeiros. As epidemias são sensíveis às condições e circunstâncias do tempo e do lugar em que ocorrem. Em Baltimore, a sífilis se alastra muito mais no verão do que no inverno. Os Hush Puppies se tornaram um sucesso porque estavam sendo usados pela garotada no circuito mais avançado de East Village – ambiente que fez com que outras pessoas passassem a ter uma nova visão desses sapatos. Seria possível até dizer que, de certa forma, a cavalgada de Paul Revere teve êxito porque ocorreu à noite. Nessa hora, as pessoas estão em casa dormindo, o que torna muito mais fácil encontrá-las do que se estivessem realizando alguma tarefa na rua ou trabalhando no campo. E, se alguém nos acorda para dizer algo, supomos de modo automático que seja urgente. Podemos imaginar como teria sido a "Cavalgada de Paul Revere à Tarde".

De certa maneira, isso é fácil de entender. Mas o que aprendemos com o Poder do Contexto é que não somos apenas sensíveis às mudanças de contexto. Somos extremamente sensíveis a elas. E os tipos de alterações contextuais capazes de deflagrar uma epidemia são bem diferentes do que costumamos suspeitar.

3.

Durante a década de 1990, o número de crimes violentos nos Estados Unidos diminuiu em todo o território nacional por motivos compreensíveis. O comércio ilegal de crack, responsável por grande parte da violência entre gangues e traficantes, entrou em declínio. A expressiva recuperação da economia fez com que muita gente que teria seguido o caminho da delinqüência estivesse empregada honestamente. Além disso, com o envelhecimento geral da população, havia menos pessoas na faixa etária – homens entre 18 e 24 anos – que praticava a maioria dos atos de violência. Saber por que o índice de criminalidade caiu na cidade de Nova York, entretanto, é um pouco mais complicado. No período em que a epidemia de violência na cidade atingiu o Ponto da Virada, a situação econômica local ainda não havia melhorado. Continuava estagnada. Na verdade, os bairros mais pobres tinham sido atingidos pelos cortes na área de bem-estar social ocorridos no início da década de 1990. O enfraquecimento da epidemia de crack em Nova York foi um fator genuíno, porém, mais uma vez, isso vinha acontecendo de forma constante muito antes da queda do índice de criminalidade. Quanto ao envelhecimento da população: por causa da intensa imigração para Nova York na década de 1980, a cidade estava ficando mais jovem, e não mais velha, nos anos 1990. De qualquer maneira, todas essas tendências representaram mudanças a longo prazo cujos efeitos graduais eram previsíveis. Em Nova York, o declínio foi tudo, menos paulatino. Algo mais teve um claro papel na inversão da epidemia de crimes nessa cidade.[3]

O candidato mais intrigante a esse "algo mais" chama-se teoria das janelas quebradas. Ela é fruto da imaginação dos criminologistas James Q. Wilson e George Kelling. Os dois argumentaram que o crime é o resultado inevitável da desordem. Se uma janela está quebrada e não é consertada, quem passa por ali conclui que ninguém se importa com aquilo e que não há ninguém no controle. Em breve, outras janelas aparecerão quebradas, e a sensação de anarquia se espalhará do prédio para a rua, enviando a mensagem de que ali vale tudo. Segundo Wilson e Kelling, em uma cidade, problemas relativamente insignificantes, como pichação, desordem em locais públicos e mendicância agressiva, são o equivalente das janelas quebradas – convites para crimes mais graves.

Assaltantes e ladrões, sejam oportunistas ou profissionais, acham que suas chances de serem presos ou até identificados diminuem se atuarem em ruas onde as vítimas em potencial já estão intimidadas pelas condições reinantes. Talvez o ladrão pense que, se a vizinhança não é capaz de evitar que um pedinte incomode as pessoas nas ruas, é menos provável ainda que chame a polícia para identificar um possível assaltante ou interferir se a agressão realmente acontecer.[4]

Essa é uma teoria epidêmica do crime. Ela diz que o crime é contagiante – assim como uma tendência da moda – e pode começar com uma janela quebrada e se espalhar por toda a comunidade. O Ponto da Virada nessa epidemia, entretanto, não está em determinado tipo de pessoa – uma Comunicadora como Lois Weisberg ou um Expert como Mark Alpert. Está em algo físico, como as pichações. O ímpeto de adotar uma forma específica de comportamento não vem de certo tipo de indivíduo, e sim de uma característica do ambiente.

Em meados da década de 1980, Kelling foi contratado pela New York Transit Authority como consultor e insistiu que colocassem em prática a teoria das janelas quebradas. A organização concordou e nomeou um novo diretor para o metrô, David Gunn. Ele supervisionaria a reconstrução do sistema metroviário, um projeto de bilhões de dólares. Muitos defensores do metrô disseram a Gunn na época que não se preocupasse com as pichações, que se concentrasse nas questões mais importantes relacionadas com o crime e a confiabilidade desse meio de transporte. E o conselho parecia sensato. Ficar pensando em rabiscos num momento em que todo o sistema estava prestes a entrar em colapso parecia tão absurdo quanto esfregar os deques do *Titanic* quando ele já estava indo em direção aos icebergs. Mas Gunn insistiu.

"As pichações são o símbolo do colapso do sistema", diz ele. "Quando se estudava o processo de reestruturação da empresa e da recuperação do seu moral, era preciso vencer a batalha contra as pichações. Sem isso, todas as reformas administrativas e mudanças físicas não aconteceriam. Novos trens no valor aproximado de US$10 milhões cada um estavam para entrar em circulação e, se não fizéssemos algo para protegê-los, sabíamos exatamente o que iria acontecer. Durariam um dia e depois seriam alvo dos vândalos."

Gunn traçou uma nova estrutura administrativa e um conjunto preciso de metas e horários visando limpar o metrô linha a linha, trem a trem. Começou com o expresso número sete, que liga o Queens à região central de Manhattan, e experimentou as novas técnicas para remover a tinta. Nos vagões de aço inoxidável foram usados solventes. As composições que eram pintadas receberam tinta nova por cima das pichações. Gunn estabeleceu que não haveria retrocesso, ou seja, não se permitiria que um vagão, uma vez "recuperado", fosse novamente alvo de vandalismos. "Fomos escrupulosos quanto a isso", afirmou ele. No fim da linha um, no Bronx, onde os trens param antes de retornar a Manhattan, Gunn montou uma estação de limpeza. Se um vagão chegasse rabiscado ali, as marcas tinham que ser removidas ou ele seria retirado de serviço. Carros "sujos", que ainda estavam com pichações, não deveriam nunca se misturar com os vagões "limpos". A idéia era enviar uma mensagem bem clara aos próprios vândalos.

"No Harlem, na Rua 135, havia um pátio onde os trens ficavam estacionados à noite", continua ele. "Os garotos apareciam na primeira noite e pintavam as laterais dos vagões de branco. Na noite seguinte, quando a tinta já estava seca, eles voltavam e traçavam o esboço. Na terceira noite, o coloriam. O trabalho levava três dias. Sabíamos que eles estavam trabalhando num dos trens sujos e ficávamos esperando que terminassem o seu mural. Então, aparecíamos com os rolos e pintávamos tudo. Os meninos choravam, mas continuávamos, para cima e para baixo. Era uma mensagem para eles. Se quisessem passar três noites estragando um trem, tudo bem. Só que essa composição jamais veria a luz do dia."

A limpeza das pichações promovida por Gunn se estendeu de 1984 a 1990. Àquela altura, a Transit Authority contratou William Bratton para chefiar a polícia de trânsito. Assim teve início a segunda fase da recuperação do sistema metroviário. Como Gunn, Bratton era um seguidor da teoria das janelas quebradas. Ele descreve Kelling como o seu mentor intelectual, e o seu primeiro passo como chefe de polícia se mostrou tão quixotesco quanto o de Gunn. Como os índices de crimes graves no sistema metroviário se mantinham altos, Bratton resolveu acabar com as viagens de graça. Por quê? Porque acreditava que, assim como as pichações, o calote nas passagens poderia ser um sinal, uma pequena expressão de desordem que convidava a delitos mais sérios. Estimava-se que todos os dias 170 mil pessoas davam um jeito de entrar no metrô sem pagar. Algumas delas eram crianças, que simplesmente pulavam a roleta. Outras forçavam a entrada empurrando a roleta ao contrário. E, assim que dois ou três indivíduos começavam a fraudar o sistema, outros – que talvez jamais tivessem pensado em burlar a lei – faziam o mesmo com base na idéia de que, se alguém estava entrando ali de graça, eles também não deviam pagar. E a história virava uma bola de neve. O problema se exacerbava pelo fato de que não era fácil combater o calote. Como o que estava em jogo era somente US$1,25, a polícia de trânsito achava que não valia a pena perder tempo com isso, sobretudo quando havia crimes graves em número suficiente acontecendo nas plataformas e nos trens.

Bratton é um homem animado e carismático, um líder nato, e rapidamente a sua presença se fez sentir. Sua mulher ficara em

Boston, portanto ele estava livre para trabalhar depois do expediente e vagava pela cidade nos trens noturnos, sentindo onde estavam os problemas e qual era a melhor maneira de combatê-los. Primeiro, escolheu as estações onde o calote nas passagens era a encrenca maior e manteve 10 policiais à paisana nas roletas. A equipe pegava os caloteiros um a um, algemava-os e deixava-os de pé na plataforma, formando uma corrente, até realizarem a "captura total". A idéia era mostrar, da forma mais pública possível, que a polícia de trânsito estava falando sério agora e ia agir com rigor no caso dos espertinhos que viajavam de graça. Antes, os policiais pensavam duas vezes na hora de deter um desses aproveitadores porque a prisão, o deslocamento até a delegacia, o preenchimento de formulários e a espera pelo processo levava um dia inteiro – tudo isso por um crime que, em geral, não merecia mais do que um tapa na mão. Bratton transformou um ônibus urbano numa delegacia móvel, com aparelhos de fax, telefones, celas com grades e equipamento para datiloscopia. O tempo total para se efetuar uma prisão logo se reduziu a uma hora. Bratton também insistiu na realização de um levantamento de todos os presos. Não havia dúvida: um em cada sete tinha uma ordem de prisão pendente por um crime anterior, enquanto um em cada 20 portava um tipo de arma. De repente, ficou fácil convencer a polícia de que fazia sentido combater o calote. "Para os policiais foi uma mina", escreve Bratton. "Cada prisão era como abrir uma caixa de surpresas. Que brinquedo vou encontrar? Uma arma? Uma faca? Uma ordem de prisão? Temos aqui um assassino? Depois de um tempo, os mal-intencionados perceberam a mudança e começaram a deixar as armas em casa e a pagar a passagem." Com Bratton no comando, o número de pessoas expulsas das estações de metrô – por embriaguez ou comportamento impróprio – triplicou logo nos primeiros meses. As prisões por crimes menores, o tipo de delito insignificante em que não se prestava atenção no passado, quintuplicaram entre 1990 e 1994. Bratton transformou a polícia de trânsito numa organização concentrada nas menores infrações, nos detalhes da vida subterrânea.

Quando Rudolph Giuliani foi eleito prefeito de Nova York, em 1994, Bratton foi nomeado chefe do Departamento de Polícia da Cidade de Nova York e aplicou as mesmas estratégias ao município em grande escala. Instruiu os policiais a agir com rigor nos casos de crimes contra a qualidade de vida. Por exemplo, eles deviam reprimir a ação dos "caras do rodinho", que abordavam os carros nos cruzamentos e exigiam dinheiro para lavar o pára-brisa, e de qualquer um que apresentasse nas calçadas um comportamento equivalente aos dos saltadores de roletas e pichadores do metrô. Na administração anterior, uma série de restrições tinha deixado a polícia algemada", diz Bratton. "Tiramos as algemas. Reforçamos as leis contra a embriaguez em áreas públicas e contra aqueles que urinavam nas ruas e passamos a prender os reincidentes. Isso incluiu os que jogavam garrafas vazias nas calçadas ou se envolviam até mesmo em danos insignificantes à propriedade." Quando o índice de crimes na cidade começou a cair – de forma tão rápida e drástica quanto no metrô –, Bratton e Giuliani apontaram para a mesma causa. Delitos aparentemente insignificantes contra a qualidade de vida, eles disseram, determinavam o Ponto da Virada dos crimes violentos.

A teoria da janela quebrada e o Poder do Contexto são a mesma coisa. Ambos se baseiam na premissa de que uma epidemia pode ser revertida, pode dar uma guinada, consertando-se detalhes mínimos do ambiente imediato. Na verdade, essa é uma idéia bastante radical. Pense de novo, por exemplo, no confronto entre Bernie Goetz e aqueles quatro jovens no metrô: Allen, Ramseur, Cabey e Canty. Pelo menos dois deles, segundo relatórios, pareciam estar drogados na hora do incidente. Vinham todos do conjunto habitacional Claremont Village, situado numa das piores áreas do sul do Bronx. Cabey, na época, estava indiciado por assalto à mão armada. Canty já havia sido preso por roubo. Allen, por tentativa de agressão. Allen, Canty e Ramseur também já tinham sido condenados por delitos menos graves, que variavam de conduta imprópria a pequenos furtos. Dois anos depois dos disparos de Goetz, Ramseur foi condenado a 25 anos de prisão por estupro, roubo, sodomia, abuso sexual, agressão, uso criminoso de arma de fogo e posse de bens roubados. É difícil se surpreender quando alguém assim acaba metido num incidente violento.

Agora, Goetz. Ele fez algo totalmente fora dos padrões. Profissionais brancos não costumam atirar em negros no metrô. No entanto, tendo um bom conhecimento de quem ele é, vemos que se encaixava no estereótipo de uma pessoa que acaba se metendo em situações violentas. Seu pai era um disciplinador rígido e de temperamento exaltado, e Goetz com freqüência era o alvo da sua fúria. No colégio, os colegas implicavam com ele, era o último a ser convocado para os jogos escolares, uma criança solitária que quase sempre voltava para casa chorando. Depois de formado, foi trabalhar na Westinghouse, montando submarinos nucleares. Não ficou lá por muito tempo. Estava sempre batendo de frente com os superiores a respeito do que ele considerava práticas de má qualidade e ações de conveniência. Às vezes, desobedecia às normas da empresa e do sindicato fazendo trabalhos que, por contrato, estava proibido de aceitar. Alugou um apartamento em Manhattan, perto da Sexta Avenida, num trecho da cidade que na época vivia cheio de traficantes de drogas e moradores de rua. Um dos porteiros do prédio, de quem Goetz era amigo, levou uma surra feia de delinqüentes. Goetz estava obcecado com a idéia de limpar o bairro. Queixava-se sempre de uma banca de jornal vazia que ficava perto de onde ele morava, pois era usada por vagabundos como lixeira e fedia a urina. Uma noite, misteriosamente, ela pegou fogo, e no dia seguinte Goetz estava na rua varrendo os detritos. Certa vez, numa reunião da comunidade, ele chocou os presentes ao dizer: "O único jeito de limpar esta rua é acabando com os cucarachos e os negros." Numa tarde em 1981, ele foi agredido por três jovens negros ao entrar na estação Canal Street. Saiu correndo dali perseguido pelos três. Eles levaram o seu equipamento eletrônico, bateram nele e o jogaram contra uma porta de vidro, deixando-o com uma lesão permanente no peito. Com a ajuda de um funcionário da saúde pública que estava de folga, Goetz conseguiu dominar um dos três assaltantes. Mas a experiência o deixou exasperado. Teve que passar seis horas na delegacia, falando com a polícia, enquanto o agressor foi liberado duas horas depois acusado apenas de má conduta. Ele solicitou um porte de arma à prefeitura. Negaram. Em setembro de 1984, seu pai morreu. Três meses depois, ele se viu diante dos quatro jovens negros no metrô e começou a atirar.

Esse, em resumo, era um homem com um problema de autoridade, com uma forte sensação de que o sistema não funcionava e uma pessoa que tinha sido alvo recente de humilhações. Lillian Rubin, sua biógrafa, diz que é muito difícil que Goetz tenha tomado a decisão de morar na Rua 14 por acaso. "Para Bernie", escreve ela, "parecia haver algo de sedutor no cenário. Precisamente por suas deficiências e incômodos, era um alvo bastante amplo para a raiva que existe dentro dele. Dirigindo sua ira para o mundo exterior, Goetz não precisa lidar com o que tem dentro de si. Ele reclama da sujeira, do barulho, dos bêbados, dos crimes, dos traficantes, dos usuários de drogas. E com razão". As balas que ele disparou, conclui Rubin, "tinham como alvo coisas que existiam tanto no seu passado quanto no presente".

Se você pensar no que aconteceu no trem número dois dessa forma, os tiros começam a parecer inevitáveis. Quatro desordeiros enfrentam um homem com aparentes problemas psicológicos. O fato de ter acontecido no metrô parece acidental. Goetz teria atirado naqueles rapazes ainda que estivesse sentado numa lanchonete. A maior parte das nossas explicações para o comportamento criminoso segue a mesma lógica. Os psiquiatras falam dos delinqüentes como pessoas que têm o desenvolvimento psicológico comprometido, cujo relacionamento com os pais foi patológico e que são carentes de modelos adequados. Existe uma literatura relativamente nova sobre genes que podem ou não predispor certos indivíduos ao crime. No âmbito popular, há um número infindável de livros escritos por conservadores que afirmam que os delitos decorrem da falta de moral – de comunidades, escolas e pais que não ensinam mais as crianças a observar a diferença entre o certo e errado. Todas essas teorias são, em essência, maneiras de dizer que o criminoso é um tipo de personalidade que se distingue pela insensibilidade no que se refere às regras de uma sociedade normal. Indivíduos com desenvolvimento psicológico comprometido não sabem manter relacionamentos saudáveis. Gente com predisposições genéticas para a violência tem um ataque de fúria quando pessoas normais mantêm a calma. Quem não aprende a diferença entre certo e errado não é capaz de reconhecer o que é um comportamento adequado e o que não é. Aquele que cresce na pobreza, sem pai e sendo esbofeteado pelo racismo não sente o mesmo compromisso com as normas sociais ensinadas nos lares saudáveis de classe média. Bernie Goetz e aqueles quatro criminosos no metrô eram, nesse sentido, prisioneiros do seu próprio mundo disfuncional.

Mas o que a teoria das janelas quebradas e o Poder do Contexto sugerem? Exatamente o oposto. Que o criminoso – longe de ser um indivíduo que age por razões fundamentais, intrínsecas, e que vive em seu próprio mundo – é, na verdade, alguém profundamente sensível ao ambiente, que está alerta a todos os tipos de sinais e que é motivado a cometer crimes baseado na sua percepção do universo ao redor. Essa é uma idéia radical e, em certo sentido, inacreditável. Existe aqui uma dimensão ainda mais extrema. O Poder do Contexto é um argumento ambiental. Ele afirma que o comportamento é uma função do contexto social. Porém, esse é um tipo muito estranho de ambientalismo. Nos anos 1960, os liberais tinham uma forma semelhante de argumentar, só que quando falavam da importância do ambiente estavam se referindo à relevância de fatores sociais fundamentais. O crime, na sua visão, era resultado da injustiça social, de iniqüidades econômicas estruturais, do desemprego, do racismo, de décadas de negligência social e institucional; por isso, quem quisesse acabar com ele tinha que dar passos heróicos. O Poder do Contexto, no entanto, sustenta que o importante são as pequenas coisas. Ele diz que, no fim das contas, o confronto no metrô entre Bernie Goetz e aqueles quatro rapazes teve muito pouco a ver com a complicada patologia psicológica do atirador e, muito pouco também, com os antecedentes e a pobreza dos garotos baleados. Mas que teve tudo a ver com a mensagem transmitida pelas pichações nas paredes e pela desordem nas roletas. O Poder do Contexto estabelece que não precisamos resolver grandes problemas para encontrar a solução para a criminalidade. Podemos prevenir a ocorrência de delitos apenas limpando a sujeira das paredes e prendendo os caloteiros: a epidemia de crimes tem Pontos da Virada tão simples e objetivos quanto a de sífilis em Baltimore e a moda dos Hush Puppies. Isso era o que eu pretendia dizer quando chamei o Poder do Contexto de teoria radical. Giuliani e Bratton – longe de serem conservadores, como costumam ser classificados – representam, no que concerne aos crimes, a posição mais liberal que se possa imaginar. Como é possível que o que se passava na cabeça de Bernie Goetz não tenha importância? E, se de fato é verdade que isso não faz diferença, por que é tão difícil acreditar?

4.

No capítulo dois, quando eu estava discutindo o que fazia alguém como Mark Alpert ser tão importante para as epidemias de propaganda boca a boca, mencionei dois aspectos da persuasão que pareciam contrariar as expectativas. Um deles foi o estudo que mostrou como as pessoas que assistiam a Peter Jennings na ABC apresentavam uma tendência maior a votar no partido republicano do que as que viam os programas de Tom Brokaw e Dan Rather. Isso acontecia porque, de forma inconsciente, Jennings manifestava a sua preferência pelos candidatos republicanos. A segunda revelou como os indivíduos carismáticos conseguiam – sem dizer nada e expondo-se muito pouco – contagiar os outros com suas emoções. As implicações dessas duas pesquisas chegam à essência da Regra dos Eleitos porque sugerem que aquilo que consideramos estados íntimos – preferências e emoções – está, na verdade, sofrendo fortes e imperceptíveis influências pessoais. Nos casos citados, seria a interferência aparentemente insignificante do locutor de um telejornal que acompanhamos por alguns minutos todos os dias e a de alguém que está sentado ao nosso lado numa experiência de dois minutos. A essência do Poder do Contexto é que esse mesmo conceito vale para certos tipos de ambiente, isto é, sem que necessariamente avaliemos isso, nossos estados íntimos decorrem das circunstâncias exteriores. Na área da psicologia há numerosos estudos que comprovam esse fato. Vejamos alguns exemplos.

No início da década de 1970, um grupo de cientistas sociais da Universidade de Stanford, liderados por Philip Zimbardo, decidiu simular uma cadeia no porão do prédio do Departamento de Psicologia.[5] Separaram 10m do corredor e fizeram uma cela com uma parede pré-fabricada. Três pequenas celas, de 2 x 2,50m, foram criadas a partir das salas do laboratório e receberam portas pintadas de preto e grades de aço. Um armário virou solitária. Em seguida, o grupo publicou anúncios nos jornais recrutando voluntários, homens que concordassem em participar da experiência. Apareceram 75 e, desses, Zimbardo e seus colegas escolheram 21 que se mostraram os mais saudáveis e normais nos testes psicológicos. Metade dos participantes foi escolhida aleatoriamente para fazer o papel de guardas – eles receberam uniformes, óculos escuros e a responsabilidade de manter a ordem na prisão. A outra metade representaria os detentos. Zimbardo mandou o Departamento de Polícia de Palo Alto "prender" os prisioneiros nas suas casas, algemá-los, levá-los para a delegacia, acusá-los de um crime fictício, colher as suas impressões digitais, vendar os seus olhos e levá-los para a prisão no porão do prédio. Lá, eles foram despidos e receberam um uniforme com um número na frente e nas costas que seria a sua única identificação enquanto durasse a estada no cárcere.

O propósito da experiência era tentar descobrir por que as prisões são lugares tão desagradáveis. Seria porque estavam cheias de pessoas desagradáveis ou porque eram ambientes tão desagradáveis que faziam as pessoas serem desagradáveis? Na resposta a essa pergunta encontra-se, obviamente, a da questão proposta por Bernie Goetz e a limpeza do metrô, isto é, até que ponto o ambiente imediato influencia o comportamento das pessoas. Zimbardo ficou chocado com o que descobriu. Os guardas, até mesmo os que haviam dito antes que eram pacifistas, assumiram logo o papel de disciplinadores inflexíveis. Já na primeira noite, acordaram os detentos às duas da madrugada e os mandaram fazer flexões, ficar em fila encostados na parede e cumprir outras tarefas arbitrárias. Na manhã do segundo dia, os prisioneiros se rebelaram. Arrancaram os números dos uniformes e armaram uma barricada nas celas. Os guardas reagiram despindo-os, acertando-os com jatos dos extintores de incêndio e jogando o chefe da rebelião na solitária. "Havia momentos em que éramos bastante agressivos. Chegávamos bem perto do rosto deles e gritávamos", lembra-se um dos guardas. "Fazia parte da atmosfera de terror." Com o avanço da experiência, os guardas foram ficando cada vez mais cruéis e sádicos. "Não estávamos preparados para a intensidade da mudança nem para a rapidez com que ela aconteceu", diz Zimbardo. Os guardas faziam os prisioneiros declarar que se amavam uns aos outros e os obrigavam a marchar pelo corredor, algemados, com sacos de papel cobrindo a cabeça. "Era um comportamento totalmente oposto ao que tenho hoje", recorda-se outro guarda. "Acho que eu estava sendo muito criativo em termos de crueldade mental." Após 36 horas, um dos prisioneiros teve um ataque histérico e precisou ser liberado. Outros quatro tiveram que ser soltos em decorrência de "extrema depressão emocional, choro, raiva e ansiedade aguda". A intenção inicial de Zimbardo era fazer uma experiência de duas semanas. Depois de seis dias, porém, ele a suspendeu. "Agora percebo", um dos prisioneiros declarou no fim, "que não importava quanto eu acreditasse que estava no controle da minha mente, eu tinha menos domínio do meu comportamento como detento do que imaginava". Outro disse: "Comecei a sentir que estava perdendo a minha identidade, que a pessoa que eu chamo de _____, a que se apresentou como voluntária para me colocar naquela prisão (porque era uma prisão para mim, continua sendo, não considero isso uma experiência nem uma simulação...) estava distante de mim, muito longe, até que, por fim, eu não era mais aquela pessoa. Eu era o 416. Eu era o meu número. E o 416 ia ter que decidir o que fazer."

A conclusão de Zimbardo foi de que existem situações específicas tão fortes que podem derrubar as nossas predisposições intrínsecas. A palavra-chave nesse caso é situação. Ele não está falando de ambiente, de grandes influências externas sobre toda a nossa vida. Não está negando que a educação que recebemos dos nossos pais afeta a pessoa que somos nem que o tipo de colégio que freqüentamos, os nossos amigos e o bairro onde moramos interferem em nosso comportamento. Certamente, todos esses fatores são importantes. Zimbardo também não está desconsiderando o papel dos genes na determinação de quem somos. A maioria dos psicólogos acredita que a natureza – a genética – é responsável por 50% dos motivos que nos levam a agir de determinada maneira. O que ele quer dizer é que há momentos, lugares e condições em que grande parte de tudo isso pode ser anulada. Existem ocasiões em que é possível pegar pessoas normais, de boas escolas, de famílias felizes e de bairros tranqüilos e interferir em seu comportamento de modo significativo pela simples mudança de detalhes da situação em que elas se encontram.

Esse mesmo argumento foi usado, talvez de forma mais explícita, na década de 1920, numa série de experiências marcantes realizadas por dois pesquisadores de Nova York, Hugh Hartshorne e M. A. May. Participaram desses estudos cerca de 11 mil estudantes cujas idades variavam de 8 a 16 anos. Ao longo de muitos meses, eles foram submetidos a dezenas de avaliações, todas destinadas a medir a honestidade. Os tipos de testes que Hartshorne e May aplicaram foram essenciais para suas conclusões, portanto mencionarei alguns deles com mais detalhes.[6]

Uma parte, por exemplo, foi de simples testes de aptidão criados pelo Instituto de Pesquisas Educacionais, um precursor do grupo que hoje desenvolve o SAT (exame padronizado aplicado a alunos do ensino médio que estão se candidatando à universidade). No teste de completar frases, as crianças tinham que preencher os espaços em branco com palavras. Por exemplo: "O pobrezinho_____ tem _____ para _____; ele está com fome." No exame de aritmética, havia problemas do tipo "Se 1kg de açúcar custa US$1, quanto custam 5kg?". As respostas deviam ser escritas na margem do papel. Os estudantes tinham apenas uma fração do tempo necessário para responder a tudo, de forma que muitos deles deixavam um grande número de questões em branco. Terminado o prazo, as provas eram recolhidas e recebiam uma nota. No dia seguinte, era dado o mesmo tipo de teste, com perguntas diferentes, porém de igual nível de dificuldade. Dessa vez, entretanto, os alunos recebiam o gabarito e, sob uma supervisão mínima, deviam dar a sua própria nota ao trabalho. Hartshorne e May, em outras palavras, haviam montado uma situação que facilitava a cola. Com acesso às respostas e tendo diante de si diversas questões em branco, eram consideráveis as chances de que eles trapaceassem. E, com as provas anteriores nas mãos, Hartshorne e May podiam comparar as respostas dos dois dias e ter uma boa noção de quanto cada criança recorria à fraude.

Outro conjunto de avaliações envolveu os chamados testes de rapidez, medições muito mais simples de habilidade. Os alunos recebiam 56 pares de números para somar. Ou se mostravam a eles centenas de seqüências de letras do alfabeto dispostas aleatoriamente e se pedia que sublinhassem todos os "As". Eles tinham um minuto para completar cada uma dessas provas. Em seguida, recebiam um conjunto equivalente de testes, porém dessa vez sem limite de tempo, o que lhes permitia continuar trabalhando se quisessem. Em resumo, os dois psicólogos submeteram os estudantes a numerosos tipos de exames em situações diversas. Aplicaram testes de habilidades físicas, como flexões na barra e saltos em distância, e observaram secretamente os participantes para ver se eles mentiriam depois ao relatar seu desempenho. Distribuíram provas para serem feitas em casa, onde a oportunidade de consultar dicionários e pedir ajuda seria grande, e compararam as respostas com as de testes similares feitos na escola, onde trapacear era impossível. No fim, os resultados encheram três grossos volumes e, no processo, desafiaram muitos preconceitos sobre o que é caráter.

A primeira conclusão a que eles chegaram é que, obviamente, acontece muita trapaça. Em um dos casos, as pontuações nos testes em que era possível recorrer a artimanhas foram 50% superiores, em média, às pontuações "honestas". Quando Hartshorne e May começaram a procurar padrões nas fraudes, fizeram algumas constatações igualmente óbvias. Crianças inteligentes costumam trapacear um pouco menos do que as menos inteligentes. As meninas agem assim tanto quanto os meninos. As crianças mais velhas, mais do que as mais jovens; as de famílias estáveis e felizes, um pouquinho menos do que as de lares instáveis e infelizes. A análise dos dados mostra padrões gerais de coerência comportamental entre um teste e outro.

Mas essa coerência não é tão grande quanto se poderia esperar. Não existe um pequeno círculo fechado de trapaceiros e outro de alunos honestos. Algumas crianças usam artimanhas em casa, mas não na escola; outras fazem isso na escola, porém não em casa. Por exemplo, o fato de uma delas colar na prova de completar palavras não era um prognóstico rígido de que ela também recorreria à fraude na hora de, digamos, marcar os "As" no exame de rapidez. Hartshorne e May descobriram que, submetendo um mesmo grupo de crianças ao mesmo teste, nas mesmas circunstâncias, com seis meses de intervalo, elas trapaceariam da mesma maneira em ambos os casos. Contudo, alterando-se qualquer uma dessas variáveis – o material da prova ou a situação em que ela era aplicada –, os tipos de artimanha também mudavam.

O que Hartshorne e May constataram, portanto, foi que a honestidade não é um traço fundamental, ou "unificado", como dizem. Uma característica como a honestidade, eles concluíram, sofre uma considerável influência da situação. Veja o que escreveram sobre o assunto:

> A maioria das crianças enganará em certas ocasiões, em outras, não. Os atos de mentir, colar e roubar, como avaliamos nas situações de teste usadas nesses estudos, estão apenas ligeiramente relacionados. Até mesmo a cola na sala de aula é uma ação muito específica, pois uma criança pode fazer isso no teste de aritmética, e não no de ortografia, etc. Se um aluno vai praticar ou não a fraude em determinada situação, depende, em parte, da sua inteligência, da sua idade, do seu ambiente familiar e de seus semelhantes e, em parte, da natureza da própria situação e de como essa criança se relaciona com ela.

Percebo que isso é algo que contraria profundamente as nossas expectativas. Se eu lhe pedir que descreva a personalidade dos seus melhores amigos, você não terá dificuldade em responder nem dirá algo como: "O meu amigo Wilson é muito generoso, mas só quando sou eu que lhe faço um pedido, e não alguém da sua família." Ou: "A minha amiga Alice é tremendamente honesta na vida pessoal, porém no trabalho às vezes é bastante traiçoeira." Em vez disso, você diria que Wilson é generoso e que Alice é honesta. Quando se trata de personalidade, todos nós pensamos em termos absolutos: uma pessoa é de um jeito ou não é. No entanto, o que Zimbardo, Hartshorne e May estão sugerindo é que isso está errado. Pelo raciocínio deles, se pensamos somente nos traços inerentes e nos esquecemos do papel das situações, estamos nos enganando sobre as verdadeiras causas do comportamento humano.

Por que cometemos esse erro? Provavelmente por causa da maneira como a evolução estruturou o nosso cérebro. Por exemplo, os antropólogos que estudam os macacos *vervet*, naturais da África, descobriram que esses animais identificam muito mal o significado de coisas como a carcaça de um antílope pendurada numa árvore (indício certo de que existe um leopardo pelas redondezas) ou o rastro de uma serpente. Esse tipo de macaco é conhecido por entrar com toda a tranquilidade numa moita, ignorando os rastros recentes de uma cobra e, depois, ficar atordoado quando a vê. Isso não significa que o *vervets* são idiotas: eles são muito sofisticados no que se refere a outros indivíduos de sua espécie. Ao ouvirem o chamado de um macho, são capazes de reconhecer se é do seu próprio bando ou não. Quando escutam um bebê *vervet* chorando, eles olham imediatamente não para o filhote, mas para a mãe – sabem, na mesma hora, de quem é a cria. Um *vervet*, em outras palavras, é muito bom em processar certos dados relativos aos *vervets*, porém não tão bom quando se trata de processar outros tipos de informação.

O mesmo vale para os seres humanos.

Veja o seguinte quebra-cabeça. Suponha que eu lhe dê quatro cartas etiquetadas com as letras A e D e os algarismos 3 e 6. A regra do jogo é que uma carta com uma vogal tem sempre um número par do outro lado. Que cartas você terá que virar para provar que a regra é verdadeira? Duas: a A e a 3. Quase todas as pessoas que fazem esse teste, porém, não acertam. Tendem a responder apenas a carta A ou a A e a 6. É mesmo uma questão difícil. Agora vou fazer outra pergunta. Suponha que quatro pessoas estão bebendo num bar. Uma toma Coca-Cola, uma tem 16 anos, uma bebe cerveja e uma tem 25 anos. Se formos observar a lei que proíbe a ingestão de cerveja por menores de 21 anos, de quais dessas pessoas teremos que conferir a carteira de identidade para ter certeza de que a lei está sendo obedecida? Agora a resposta é fácil. De fato, tenho certeza de que quase todos acertarão: da que está bebendo cerveja e da que tem

16 anos. Mas, segundo a criadora desse exemplo, a psicóloga Leda Cosmides, esse é um quebra-cabeça idêntico ao das cartas com A, D, 3 e 6. A diferença é que está estruturado para tratar de pessoas, em vez de números, e, como seres humanos, somos muitos mais sofisticados no que se refere ao nosso próprio mundo do que ao universo abstrato.[7]

O erro em pensar que o caráter é algo unificado e abrangente é muito semelhante a uma espécie de ponto cego na maneira como processamos as informações. Os psicólogos chamam essa tendência de Erro Fundamental de Atribuição, que é uma forma elegante de dizer que, em geral, quando se trata de interpretar o comportamento dos outros, os seres humanos falham ao superestimar a importância de traços fundamentais de caráter e subestimar a importância da situação e do contexto.[8] Buscamos sempre uma explicação "temperamental" para os acontecimentos, e não "contextual". Em uma experiência, por exemplo, pediu-se a algumas pessoas que observassem duas equipes de jogadores de basquete igualmente talentosos. Os atletas de um dos grupos faziam arremessos num ginásio bem iluminado, enquanto os demais realizavam os arremessos num ginásio mal iluminado (e, é claro, perdiam muitas cestas). Depois, os observadores deveriam avaliar os jogadores. Os que estavam no ginásio bem iluminado foram considerados superiores. Em outra experiência, um grupo de pessoas é informado de que vai participar de um jogo de perguntas e respostas. Em seguida, formam-se duplas. Cada um dos parceiros escolhe ao acaso um cartão que lhe dirá se ele fará o papel de Adversário ou de Questionador. Quem interpreta o Questionador deve relacionar 10 perguntas "difíceis, mas não impossíveis de responder", baseadas nas áreas em que é especialista ou em que tem interesse particular. Um conhecedor de música folclórica ucraniana, por exemplo, formulará questões a respeito desse tema. As perguntas são, então, dirigidas ao Adversário. No fim do jogo, cada uma das partes avalia o nível de conhecimento geral da outra. Os Adversários sempre classificam os Questionadores como muito mais inteligentes do que eles.

Ainda que essas experiências sejam feitas de mil maneiras diferentes, a resposta é quase sempre idêntica. Isso acontece até mesmo quando se dá às pessoas uma explicação ambiental clara e imediata para o comportamento que devem avaliar: que o ginásio, no primeiro caso, tem poucas luzes acesas; que o Adversário terá que responder a perguntas tendenciosas e manipuladas. No fim, não faz muita diferença. Existe algo em nós que nos leva instintivamente a querer explicar o mundo que nos cerca em termos das características essenciais das pessoas: ele joga basquete melhor, aquela mulher é mais inteligente do que eu.

Agimos dessa forma porque, assim como os *vervets*, estamos muito mais sintonizados com sinais pessoais do que contextuais. O Erro Fundamental de Atribuição também torna o mundo um lugar bem mais simples e compreensível. Nos últimos anos, por exemplo, uma idéia vem despertando grande interesse: a de que um dos fatores fundamentais para a explicação da personalidade é a ordem de nascimento. Os irmãos mais velhos seriam dominadores e conservadores, enquanto os mais novos seriam mais criativos e rebeldes. Quando os psicólogos tentam verificar essa tese, suas constatações soam, no entanto, como as conclusões de Hartshorne e May. Nós refletimos as influências da ordem de nascimento; porém, como observa a psicóloga Judith Harris em *Diga-me com quem anda*, somente dentro da família.[9] Longe dela – em contextos diferentes –, os irmãos mais velhos não tendem a ser mais dominadores nem os mais novos mais rebeldes do que qualquer outra pessoa. O mito da ordem de nascimento é um exemplo do Erro Fundamental de Atribuição em ação. Mas dá para entender por que a idéia nos atrai. É mais fácil definir as pessoas apenas em termos da sua personalidade na família. É uma espécie de atalho. Se tivéssemos que ficar qualificando toda avaliação daqueles que nos rodeiam, como compreenderíamos o mundo? Seria muito mais difícil tomar todas as decisões que temos que tomar para saber se gostamos de alguém, se o amamos, se confiamos nele ou se queremos lhe dar um conselho. O psicólogo Walter Mischel argumenta que a mente humana tem uma espécie de "válvula redutora" que "cria e mantém a percepção de continuidade mesmo quando observamos mudanças ininterruptas de comportamento". Ele escreve:

> Quando observamos uma mulher que, algumas vezes, parece hostil e muito independente, mas passiva, dependente e feminina em outras ocasiões, nossa válvula redutora costuma nos fazer escolher entre as duas síndromes. Decidimos que um padrão está a serviço do outro ou que ambos servem a um terceiro motivo. Ela deve ser uma pessoa castradora com uma fachada de passividade – ou quem sabe é uma mulher suave, passiva e dependente que se defende com uma capa de agressividade. No entanto, talvez a natureza seja maior do que os nossos conceitos e essa mulher possa ser uma pessoa hostil, muito independente, passiva, dependente, feminina, agressiva, suave, castradora – tudo num pacote só. É claro que o que ela é em determinado momento não se manifesta por acaso nem por capricho – depende de onde, com quem e como ela está, além de muitas outras coisas. Contudo, cada um desses aspectos do seu eu pode ser uma característica autêntica e real do seu ser global.[10]

Caráter, portanto, não é o que pensamos ser, ou melhor, o que queremos que seja. Não é um conjunto estável de traços intimamente relacionados que podemos identificar com facilidade. Ele só parece ser assim por uma falha na organização do nosso cérebro. Caráter é mais como um pacote de hábitos, tendências e interesses levemente amarrados e dependentes, em certos momentos, das circunstâncias e do contexto. A maioria de nós parece ter um caráter coerente porque quase todos sabemos controlar nossos ambientes. Eu me divirto muito em jantares. Por isso convido sempre os meus amigos para esse tipo de reunião. Eles me vêem ali e me acham brincalhão. No entanto, se eu não pudesse fazer isso, se, pelo contrário, meu amigos me encontrassem em muitas outras situações sobre as quais tenho pouco ou nenhum controle – digamos, diante de quatro jovens hostis num metrô sujo e caindo aos pedaços –, provavelmente já não me considerariam mais tão engraçado.

5.

Anos atrás, dois psicólogos da Universidade de Princeton, John Darley e Daniel Batson, realizaram um estudo inspirado na parábola do Bom Samaritano.[11] Essa história do Evangelho de Lucas, no Novo Testamento, conta que um viajante é assaltado, surrado e deixado quase morto à beira da estrada que vai de Jerusalém a Jericó. Um sacerdote e um levita – ambos pessoas dignas e devotas – encontram o homem, porém não param, "passando ao largo". A única pessoa que o ajuda é um samaritano – membro de uma minoria desprezada – que "vai até ele e trata suas feridas" e o leva a uma estalagem. Darley e Batson decidiram reproduzir esse estudo no Seminário Teológico de Princeton. Foi uma experiência dentro da tradição do Erro Fundamental de Atribuição e é uma importante demonstração de como o Poder do Contexto tem implicações na nossa maneira de pensar em todos os tipos de epidemias sociais, não apenas no crime violento.

Darley e Batson se reuniram individualmente com membros de um grupo de seminaristas e lhes pediram que preparassem uma palestra curta, extemporânea, sobre determinado tema bíblico e a apresentassem em seguida numa sala de um prédio próximo. Toda vez que um aluno saía para dar a palestra, encontrava um homem caído num beco, com a cabeça baixa, os olhos fechados, tossindo e se lamentando. A questão era: quem pararia para ajudá-lo? Para obterem resultados mais significativos, Darley e Batson introduziram três variáveis no estudo. Primeiro, antes mesmo do início da experiência, os alunos responderam a um questionário sobre o motivo de terem escolhido estudar teologia. Eles consideravam a religião um meio de realização pessoal e espiritual? Ou estavam buscando um instrumento prático que desse sentido à sua vida diária? Os pesquisadores também variaram o tema sobre o qual os seminaristas tinham que falar. A alguns solicitaram que discorressem sobre a relevância do sacerdócio profissional para a vocação religiosa. A outros deram a parábola do Bom Samaritano. Por fim, as instruções transmitidas a cada um deles se diversificaram. Em alguns casos, ao se despedir do aluno e encaminhá-lo à palestra, o pesquisador olhava para o relógio e dizia: "Ah, você está atrasado. Já estão esperando por você há um tempinho. É melhor irmos." A outros ele informava: "Eles ainda não estão prontos, faltam alguns minutos, mas você pode ir andando agora."

Se pedirmos às pessoas que prevejam quais seminaristas bancariam o Bom Samaritano (e estudos subseqüentes fizeram isso), as respostas serão muito coerentes. Quase todas elas dirão que os alunos que ingressaram no ministério para ajudar o próximo e os que se lembraram da importância da compaixão por terem acabado de ler a parábola do Bom Samaritano serão aqueles com maior probabilidade de parar e prestar auxílio. A maioria de nós, acredito, concorda com esse raciocínio. De fato, nenhum desses fatores fez a mínima diferença. "É difícil imaginar um contexto em que as normas referentes a amparar quem está sofrendo estejam mais evidentes do que no caso de alguém que está pensando no Bom Samaritano. No entanto, isso não provocou um aumento significativo no número de comportamentos de ajuda, concluíram Darley e Batson. "Na verdade, em várias ocasiões, um seminarista apressado para dar a palestra sobre a parábola do Bom Samaritano pisou na vítima." O único elemento que realmente teve influência foi se o estudante estava com pressa. Do grupo dos apressados, 10% pararam para ajudar. Dos que sabiam que ainda faltavam alguns minutos, 63% prestaram auxílio.

O que esse estudo sugere, em outras palavras, é que, no fim das contas, as nossas convicções mais íntimas e o verdadeiro conteúdo dos nossos pensamentos são menos importantes na orientação das nossas ações do que o contexto imediato em que se dá o nosso comportamento. A frase "Ah, você está atrasado" teve o efeito de tornar um indivíduo normalmente compassivo em alguém indiferente ao sofrimento – isto é, em um momento específico, foi capaz de transformá-lo em uma pessoa diferente. Em essência, as epidemias dizem respeito a esses processos de transformação. Quando procuramos fazer com que uma idéia, uma atitude ou um produto alcance o Ponto da Virada, estamos tentando mudar o nosso público em algum aspecto, pequeno porém crítico: pretendemos contaminá-lo, arrebatá-lo com a nossa epidemia, fazer com que ele passe da hostilidade para a aceitação. É possível fazer isso por meio da influência de tipos especiais de pessoas, de gente que tem relações sociais extraordinárias. Essa é a Regra dos Eleitos. Também se pode atingir esse objetivo mudando o conteúdo da comunicação, tornando a mensagem tão fácil de lembrar que ela se fixa na mente e leva as pessoas a agir. Esse é o Fator de Fixação. Acho que essas duas leis fazem sentido de modo natural, intuitivo. Mas não devemos nos esquecer de que pequenas mudanças de contexto podem ter a mesma importância quando se trata de deflagrar epidemias, mesmo que isso pareça violar algumas das nossas suposições mais arraigadas sobre a natureza humana.

Isso não quer dizer que os nossos estados psicológicos íntimos e as nossas histórias pessoais não sejam importantes para explicar como nos comportamos. Um grande percentual daqueles que se envolvem em atos violentos, por exemplo, sofre de algum distúrbio psiquiátrico ou apresenta um histórico familiar de grande perturbação. Contudo, há uma diferença enorme entre ter uma inclinação para a violência e cometer um ato violento. Um crime é um evento relativamente raro e anormal. Para que ocorra, é necessário que alguma coisa mais, algo extra, aconteça e leve uma pessoa perturbada a agir de forma violenta. O que o Poder do Contexto diz é que esse Ponto da Virada pode ser tão simples e banal quanto sinais cotidianos de desordem no estilo das pichações e do calote nas passagens de metrô. As implicações dessa idéia são imensas. A teoria anterior, de que o temperamento é o responsável por tudo – que as causas do comportamento violento são sempre a "personalidade sociopata", a "falta de superego", a incapacidade de adiar a satisfação ou genes portadores de algum tipo de maldade –, é, no fim das contas, a mais passiva e reacionária das teses sobre o crime. Ela sustenta que, se apanharmos um delinqüente, podemos ajudá-lo a se recuperar – dando-lhe Prozac, colocando-o numa terapia, tentando reabilitá-lo –, mas que não há quase nada que possamos fazer para impedir que, antes de tudo, um crime seja cometido. O velho critério para lidar com as epidemias de criminalidade acarreta inevitavelmente a preocupação com medidas de defesa. Coloque mais uma tranca na porta para desencorajar o ladrão e talvez estimulá-lo a ir à casa do vizinho. Deixe os bandidos presos por mais tempo, de modo que tenham menos chances de nos fazer mal também. Mude-se para um bairro mais abastado para ficar o mais longe possível da maioria dos marginais.

Entretanto, uma vez que compreendemos a importância do contexto, isto é, que elementos específicos e relativamente pequenos do ambiente podem servir de Pontos da Virada, esse pensamento derrotista cai por terra. Os Pontos da Virada Ambientais são fatores que temos condições de mudar: podemos consertar janelas quebradas, apagar as pichações e trocar os sinais que convidam a práticas criminosas. Mais do que compreendido, o crime pode ser evitado. Existe aí uma dimensão mais ampla. Judith Harris argumentou com toda a propriedade que a influência dos colegas e da comunidade é mais importante do que a da família na determinação de como serão nossos filhos. Estudos sobre delinqüência infantil e índices de abandono dos estudos no ensino fundamental, por exemplo, revelam que uma criança se sai melhor quando tem uma família perturbada, mas mora numa boa vizinhança do que quando tem uma boa família, porém vive numa vizinhança ruim. Como passamos muito tempo ressaltando a importância e o poder da influência da família, pode parecer, à primeira vista, que isso não é verdade. No entanto, essa constatação é uma óbvia e sensata extensão do Poder do Contexto, porque diz que essas crianças são fortemente moldadas pelo ambiente externo, que as características do nosso mundo social e físico imediato – as ruas por onde caminhamos, as pessoas que encontramos – têm um papel significativo na definição da nossa maneira de ser e agir. Não é apenas o comportamento criminoso grave que é sensível aos sinais ambientais – todos os comportamentos são. Por mais estranho que pareça, se combinarmos o significado do estudo na prisão de Stanford com o da experiência no metrô de Nova York, a sugestão é de que é possível ser uma pessoa melhor numa rua limpa ou num metrô limpo do que num lugar cheio de lixo e pichado.

"Num caso como aquele, você está numa situação de combate", disse Goetz à sua vizinha Myra Friedman, num telefonema angustiado dias depois do confronto. "Não dá para pensar normalmente. A memória nem funciona direito. A exaltação é muito grande. A visão muda. O campo de visão muda. A capacidade muda. Aquilo que você é capaz de fazer muda." Ele agiu, continua Goetz, "com maldade e selvageria... Se você encurrala um rato, é para matá-lo, não é mesmo? Eu reagi com maldade e selvageria, exatamente assim, como um rato".[12]

É claro que sim. Ele estava numa toca de ratos.

O Poder do Contexto (parte dois):

150, O NÚMERO MÁGICO

Em 1996, uma ex-atriz e autora de peças de teatro chamada Rebecca Wells publicou um livro com o título *Divine Secrets of the Ya-Ya Sisterhood* (Segredos divinos da irmandade Ya-Ya) cuja chegada às livrarias não foi propriamente um acontecimento literário. Rebecca já havia escrito outro livro – *Little Altars Everywhere* (Pequenos altares por toda a parte) –, que alcançou discreto sucesso em sua cidade natal, Seattle. Mas ela não era uma Danielle Steel nem uma Mary Higgins Clark. Em uma sessão de leitura, logo após o lançamento do livro em Greenwich, Connecticut, havia sete pessoas na platéia. Rebecca ganhou algumas críticas superficiais aqui e ali, a maioria positiva. No fim, o livro vendeu umas respeitáveis 15 mil cópias em edição de capa dura.

Um ano depois, *Divine Secrets of the Ya-Ya Sisterhood* foi lançado em brochura. A primeira edição, de 18 mil cópias, esgotou-se nos primeiros meses, superando as expectativas. No início do verão, tinham sido vendidos 30 mil exemplares. Rebecca e sua editora, Diane Reverand, perceberam que alguma coisa estranha e maravilhosa estava para acontecer. "Eu ficava ali autografando e apareciam seis ou sete mulheres juntas trazendo de 3 a 10 livros", lembra-se. Diane Reverand reuniu a equipe de marketing e disse que era hora de fazer uma campanha publicitária. Eles publicaram um anúncio na página oposta à do sumário na revista *New Yorker* e, em um mês, as vendas dobraram para 60 mil exemplares. Entre uma palestra e outra em diversos pontos dos Estados Unidos, Rebecca começou a observar mudanças na composição do seu público. "Notei que vinham mães e filhas. As filhas, entre o final dos 30 e o início dos 40 anos. As mães eram da geração que freqüentou o ginásio durante a Segunda Guerra Mundial. Depois, percebi que havia três gerações – as de 20 e poucos anos estavam aparecendo também. E aí, para a minha plena satisfação – e isso só foi acontecer mais tarde –, havia adolescentes e pré-adolescentes."

Divine Secrets of the Ya-Ya Sisterhood ainda não estava nas listas de best-sellers. Isso só foi acontecer em fevereiro de 1998, quando o livro atingiu o topo, com 48 tiragens e 2,5 milhões de exemplares. A atenção da mídia nacional – os artigos nas principais revistas femininas e a presença de Rebecca em programas de televisão, o que a tornaria uma celebridade – ainda não tinha despertado. Mas, com o poder da propaganda boca a boca, o livro alcançou o Ponto da Virada. "Acho que o momento decisivo aconteceu no norte da Califórnia, no inverno após o lançamento da edição em brochura", disse ela. "De repente, havia de 700 a 800 pessoas nas sessões de leitura."

Por que *Divine Secrets of the Ya-Ya Sisterhood* se tornou uma epidemia? Fazendo uma retrospectiva, a resposta parece bastante simples. O livro em si é comovente e muito bem escrito, uma bela história sobre amizade e o relacionamento entre mãe e filha. Ele toca as pessoas. E se fixa. Além disso, há o fato de a própria Rebecca ter sido atriz. Mais do que ler o livro nas excursões pelo país, ela o encenava, representando cada personagem com tanta habilidade que transformava as leituras em espetáculos. Rebecca é uma Vendedora clássica. Mas existe aqui um terceiro elemento, mais óbvio, que tem a ver com o último princípio das epidemias.

O sucesso de *Ya-Ya Sisterhood* é um tributo ao Poder do Contexto. Mais especificamente, é testemunho do poder de um aspecto particular do contexto, que é o papel crítico que os grupos representam nas epidemias sociais.

1.

De certo modo, essa é uma observação óbvia. Qualquer freqüentador de cinema sabe que o número de pessoas na platéia afeta a impressão que temos sobre a qualidade do filme: invariavelmente, as comédias são mais engraçadas e o suspense se torna maior com a casa cheia. É o que os psicólogos também dizem: quando se pede às pessoas que considerem evidências ou tomem decisões dentro de um grupo, o resultado é bem diferente do que se cada uma delas desse a sua resposta de forma individual. Em grupo, somos todos suscetíveis às pressões dos colegas, das normas sociais e de qualquer outro tipo de influência que possa ter um papel crítico para nos arrebatar no início de uma epidemia.

Você já se perguntou, por exemplo, como os movimentos religiosos tiveram início? Em geral, pensamos neles como um produto de evangelizadores altamente carismáticos, como o apóstolo Paulo, Billy Graham e Brigham Young. Mas a divulgação de qualquer ideologia nova e contagiante também tem muito a ver com a hábil utilização do poder do grupo. Entre o fim do século XVIII e o início do XIX, por exemplo, o movimento metodista foi uma epidemia na Inglaterra e na América do Norte, dando uma virada de 20 mil para 90 mil seguidores nos Estados Unidos, no espaço de cinco ou seis anos na década de 1780. No entanto, o seu fundador, John Wesley, não foi o pregador mais carismático da sua época. A honra pertenceu a George Whitfield, orador de tamanho poder e carisma que, dizia-se, conseguiu convencer Benjamin Franklin – que estava longe de ser um freqüentador de igrejas – a fazer um donativo de £5. Wesley também não chegou a ser um grande teólogo, na tradição, digamos, de um Calvino ou Lutero. Seu talento era organizacional. Ele viajava pela Inglaterra e pelos Estados Unidos pregando a céu aberto para milhares de pessoas. Contudo, não se limitava a essa atividade. Permanecia nas cidades apenas o tempo necessário para fazer com que os convertidos mais entusiasmados formassem sociedades religiosas que, depois, ele subdividia em classes menores com cerca de 12 membros. Os participantes tinham que freqüentar reuniões semanais e adotar um rígido código de conduta. Se não vivessem segundo os padrões metodistas, eram expulsos. O grupo, em outras palavras, representava alguma coisa. Ao longo da vida, Wesley viajou muito até os locais onde esses grupos estavam estabelecidos, chegando a percorrer mais de 6.400km por ano a cavalo para reforçar os princípios da fé metodista. Era um Comunicador clássico. Foi um grande Paul Revere. A diferença, entretanto, é que ele não tinha muitos vínculos com outras pessoas. Estava ligado a uma série de grupos, o que é uma diferença pequena, porém fundamental. Wesley percebeu que, para provocar uma transformação profunda nas crenças e no comportamento das pessoas – uma mudança que permanecesse e servisse de exemplo –, era necessário criar em torno delas uma comunidade em que esses novos valores pudessem ser praticados, manifestados e nutridos.

Acredito que isso ajuda a explicar por que *Ya-Ya Sisterhood* também atingiu o Ponto da Virada. A primeira lista de best-sellers em que o livro apareceu foi a da Northern California Independent Bookseller. No norte da Califórnia, como disse Rebecca, é que começaram a aparecer de 700 a 800 pessoas para assistir às suas leituras. Lá teve início a epidemia de *Ya-Ya*. Por quê? Porque, segundo Reverand, é em São Francisco que se encontra uma das culturas mais fortes de grupos de leitura. E, desde o início, *Ya-Ya* foi o que os editores chamam de "livro para grupos de leitura". É o tipo de narrativa emocionalmente sofisticada, com personagens bem estruturados e vários níveis que convidam à reflexão e à discussão. Assim, esses grupos apareciam nas sessões aos bandos. As mulheres que compareciam compravam novos exemplares não só para parentes e amigos como para outros membros de seu grupo. E, como *Ya-Ya* estava sendo muito comentado e lido nesses círculos, ele se fixou. Afinal de contas, temos mais facilidade para nos lembrar de alguma coisa e gostar dela quando passamos duas horas falando sobre o assunto com nossos melhores amigos. Isso se torna uma experiência social, um objeto de conversação. As raízes de *Ya-Ya* na cultura dos grupos de leitura foram responsáveis por sua transformação numa grande epidemia de propaganda boca a boca.

Rebecca Wells diz que, no fim das sessões, na parte de perguntas e respostas, as mulheres na platéia costumavam fazer comentários como: "Estávamos num grupo de leitura havia dois anos, mas depois que lemos o seu livro alguma coisa aconteceu. Houve uma troca maior, mais parecida com amizade. Passamos a ir à praia juntas e a dar festas em casa." Elas começaram a formar seus próprios grupos de fraternidade Ya-Ya, imitando aquele que a autora descreve no livro, e a levar fotografias para Rebecca autografar. O metodismo de Wesley espalhou-se como fogo pela Inglaterra e pelos Estados Unidos porque ele viajava milhares de quilômetros por ano estabelecendo contato com centenas de grupos que, em seguida, pegavam a sua mensagem e a fixavam ainda mais. Os rumores sobre *Ya-Ya* estavam se espalhando da mesma forma, de um grupo de leitura a outro, de um grupo Ya-Ya a outro grupo Ya-Ya, de uma sessão com Rebecca a outra porque, durante mais de um ano, ela não fez outra coisa na vida a não ser viajar.

O que aprendemos com *Ya-Ya* e John Wesley é que grupos pequenos e muito unidos têm o poder de aumentar o potencial epidêmico de uma mensagem ou idéia. Essa conclusão, entretanto, ainda deixa sem resposta muitas perguntas críticas. A palavra *grupo*, por exemplo, pode descrever tudo, desde um time de basquete até o Sindicato dos Caminhoneiros, de dois casais em férias ao Partido Republicano. Se estamos interessados em iniciar uma epidemia – em atingir o Ponto da Virada –, quais são os grupos mais eficazes? Existe uma regra prática para distinguir um grupo com verdadeira autoridade social de outro com menos? Parece que sim. Chama-se a Regra dos 150, e ela é um exemplo fascinante de como o contexto é capaz de afetar de forma estranha e inesperada o curso das epidemias sociais.

2.

Em psicologia cognitiva existe um conceito chamado "capacidade de canal", que se refere à quantidade de espaço em nosso cérebro para certos tipos de informação. Suponha que eu toque para você diferentes tons musicais ao acaso e lhe peça que identifique cada um deles por um número. Um tom bem baixo deve ser chamado de um, um tom médio deve ser chamado de dois e um tom alto deve ser chamado de três. O objetivo do teste é descobrir durante quanto tempo você é capaz de continuar discriminando tons diferentes. Pessoas com ótimo ouvido conseguem, é claro, ficar nesse jogo por um longo tempo. Ainda que ouçam dezenas de tons, distinguem todos eles. Contudo, para a maioria de nós, isso é bem mais difícil. Em geral, as pessoas só chegam a seis categorias. Depois começam a errar e amontoar tons distintos em apenas uma delas. Essa é uma descoberta surpreendente. Se, por exemplo, eu tocar cinco tons bem altos, você conseguirá discerni-los. Do mesmo modo, se eu tocar cinco tons bem baixos, você identificará cada um deles. Então, talvez pense que, se eu combinar esses tons altos e baixos e tocar todos ao mesmo tempo, você será capaz de dividi-los em 10 categorias. Mas não será. Provavelmente vai parar em seis categorias.

Esse limite natural aparece repetidas vezes em testes simples. Se eu lhe der para beber 20 copos de chá gelado, cada um deles com uma quantidade diferente de açúcar e lhe pedir que os classifique em categorias de acordo com a doçura, você só será capaz de distinguir seis ou sete antes de começar a cometer erros. Ou, se eu projetar pontos numa tela à sua frente rapidamente e lhe perguntar quantos deles está vendo, você contará até sete e depois terá que adivinhar. "Parece haver uma limitação dentro de nós, seja pelo aprendizado, seja pela estrutura do nosso sistema nervoso, que mantém nossa capacidade de canal dentro dessa faixa de modo geral", concluiu o psicólogo George Miller no ensaio "Sete, o Número Mágico".[1] É por isso que os números de telefone tinham sete dígitos. "Bell queria o número mais extenso possível para ter a maior capacidade possível, mas não tanto que as pessoas não conseguissem guardá-lo de memória", diz Jonathan Cohen, pesquisador da memória da Universidade de Princeton. Com oito ou nove dígitos, o número de telefone local excederia a nossa capacidade de canal: haveria mais enganos.

Como seres humanos, portanto, só podemos lidar com uma quantidade de informações de cada vez. Acima de determinado limite, ficamos sobrecarregados. Estou falando aqui de uma capacidade intelectual – a de processar informações em estado bruto. No entanto, pensando melhor, também é evidente que temos uma capacidade de canal para os sentimentos.

Reserve um minuto, por exemplo, para fazer uma relação das pessoas que você conhece cuja morte o deixaria arrasado. É provável que só se lembre de cerca de uma dúzia. Essa, pelo menos, foi a média da maioria das pessoas a quem dirigimos esse pedido. Esses nomes compõem o que os psicólogos chamam de nosso grupo empático. Por que os grupos não são maiores? Em parte, por uma questão de tempo. É quase certo que os nomes na sua lista são de pessoas a quem você dedica mais atenção – por telefone, pessoalmente ou em pensamento, preocupando-se com elas. Se a sua relação tivesse 30 nomes e, por causa disso, você só pudesse passar metade do tempo com cada um desses indivíduos, continuaria sendo tão amigo deles assim? Tudo leva a crer que não. Ser o melhor amigo de alguém requer um investimento mínimo de tempo. Mais do que isso, consome energia emocional. Interessar-se profundamente por alguém é exaustivo. Em determinado ponto, mais ou menos entre 10 e 15 pessoas, começamos a ficar sobrecarregados, assim como acontece quando temos que distinguir um número muito grande de tons. Isso é uma decorrência da maneira como os seres humanos são constituídos. Segundo o biólogo da evolução S. L. Washburn:

> A maior parte da evolução humana aconteceu antes do advento da agricultura, quando as pessoas viviam em pequenos grupos, em contato direto umas com as outras. Conseqüentemente, a nossa biologia evoluiu como um mecanismo de adaptação a condições que, em grande parte, já não existem mais. O ser humano avança para sentir de forma intensa a relação com poucas pessoas, distâncias curtas e intervalos relativamente breves de tempo. E essas continuam a ser para ele as dimensões importantes da vida.[2]

Mas talvez o limite natural mais interessante seja o que se pode chamar de nossa capacidade de canal social. A defesa mais convincente da tese de que existe uma capacidade social é do antropólogo Robin Dunbar. Ele começa com uma observação simples. De todos os mamíferos, são os primatas – macacos, chimpanzés, babuínos, humanos – que têm o cérebro maior. E o mais importante é que uma parte específica do cérebro dos humanos e de outros primatas – a região conhecida como neocórtex, que lida com pensamentos e raciocínios complexos – é enorme pelos padrões dos mamíferos. Há anos os cientistas discutem o porquê disso. Uma teoria diz que nosso cérebro evoluiu porque nossos ancestrais primatas passaram a se interessar por alimentos de coleta mais sofisticada: deixaram de ingerir apenas gramas e folhas e passaram a comer frutas também, o que exigia maior capacidade de raciocínio. Tinham que ir mais longe para encontrá-las, portanto era necessário criar mapas mentais. Havia a preocupação com o amadurecimento. Era preciso descascar, abrir e dividir a fruta para que pudessem comer a polpa, e assim por diante. O problema dessa teoria é que, se tentarmos comparar o tamanho do cérebro com padrões alimentares entre os primatas, ela não funciona. Existem primatas comedores de folhas com cérebros grandes e comedores de frutas com cérebros menores, assim como há primatas com córtex pequeno que percorrem longas distâncias em busca de comida e primatas com cérebros grandes que não saem de casa para se alimentar. Portanto, o argumento da comida é um beco sem saída. Então, o tamanho do cérebro está relacionado com o quê? Com o tamanho do grupo, argumenta Dunbar. Se observarmos qualquer espécie de primata – qualquer variedade de macaco pequeno ou grande –, quanto maior o seu neocórtex, maior o tamanho médio dos seus grupos.

O argumento de Dunbar é que os cérebros evoluem – crescem – para lidar com as complexidades de grupos sociais maiores. Se você pertence a um grupo de cinco pessoas, observa Dunbar, terá que acompanhar 10 relacionamentos separados: os que você mantém com as outras quatro pessoas daquele círculo e os seis que elas estabelecem entre si. Isso é o que significa conhecer todos ali. É preciso compreender a dinâmica pessoal do grupo, fazer malabarismos com diferentes personalidades, deixar as pessoas felizes, administrar as exigências que elas fazem em relação ao seu tempo e atenção, e daí por diante. Entretanto, caso o grupo passe a ter 20 membros, serão 190 relacionamentos: 19 envolvendo você e 171 ligando os demais. O grupo terá crescido cinco vezes, porém a quantidade de informações processadas necessárias para "conhecer" os outros indivíduos será 20 vezes maior. Portanto, até mesmo um aumento relativamente pequeno no tamanho de um grupo gera uma sobrecarga social e intelectual significativa.

Os humanos se socializam em grupos maiores do que todos os outros primatas porque somos os únicos animais com cérebro grande o suficiente para lidar com as complexidades dessa estrutura social. Dunbar desenvolveu uma equação, que funciona com a maioria dos primatas, na qual ele insere o que chama de coeficiente do neocórtex de determinada espécie (o tamanho do neocórtex em relação ao tamanho do cérebro) para obter o tamanho máximo esperado para o grupo do animal. Se empregarmos o coeficiente do neocórtex do *Homo sapiens*, teremos um grupo estimado de 147,8, ou quase 150 indivíduos. "O número 150 parece representar a quantidade máxima de pessoas com quem podemos ter um autêntico relacionamento social, o que significa saber quem elas são e como se relacionam conosco. Explicando melhor, é o número de indivíduos com os quais você não se sentiria constrangido se fosse tomar um drinque no bar sem ser convidado."

Dunbar tem pesquisado a literatura sobre antropologia e sempre esbarra no número 150. Por exemplo, ele examinou 21 sociedades caçadoras diferentes das quais temos sólidos registros históricos, dos *walbiri*, da Austrália, aos *tauades*, de Papua Nova Guiné; dos *ammassalik*, da Groenlândia, aos *ona*, da Terra do Fogo, e verificou que o número médio de pessoas nas suas aldeias era 148,4. Constatou também que esse padrão vale, igualmente, para as organizações militares. "Com o passar dos anos, os estrategistas militares chegaram a uma regra empírica que diz que unidades de combate funcionais não podem ter mais do que 200 homens", escreve Dunbar. "Isso, suponho, não é apenas uma questão de como os generais na retaguarda exercem o controle e a coordenação, pois as companhias têm se mantido desse tamanho apesar de todos os avanços na tecnologia das comunicações desde a Primeira Guerra Mundial. Pelo contrário, é como se os estrategistas tivessem descoberto, por tentativa e erro ao longo dos séculos, que é difícil fazer com que soldados reunidos em um número maior do que esse se entrosem o bastante para trabalharem juntos como uma unidade funcional." Mas continua sendo possível, é claro, comandar um exército com grupos maiores. Nesse caso, torna-se necessário impor hierarquias, normas, regulamentos e medidas formais para tentar manter a lealdade e a coesão. Com um número inferior a 150, porém, argumenta Dunbar, os mesmos objetivos podem ser atingidos de modo mais informal. "Com unidades desse tamanho, é possível implementar ordens e controlar comportamentos rebeldes com base na lealdade pessoal e em contatos diretos homem a homem. Nos grupos maiores, isso é inviável."

Temos também o exemplo do grupo religioso conhecido como huteritas, que há séculos vive da agricultura de subsistência em colônias na Europa e, desde o século XX, nos Estados Unidos. Vindos da mesma tradição dos amish e dos menonitas, os huteritas adotam uma política rígida: dividir a colônia em duas assim que o número de seus integrantes se aproxima de 150. "Manter a quantidade de pessoas abaixo dessa marca parece ser a melhor e a mais eficiente maneira de administrar um grupo", disse Bill Gross, um dos líderes de uma colônia huterita fora de Spokane. "Acima disso, ninguém se conhece mais." Os huteritas, obviamente, não tiraram essa idéia da psicologia contemporânea da evolução. Há séculos eles seguem a regra dos 150. O seu argumento, entretanto, se ajusta com perfeição às teorias de Dunbar. Quando se atinge esse número, os huteritas acreditam, acontece algo indefinível, porém muito real, que de alguma forma muda a natureza da colônia da noite para o dia. "Em associações menores, as pessoas ficam mais próximas. Elas se entrosam, o que é muito importante quando se quer ser eficiente e alcançar sucesso na vida comunitária", continua Gross. "Se a comunidade cresce demais, já não existe tanto trabalho nem muitas outras coisas em comum. Aí as pessoas se tornam estranhas umas às outras e o companheirismo começa a se perder." Ele fala por experiência própria. Esteve em colônias huteritas que chegaram perto desse número mágico e constatou as mudanças. "O que ocorre quando atingimos esse tamanho é que o grupo passa, por si só, a formar uma espécie de clã." Ele fez um gesto com as mãos, demonstrando a divisão. "Aparecem dois ou três grupos menores. Isso tem que ser evitado, mas, se acontecer, é hora de criar ramificações."

3.

Vimos neste livro como algumas mudanças relativamente insignificantes no ambiente externo podem exercer um efeito drástico na nossa maneira de ser e no nosso comportamento. Apague as pichações e, de repente, pessoas que cometeriam crimes não farão mais isso. Mande um seminarista se apressar e ele deixará de ver pessoas aflitas no seu caminho. A Regra dos 150 sugere que o tamanho de um grupo é mais um desses fatores contextuais sutis que podem fazer grande diferença. No caso dos huteritas, indivíduos dispostos a agir em conformidade com o grupo e que podem ser contaminados com facilidade pelo etos comunitário abaixo do número 150, de repente – com apenas uma mudança mínima no tamanho da comunidade –, se dividem e se alienam.

Uma vez cruzada essa linha, esse Ponto da Virada, o comportamento deles se altera.

Portanto, se quisermos obter grupos que sirvam de incubadoras para mensagens contagiantes, como no caso de *Divine Secrets of the Ya-Ya Sisterhood* e do início da Igreja Metodista, precisamos manter o número de pessoas nos grupos abaixo do Ponto da Virada dos 150. Acima disso, surgem obstáculos estruturais à capacidade que os grupos possuem de concordar e agir de maneira uniforme. Se desejarmos que as comunidades carentes tenham escolas com capacidade de neutralizar a atmosfera nociva da vizinhança, talvez seja melhor construir várias escolas pequenas do que uma ou duas grandes. A Regra dos 150 diz que os membros de uma igreja em rápida expansão, os sócios de um clube, assim como quaisquer outros participantes de uma atividade de grupo que contem com a divulgação em larga escala de ideais compartilhados, devem estar cientes dos perigos da expansão. Cruzar a linha dos 150 é uma pequena mudança que pode fazer grande diferença.

Talvez o melhor exemplo de uma organização que tem navegado por esse problema com sucesso seja a Gore Associates, uma empresa privada multimilionária, de alta tecnologia, sediada em Newark, Delaware. É essa companhia que produz o tecido impermeável Gore-Tex, assim como o fio dental Glide, revestimentos isolantes especiais para cabos de computadores e uma série de cartuchos, filtros e canos para as indústrias automotiva, de semicondutores, farmacêutica e médica. Na Gore não existem títulos. Se você pedir um cartão a alguém que trabalha ali, lerá apenas o seu nome e, embaixo, a palavra "Associado", independentemente de seu salário, nível de responsabilidade e tempo de casa. As pessoas não têm chefes, têm responsáveis – orientadores – que cuidam dos seus interesses. Não existem diagramas da organização, orçamentos nem planos estratégicos complicados.

Os salários são definidos de forma coletiva. A sede da empresa localiza-se num prédio de poucos andares e despretensioso. Os escritórios "executivos" são salas pequenas, decoradas com simplicidade, ao longo de um corredor estreito. Os maiores espaços nas instalações da Gore são em geral usados como salões de conferência ou áreas livres para que não se diga que alguém tem uma sala privilegiada. Quando visitei um de seus associados, Bob Hen, em uma das fábricas da organização em Delaware, tentei em vão fazer com que ele me dissesse qual era o seu cargo. Eu desconfiava, pelo fato de me ter sido recomendado, que ele fosse um dos altos executivos. Mas a sua sala não era maior do que a de ninguém ali. Seu cartão dizia apenas que era um "associado". Ele não parecia ter secretária – pelo menos, não que eu tenha visto. Suas roupas não eram diferentes das dos outros. Como continuei insistindo, a única coisa que ele acabou dizendo, com um grande sorriso, foi: "Sou um intrometido."

Em resumo, a Gore é uma organização incomum com uma filosofia clara e bem articulada. É grande e estabelecida, mas tenta se comportar como uma iniciante. Em todos os sentidos, essa política tem tido muito sucesso. A Gore está sempre nas listas das melhores empresas americanas para se trabalhar e nas relações das mais bem administradas companhias americanas. O seu índice de rotatividade de pessoal é cerca de um terço da média do setor. Ela dá lucro há 35 anos consecutivos. O seu índice de crescimento e a sua linha de produtos inovadores e muito lucrativos causam inveja aos concorrentes. A Gore conseguiu criar um etos de pequena empresa tão contagiante e com tal poder de fixação que sobreviveu à sua expansão como um empreendimento de US$1 bilhão com milhares de funcionários. E como ela fez isso? Aderindo (entre outras coisas) à Regra dos 150.

Wilbert "Bill" Gore – fundador já falecido da empresa – não foi mais influenciado, é claro, pelas idéias de Robin Dunbar do que os huteritas. Como eles, Wilbert parece ter tropeçado no princípio por tentativa e erro. "Percebíamos sempre que as coisas se complicavam quando se chegava aos 150", ele contou a um entrevistador anos atrás. Portanto, 150 funcionários por fábrica passou a ser a meta da empresa. Na divisão de eletrônica, isso significa que nenhuma instalação pode ter mais de 4.600m², pois é quase impossível acomodar mais de 150 pessoas num prédio desse tamanho. "Costumavam me perguntar como faço o meu planejamento de longo prazo", disse Hen. "Eu respondia que isso é fácil. Dividimos o estacionamento em 150 vagas e, quando as pessoas começam a estacionar na grama, é hora de construir um novo prédio." E ele não precisa ficar muito longe. Em Delaware, por exemplo, a empresa tem três fábricas no mesmo campo de visão. De fato, possui 15 instalações num raio de 19km em Delaware e Maryland. Basta que os edifícios sejam distintos o bastante para permitir uma cultura individual em cada um deles. "Descobrimos que um estacionamento estabelece uma grande lacuna entre os prédios", um associado de longo tempo, Burt Chase, me disse. "A pessoa tem que se dispor a atravessar toda aquela área, e isso exige esforço. É quase como dirigir 8km. Existe muita independência só pelo fato de se estar numa instalação à parte." Como a Gore cresceu nos últimos anos, ela passou por um processo quase constante de divisões e subdivisões. Outras organizações teriam acrescentado anexos ao prédio principal, ampliado uma linha de produção ou dobrado turnos. A Gore tenta fragmentar os grupos em partes cada vez menores. Quando a visitei, por exemplo, a fábrica de roupas confeccionadas com Gore-Tex tinha acabado de ser separada em dois grupos para que o número de funcionários ficasse abaixo do limite dos 150. As áreas mais voltadas para o consumo de moda, como a de botas, mochilas e equipamentos para caminhadas, estavam seguindo por conta própria, deixando para trás o negócio institucional de confecção de uniformes de Gore-Tex para bombeiros e soldados.

Não é difícil ver a relação entre esse modelo de estrutura organizacional e o estilo informal e inusitado da administração da Gore. O tipo de vínculo que Dunbar descreve em pequenos grupos é essencialmente o da pressão dos colegas: conhecer as pessoas o suficiente, de modo que a opinião delas faça diferença. Lembre-se de que ele disse que a companhia é a unidade básica da organização militar porque, num grupo com menos de 150 pessoas, é possível implementar ordens e controlar o comportamento rebelde com base na lealdade e nos contatos diretos homem a homem. Foi isso também que Bill Gross explicou em relação à comunidade huterita. As fissuras que eles observam nas colônias que crescem demais surgem quando os vínculos entre seus membros começam a se enfraquecer. A Gore não precisa de estruturas administrativas formais em suas pequenas fábricas – isto é, dos níveis habituais de gerência média e alta – porque nessas equipes de tamanho limitado os relacionamentos pessoais informais são mais eficazes. Jim Buckley, que é associado da empresa há muitos anos, me disse: "Sempre que não somos eficientes num setor, quando não estamos gerando lucros para a empresa, a pressão dos colegas é inacreditável. É isso que se consegue com grupos pequenos em que todos se conhecem. A pressão dos colegas é muito mais forte do que o conceito de um supervisor. As pessoas querem estar à altura do que se espera delas." Numa instalação maior, de tamanho convencional, há o mesmo tipo de pressão. No entanto, ela ocorre apenas dentro de certas áreas. A vantagem de uma fábrica da Gore é que todas as partes do processo de projetar, produzir e colocar determinado produto no mercado estão sujeitas ao escrutínio do mesmo grupo. "Acabei de voltar das instalações da Lucent Technologies, em Nova Jersey", contou Buckley. "É onde eles fazem as células que operam os telefones celulares – os compartimentos que transportam os sinais. Passei um dia inteiro ali. São 650 funcionários. Na melhor das hipóteses, os funcionários do setor de fabricação sabem quem são alguns dos projetistas. E só. Não conhecem um só vendedor nem ninguém da área de apoio às vendas. Nem do departamento de Recursos Humanos. Não têm idéia de quem são esses indivíduos, muito menos do que acontece nesses outros setores da empresa. A pressão de que estou falando existe, por exemplo, quando os vendedores e o pessoal da fabricação compartilham o mesmo mundo e, no momento em que um vendedor quer atender logo o pedido de um cliente, ele procura alguém conhecido na fábrica e diz: preciso disso. São duas pessoas – uma delas está tentando fazer o produto, a outra, vendê-lo. Elas discutem o assunto. Isso é pressão dos colegas. Não é o que ocorre na Lucent. Na parte da fabricação, havia 150 funcionários. Eles trabalham juntos, e existe a pressão dos colegas no sentido de ser o melhor e o mais inovador. Contudo, isso fica restrito àquela equipe. Eles não se conhecem uns aos outros. Na cafeteria vi pequenos grupos. É um tipo diferente de experiência."

Buckley está se referindo aqui à vantagem da unidade – de todos, num empreendimento complexo, partilharem um relacionamento global. Em psicologia existe um conceito muito útil que, acredito, explica isso bem. É o que o psicólogo Daniel Wegner, da Universidade da Virgínia, chama de "memória transacional".[3] Quando falamos de memória, não estamos tratando apenas de idéias, impressões e fatos armazenados na mente. Uma quantidade enorme das coisas de que nos lembramos está guardada fora do nosso cérebro. A maioria de nós não sabe de cor grande parte dos números de telefone de que precisa. Mas sabe onde encontrá-los – num caderninho de telefones ou na agenda pessoal. Ou decora o número do auxílio à lista da companhia telefônica. Muitas pessoas ignoram os nomes das capitais de países de pouca expressão.

Para que se preocupar com isso? É muito mais fácil comprar um atlas e deixar esse tipo de dado ali. E o mais importante, talvez, é que armazenamos informações com outras pessoas. Os casais fazem isso de forma automática. Wegner, por exemplo, realizou um teste de memória com 59 casais que tinham um relacionamento de, no mínimo, três meses. Metade deles permaneceu junta no estudo, enquanto a outra metade foi separada para formar novos pares com pessoas desconhecidas. Em seguida, Wegner pediu a todos os pares que lessem 64 frases. Cada uma delas continha uma palavra grifada, como em "Midori é um *licor* japonês feito com melão". Cinco minutos depois, as duplas deviam escrever todos os termos de que conseguissem se lembrar. O resultado foi que os casais originais se recordaram de um número muito maior de itens do que os novos pares. Wegner argumenta que, quando as pessoas se conhecem bem, elas criam um sistema implícito de memória conjunta – um sistema de memória transacional – baseado num entendimento de quem tem mais facilidade para se lembrar do quê. "Em geral, compreende-se um relacionamento como um processo de auto-revelação mútua", escreve ele. "Embora seja mais romântico dizer que esse é um processo de revelação e aceitação interpessoal, ele também pode ser visto como um precursor necessário para a memória transacional." Esse tipo de memória faz parte da intimidade entre duas pessoas. Segundo Wegner, a privação da memória conjunta contribui para tornar os divórcios dolorosos. "Os divorciados que ficam deprimidos e se queixam de disfunção cognitiva talvez estejam expressando a perda de seus sistemas externos de memória", afirma ele. "Um dia, eles puderam discutir suas experiências para chegar a uma compreensão compartilhada... Antes, contavam com o acesso a uma série de dados armazenados pelo parceiro, e isso também acabou... A perda da memória transacional é sentida como a perda de parte da própria mente."

Numa família, esse compartilhamento de memória é até mais pronunciado. A maioria de nós se lembra de apenas de uma fração dos detalhes do cotidiano e das histórias da nossa família. No entanto, sabemos, implicitamente, a quem perguntar para obter as respostas de que precisamos – se é a mulher ou o marido que sabe onde estão as chaves, se é o filho adolescente que sabe operar o computador ou se é a nossa mãe que nos conta detalhes da nossa infância. Talvez o mais importante é que, quando surgem novas informações, temos em mente quem deveria assumir a responsabilidade de guardá-las. É assim que surgem as especializações numa família. O jovem de 13 anos é o especialista em computadores da casa não somente porque é a pessoa com mais aptidão para lidar com equipamentos eletrônicos ou a que mais os utiliza, mas também porque, quando surgem novos dados sobre o PC da família, é a ele que se atribui, automaticamente, a tarefa de armazená-los. Especialização leva a mais especialização. Por que se preocupar em entender como se instala um programa se o seu filho, que está bem ali, pode fazer isso por você? Visto que a energia mental é limitada, nós nos concentramos naquilo que fazemos melhor. As mulheres tendem a ser "especialistas" em cuidar de crianças, até mesmo nas famílias modernas em que pai e mãe têm as suas próprias carreiras, porque o seu maior envolvimento inicial na criação dos bebês faz com que se confie mais nelas do que nos homens para acumular informações sobre essas tarefas. A especialização inicial as torna cada vez mais associadas a esse trabalho até que – sem querer, muitas vezes – também se acumula sobre seus ombros a responsabilidade intelectual pelos filhos. "Quando uma pessoa é reconhecida pelo grupo como responsável por determinados fatos e atividades específicas, é inevitável que sua eficiência seja maior", diz Wegner. "Cada um dos domínios fica ao encargo dos poucos indivíduos que são capazes de manejá-los. E a responsabilidade por eles é contínua com o passar do tempo, e não atribuída de forma intermitente pelas circunstâncias."

Quando Jim Buckley afirma que trabalhar na Gore é uma "experiência diferente", o que ele quer dizer em parte é que essa empresa tem uma memória transacional institucional muito eficaz. É assim que um dos seus associados descreve o tipo de "conhecimento" que se vê numa instalação pequena: "Não se trata apenas de conhecer todo mundo, e sim de conhecer todos o bastante para saber quais são as suas habilidades, capacidades e paixões. O que de fato importa é aquilo de que a pessoa gosta, o que ela faz, o que quer fazer, as coisas em que é boa. E não se ela é agradável." Esse associado está se referindo às precondições psicológicas para a memória transacional: conhecer as pessoas o suficiente para estar a par do que elas sabem e para ter certeza de que dominam aquilo que diz respeito à sua especialidade. É a recriação, no nível empresarial, do tipo de intimidade e confiança que existe dentro de uma família.

Mas, é claro, se o seu negócio é fabricar toalhas de papel ou outro produto muito simples, talvez isso não tenha importância para você. Nem todas as organizações necessitam desse grau de relacionamento. No entanto, numa empresa de alta tecnologia como a Gore, cuja liderança no mercado depende da sua capacidade de inovar e reagir rápido às exigências de consumidores sofisticados, esse sistema de memória global é crítico. Ele aumenta a eficiência de forma extraordinária. A cooperação fica mais fácil. Isso significa maior rapidez na execução de tarefas, na criação de equipes e na solução de problemas. Os funcionários de um departamento têm acesso às opiniões e à expertise de outros que trabalham em setores totalmente diferentes. Pode ser que na Lucent, as 150 pessoas da área de fabricação tenham a sua própria rede de memória. A empresa, entretanto, talvez fosse muito mais eficiente se, como a Gore, todos ali fizessem parte do mesmo sistema transacional – isto é, se os profissionais de Pesquisa e Desenvolvimento interagissem com os projetistas, se os projetistas estivessem ligados aos trabalhadores da fábrica e estes últimos ao departamento de vendas. "Quando falamos sobre isso, a reação imediata das pessoas é: 'Cara, o seu sistema é caótico. Como vocês conseguem fazer alguma coisa sem uma autoridade óbvia?' Acontece que não é um caos. Não é um problema", diz Burt Chase. "É difícil achar que esse esquema é bom, a menos que se trabalhe desse jeito. Temos a vantagem de compreender os pontos fortes dos outros. E saber quem pode nos orientar melhor. Quando conhecemos um pouco dos demais, temos condições de fazer isso."

Em resumo, a Gore estabeleceu um mecanismo organizado que facilita o alastramento das novas idéias e informações circulantes na empresa – com esse esquema, os dados são transmitidos de uma pessoa ou de uma parte da equipe para todo o grupo de uma só vez. É a vantagem de se aderir à Regra dos 150. Ela permite que se explorem os bônus da memória e da pressão dos colegas. Se a Gore tentasse atingir cada funcionário de modo individual, sua tarefa seria muito mais difícil, assim como a de Rebecca Wells se as leitoras comparecessem sozinhas às suas palestras, e não em grupos de seis ou sete. E, caso a Gore tivesse tentado reunir todos os seus colaboradores numa grande sala, também não teria dado certo. Para estar unificada – para disseminar uma ideologia empresarial específica entre todos eles –, essa organização teve que se dividir em pedacinhos semi-autônomos. Este é o paradoxo da epidemia: para se criar um movimento contagiante, muitas vezes é necessário gerar antes vários pequenos movimentos. O que Rebecca Wells diz ter percebido quando a epidemia *Ya-Ya* cresceu foi que não se tratava realmente dela nem mesmo do seu livro: não era uma única epidemia de uma só coisa. Eram milhares de epidemias diferentes, todas concentradas nos grupos que se desenvolveram em torno de *Ya-Ya*. "Comecei a notar", disse ela, "que aquelas mulheres haviam construído os seus próprios relacionamentos Ya-Ya, não tanto com o livro, mas umas com as outras."

Estudo de caso:

BOATOS, TÊNIS E O PODER DA TRADUÇÃO

O *airwalking,* ou "caminhar no ar", é o termo que descreve a manobra em que um praticante de skate se arremessa de uma rampa, lança para a frente o skate, dá dois ou três passos longos e exagerados no ar e aterrissa. É uma acrobacia clássica, um movimento tradicional da arte do skate, e é por isso que dois empresários, quando resolveram produzir calçados próprios para os praticantes radicais desse esporte, em meados dos anos 1980, chamaram a empresa de Airwalk. Sediada nos arredores de San Diego, essa organização estava enraizada na cultura adolescente de "praia e skate" da região. No início, ela fabricou um calçado de lona muito colorido que se tornou uma espécie de declaração da moda alternativa. Confeccionou também um modelo especial para skate, de camurça, com a sola grossa e a gáspea tão intensamente acolchoada que – pelo menos no princípio – era quase tão duro quanto a própria prancha de skate. Mas os consumidores gostaram tanto do produto que o amaciavam lavando-o várias vezes e depois passando com o carro por cima dele. A Airwalk era o máximo. Patrocinava atletas profissionais e formou um grupo de adeptos dos eventos desse esporte. Poucos anos depois, tinha construído um satisfatório negócio que faturava US$13 milhões por ano.

As empresas podem continuar nesse patamar indefinidamente, num estado de equilíbrio de nível baixo, atendendo um público pequeno mas fiel. Os proprietários da Airwalk, porém, queriam mais do que isso. Desejavam se estabelecer como uma marca internacional e, no início dos anos 1990, mudaram de curso. Reorganizaram suas operações. Redesenharam os calçados. Expandiram o seu foco para incluir não só praticantes de skate, como também surfistas, ciclistas e adeptos do *snowboard* e do *mountain bike*. Assim, começaram a patrocinar atletas de todas essas modalidades, tornando a Airwalk sinônimo de um estilo de vida ativo e alternativo. Deflagraram uma campanha popular agressiva para atingir o público das lojas de calçados destinados a jovens. Convenceram a Foot Locker, rede de lojas de artigos desportivos, a realizar uma experiência com seus produtos. Empenharam-se em conseguir que as bandas alternativas de rock usassem seus calçados no palco e, talvez o mais importante, decidiram contratar uma pequena agência de publicidade chamada Lambesis para reestruturar a sua campanha de marketing. Sob a direção da Lambesis, a Airwalk explodiu. Em 1993, ela faturava US$16 milhões. Em 1994, suas vendas chegaram a US$44 milhões. Em 1995, saltaram para US$150 milhões. No ano seguinte, atingiram US$175 milhões. No seu ponto máximo, a Airwalk foi classificada por uma importante empresa de pesquisa de marketing em décimo terceiro lugar como a marca preferida dos adolescentes do mundo inteiro e em terceiro lugar entre os fabricantes de calçados, atrás da Nike e da Adidas. De certa forma, no espaço de um ano ou dois, a Airwalk foi ejetada do seu tranqüilo equilíbrio nas praias do sul da Califórnia. E, em meados da década de 1990, atingiu o Ponto da Virada.

Até o momento, este livro tem tratado de definir epidemias e explicar os princípios da transmissão epidêmica. As experiências de Paul Revere, de *Vila Sésamo,* dos crimes na cidade de Nova York e da Gore Associates ilustram cada uma das regras dos Pontos da Virada. No cotidiano, entretanto, nem sempre os problemas e as situações que enfrentamos apresentam de forma tão nítida os princípios das epidemias. Nesta parte do livro, proponho-me a examinar questões menos óbvias e ver como os conceitos de Experts, Comunicadores, Fator de Fixação e Poder do Contexto – isolados ou em conjunto – ajudam a explicá-las.

Por que, por exemplo, a Airwalk saiu de seu equilíbrio? A resposta mais curta é que a Lambesis criou uma campanha de publicidade inspirada. No início, trabalhando com um orçamento reduzido, o diretor de criação da agência, Chad Farmer, apresentou uma série de imagens bastante expressivas – fotografias isoladas de usuários dos produtos Airwalk relacionando-se com eles de alguma maneira estranha. Em uma delas, um jovem usa um tênis na cabeça, com os cordões caindo como tranças que um barbeiro vai cortando. Em outra, uma garota com roupa de couro segura um calçado Airwalk de vinil brilhante como se fosse um espelho e retoca o batom. Os anúncios foram exibidos em outdoors, em tapumes de canteiros de obras e em revistas alternativas. Quando a Airwalk cresceu, a Lambesis passou a anunciar na televisão. Em um dos primeiros comerciais, a câmera dá uma panorâmica de um quarto cheio de roupas espalhadas pelo chão. Depois, pára debaixo da cama e só se escutam grunhidos, uma respiração ofegante e o barulho de molas subindo e descendo. Por fim, aparece um jovem, meio atordoado, pulando na cama com um calçado Airwalk na mão para tentar matar uma aranha no teto. A força dos anúncios estava no aspecto visual – eles foram projetados para atrair a garotada do mundo inteiro. Eram ricos em detalhes e muito atrativos. Todos mostravam um anti-herói truculento e um pouco esquisito. E eram engraçados, porém de forma sofisticada. Foi uma excelente publicidade. Desde o início, o estilo dos anúncios foi várias vezes copiado por outras agências que tentavam ser "descoladas". No entanto, a força da campanha da Lambesis não estava só na superfície do seu trabalho. A Airwalk atingiu o Ponto da Virada porque a sua publicidade estava explicitamente baseada nos princípios da transmissão epidêmica.

1.

Talvez a melhor maneira de compreender o que a Lambesis fez seja voltando ao que os sociólogos chamam de modelo de difusão, que é um jeito detalhado, acadêmico, de ver como uma idéia, um produto ou uma inovação contagiante se alastram por uma população. Um dos estudos mais conhecidos nessa área é a análise de Bruce Ryan e Neal Gross sobre a disseminação da semente de milho híbrida no condado de Greene, Iowa, nos anos 1930.[1] Introduzida em Iowa em 1928, a nova semente de milho era superior em todos os aspectos à que vinha sendo usada ali havia décadas. Entretanto, ela não foi adotada de imediato. Dos 259 agricultores que participaram do estudo de Ryan e Gross, apenas um ou outro tinha começado a plantá-la em 1932 e 1933. Em 1934, 16 deles se arriscaram a fazer isso. Em 1935, outros 21 seguiram esse caminho, depois 36 e, no ano seguinte, houve um salto extraordinário para 61. Daí em diante, foram 46, 36, 14 e três até que, em 1941, apenas dois dos 259 não estavam usando a nova semente. Na linguagem da pesquisa de difusão, aqueles poucos lavradores que decidiram experimentar a novidade logo no início da década de 1930 foram os Inovadores, os aventureiros. O grupo ligeiramente maior contaminado por eles correspondeu aos Primeiros Adeptos. Eles eram os líderes de opinião da comunidade, gente séria e respeitável que observou e analisou o que aqueles ousados Inovadores estavam fazendo e depois os copiou. Em seguida, veio a grande massa de agricultores em 1936, 1937 e

1938, a Maioria Inicial e a Maioria Posterior, o bloco cauteloso e cético que não tentaria nada antes que os nomes mais respeitados fizessem isso. Eles pegaram o vírus da semente e o transmitiram, por fim, aos Retardatários, os mais tradicionais de todos, os que não viam nenhuma urgência em mudar. Se marcarmos essa progressão num gráfico, veremos que a linha faz uma curva epidêmica perfeita – ela surge devagar, ganhando força assim que os Primeiros Adeptos resolvem usar a semente, depois dá uma guinada para cima no momento em que a Maioria adere e cai no fim com o aparecimento de Retardatários aqui e ali.

Nesse caso, a mensagem – a nova semente – foi altamente contagiante e teve uma forte fixação. O agricultor, afinal de contas, podia ver com seus próprios olhos, desde o plantio na primavera até a colheita no outono, que as novas sementes eram muito melhores do que as antigas. É difícil imaginar como essa inovação em particular não "pegaria". Muitas vezes, porém, a disseminação contagiante de uma nova idéia é bastante traiçoeira.

O consultor de negócios Geoffrey Moore,[2] por exemplo, usa a alta tecnologia para argumentar que existe uma diferença substancial entre as pessoas que dão origem a idéias e tendências e a Maioria que acaba por adotá-las. Embora esses dois grupos possam estar próximos no *continuum* da propaganda boca a boca, eles não se comunicam muito bem. Os dois primeiros grupos – os Inovadores e os Primeiros Adeptos – são visionários. Querem mudanças revolucionárias, algo que os diferencie qualitativamente dos concorrentes. São pessoas que compram as tecnologias mais recentes antes que essas novidades sejam aperfeiçoadas, comprovadas ou sofram uma redução de preço. Elas são donas de pequenas empresas. Ainda estão começando. Estão dispostas a assumir riscos enormes. A Maioria Inicial, ao contrário, é formada de grandes empresas. Tem que prestar atenção em qualquer mudança em seus complexos sistemas de fornecedores e distribuidores. "Enquanto a meta dos visionários é dar um pulo significativo para a frente, o objetivo dos pragmáticos é fazer uma melhoria percentual – um progresso mensurável, previsível", escreve Moore. "Se estiverem instalando um novo produto, querem saber como outras pessoas se saíram com ele. A palavra *risco* tem um sentido negativo em seu vocabulário – não indica oportunidade nem empolgação, e sim a possibilidade de perderem tempo e dinheiro. Eles assumem riscos quando necessário, contudo tratam antes de se proteger e de gerenciá-los bem de perto."

O argumento de Moore é que a atitude dos Primeiros Adeptos e a da Maioria Inicial são incompatíveis. As inovações não deslizam suavemente de um grupo para o outro. Há um abismo entre eles. Todos os tipos de produtos de alta tecnologia falham, sem jamais passarem dos Primeiros Adeptos, porque as empresas que os fabricam não encontram um meio de transformar a idéia que faz sentido para um Primeiro Adepto em outra que pareça sensata para alguém da Maioria Inicial.

O livro de Moore é dedicado apenas à alta tecnologia. Mas não há dúvida de que os seus argumentos se aplicam também a outros tipos de epidemias sociais. No caso dos Hush Puppies, os jovens de Manhattan que redescobriram a marca aderiram aos sapatos porque se identificavam com uma imagem datada, kitsch, dos anos 1950. Usavam aquele produto exatamente porque ninguém mais o usava. O que eles estavam procurando na moda era uma afirmação revolucionária. Queriam assumir riscos para se diferenciar dos outros. Grande parte da Maioria Inicial e da Maioria Posterior, entretanto, não deseja fazer uma afirmação revolucionária nem assumir nenhum risco com relação à moda. Como os Hush Puppies cruzaram o abismo entre um grupo e outro? A Lambesis começou a trabalhar com um calçado que tinha um apelo muito específico para a subcultura do skate no sul da Califórnia. A tarefa da agência era torná-lo moderno e atrativo para os adolescentes do mundo inteiro – até para aqueles que nunca haviam andado de skate na vida, que não viam nada de especial nesse esporte e que não tinham nenhuma necessidade funcional de comprar um calçado de solado grosso e de gáspeas acolchoadas. Essa também não era uma tarefa fácil. Como eles conseguiram isso? Por que todas as coisas esquisitas, idiossincráticas, que a garotada descolada faz acabam virando uma tendência geral?

É nesse aspecto, penso eu, que os Comunicadores, Experts e Vendedores exercem o seu papel mais importante. No capítulo sobre a Regra dos Eleitos, falei de como os seus dons sociais podem deflagrar as epidemias. Agora, entretanto, posso ser muito mais específico sobre o que esses indivíduos fazem. É graças a eles que as inovações superam o problema do abismo. Eles são tradutores: pegam idéias e informações de um mundo especializado e as traduzem para uma língua que o resto de nós é capaz de compreender. Mark Alpert, o professor da Universidade do Texas que considero o Expert Original, é o tipo de pessoa que lhe mostra como instalar, acertar ou manipular um complicado programa de computador. Tom Gau, o Vendedor quintessencial, apresenta aos seus clientes, em termos que eles são capazes de entender, as misteriosas leis que regem o imposto de renda e os planos de aposentadoria. Lois Weisberg, a Comunicadora, pertence a muitos mundos diferentes – política, teatro, ambientalismo, música, leis, medicina e outros mais – e um dos seus papéis mais importantes é servir de intermediária entre universos sociais distintos. Uma das principais figuras da Lambesis era DeeDee Gordon, ex-chefe de pesquisa de mercado. Ela diz que o mesmo processo ocorre no caso das tendências da moda que periodicamente tomam conta da cultura jovem. Os Inovadores experimentam algo novo. Aí alguém – o equivalente adolescente de um Expert, Comunicador ou Vendedor – vê e passa a usar. "Esses garotos tornam as coisas mais atrativas para os indivíduos mais convencionais. Essas pessoas observam o que a garotada descolada está adotando e faz um ajuste. Aderem à novidade, mas a mudam um pouco para que fique mais usável. Talvez um garoto enrole a bainha do jeans e prenda com fita isolante porque ele é o mensageiro que anda de bicicleta na escola. Ora, os tradutores gostam daquele visual. Só que não usam a fita. Compram alguma coisa com velcro. Há também aquela história do visual baby-look. Uma menina começa a usar uma camiseta pequena e apertada depois de ter ido a uma loja de brinquedos e comprado uma com a estampa da Barbie. As outras dizem: 'Que legal!' No entanto, talvez não consigam uma tão pequena e talvez não seja da Barbie. Elas olham e dizem: 'Está meio sem graça. Mas posso mudar um pouco e vai ficar legal.' E aí a moda pega."

Talvez a análise mais sofisticada desse processo de tradução se origine do estudo dos boatos, que são, é claro, as mais contagiantes das mensagens sociais. Em seu livro *The Psychology of Rumor* (A psicologia do rumor), o sociólogo Gordon Allport relata o caso de um boato envolvendo um professor chinês que viajava pelo Maine, de férias, no verão de 1945, pouco antes da rendição japonesa aos aliados no fim da Segunda Guerra Mundial.[3] O professor tinha um guia turístico que dizia que, do alto de determinada colina, podia-se apreciar uma vista esplêndida do campo ao redor. Então, ele parou numa cidadezinha para solicitar orientação. A partir desse pedido inocente, espalhou-se logo um boato: um espião japonês tinha subido a colina para fotografar a região. "Os fatos simples e sem enfeites que constituem a 'essência da verdade' desse rumor", escreve Allport, "foram desde o início distorcidos em (...) três direções". Primeiro, a história foi *nivelada*. Todos os detalhes essenciais para a compreensão do verdadeiro significado do incidente ficaram de fora. Não se mencionou, Allport observa, "a maneira tímida e cortês com que o visitante abordou o habitante do lugar para indagar sobre o caminho; o fato de ninguém saber qual era a nacionalidade correta do visitante (...) o fato de o visitante se deixar ser identificado pelas pessoas ao longo do caminho". Em seguida, *definiram* a história. Os pormenores que restaram ficaram mais específicos. Um homem virou um espião. Alguém que parecia asiático se tornou japonês. Apreciar a vista passou a ser espionagem. O guia turístico nas mãos do professor transformou-se numa câmera. Por fim, um processo de *assimilação* se estabeleceu: a história foi alterada por quem a estava espalhando, de modo que ela parecesse fazer mais sentido. "Um professor chinês em férias era uma idéia inconcebível para a maioria dos fazendeiros, pois eles ignoravam que algumas universidades americanas contratam para seu corpo docente mestres chineses e que eles, assim como os outros professores, têm direito a férias", escreve Allport. "Aquela situação diferente foi forçosamente assimilada de acordo com as estruturas de referência mais prováveis." E quais eram elas? Em 1945, na área rural do Maine, numa época em que quase todas as famílias tinham um filho ou parente participando do esforço de guerra, só havia uma forma de compreender um caso como aquele: inserindo-o no contexto da guerra. Assim, asiático virou japonês, guia passou a ser câmera e apreciar a vista ficou sendo espionagem.

Os psicólogos descobriram que esse processo de distorção é quase universal na divulgação de boatos. Foram feitos testes de memória em que os participantes tinham que ler uma história ou olhar uma foto e voltar em intervalos de vários meses para reproduzir o que haviam visto ou lido. Invariavelmente, ocorreram simplificações significativas. Quase todos os detalhes eram esquecidos. Mas, ao mesmo tempo, alguns também eram acrescentados. Em um exemplo clássico, os participantes receberam o desenho de um hexágono bisseccionado por três linhas com sete círculos de igual tamanho superpostos. A imagem de que um dos

participantes se lembrou, meses depois, foi a de um quadrado bisseccionado por duas linhas com 38 pequenos círculos dispostos
nas margens do diagrama. "Havia uma nítida tendência de qualquer uma das fotos ou histórias gravitar na memória de acordo
com o que era familiar à pessoa na sua própria vida, em razão da
sua cultura e, sobretudo, do que tinha um significado emocional
especial para ela", escreve Allport. "No esforço de encontrar um
sentido, os participantes nivelavam ou inseriam fatos, a fim de
alcançar uma melhor 'Gestalt', uma conclusão mais satisfatória –
uma configuração mais simples, mais significativa."

É isso o que se quer dizer com tradução. O que os Experts,
Comunicadores e Vendedores fazem com uma idéia para torná-
la contagiante é alterá-la deixando de fora detalhes que possam
causar estranheza e exagerando outros, de modo que a mensagem
adquira um sentido mais profundo. Portanto, se alguém deseja
iniciar uma epidemia – de sapatos, de comportamento ou de um
programa de computador –, tem que empregar os Comunicadores, Experts e Vendedores exatamente desse jeito. É necessário
encontrar uma pessoa ou um meio para traduzir a mensagem dos
Inovadores em algo que os outros consigam compreender.

2.

Um exemplo maravilhoso dessa estratégia em ação acontece em
Baltimore, a cidade cujos problemas com entorpecentes e doenças mencionei no início deste livro. Ali, como em muitas comunidades com grande número de usuários de drogas, a prefeitura
manda uma van com milhares de seringas novas para determinadas ruas dos bairros mais pobres em horas específicas durante
a semana. A idéia é que, para cada agulha usada que os dependentes químicos entregarem, eles recebam de volta outra nova, de

graça. Em tese, essa troca parece uma ótima forma de combater a AIDS, visto que a reutilização de agulhas infectadas pelo HIV é um dos maiores fatores de disseminação do vírus. Mas isso, pelo menos à primeira vista, parece ter algumas limitações óbvias. Em primeiro lugar, os usuários de drogas não são as pessoas mais organizadas e confiáveis do mundo. Então, o que garante que serão capazes de encontrar a van com esse material? Em segundo lugar, a maioria daqueles que são viciados em heroína acaba com uma agulha por dia, injetando a droga no mínimo cinco ou seis vezes – se não mais – até a ponta ficar tão rombuda que não serve mais para nada. É muita agulha. Como é que uma van, que aparece uma vez por semana, pode atender as necessidades de gente que se droga noite e dia? E o que acontece se uma van aparece na terça-feira e, no sábado, um deles fica sem seringa?

Para analisar se o programa das agulhas estava funcionando, os pesquisadores da Universidade John Hopkins começaram, em meados dos anos 1990, a acompanhar as vans para conversar com quem aparecia para fazer a troca.[4] O que descobriram os deixou surpresos. Eles achavam que os dependentes químicos levavam as suas próprias agulhas usadas, isto é, que os usuários de drogas intravenosas iam buscar as seringas assim como você e eu compramos leite: indo ao supermercado quando ele está aberto e pegando o suficiente para a semana. O que eles viram, porém, foi que um pequeno grupo aparecia todas as semanas com as mochilas estufadas de agulhas, entre 300 e 400, uma quantidade obviamente muito maior do que a que tinha usado. Após a troca, essas pessoas voltavam para as ruas e vendiam as novas por US$1 dólar cada uma. A van, em outras palavras, era uma espécie de atacadista de seringas. Os varejistas eram aqueles homens – os supertrocadores – que andavam pelas ruas catando agulhas descartadas e depois ganhavam a vida com as que recebiam da prefeitura. No início, alguns dos coordenadores do programa refletiram sobre aquilo. Será que eles queriam mesmo que as agulhas pagas pelo contribuinte financiassem o consumo de drogas? Nesse momento, perceberam que haviam topado por acaso com uma solução para as limitações do programa. "É um sistema muito melhor", diz Tom Valente, professor da Escola de Saúde Pública da Universidade Johns Hopkins. "Muita gente se droga na sexta-feira e no sábado à noite e não pensa antes de sair de casa que vai precisar de instrumental novo. O programa de troca de agulhas não estará disponível a essa hora – e, com toda a certeza, também não estará nas ruas. Mas aqueles [supertrocadores] podem estar ali no momento em que as pessoas estiverem se drogando e necessitando de seringas novas. Eles oferecem um serviço 24 horas, sete dias na semana, e isso não nos custa nada."

Um dos pesquisadores que seguiram com as vans foi o epidemiologista Tom Junge. Ele chamava os supertrocadores e os entrevistava. Sua conclusão é que eles representam um grupo diferente e especial. "São indivíduos com uma boa rede de relacionamentos", diz. "Conhecem Baltimore até pelo avesso. Sabem aonde ir para encontrar qualquer tipo de droga e de agulha. Estão por dentro do que acontece nas ruas. Têm relações sociais incomuns. Possuem muitos contatos... Acredito que sua motivação básica é financeira ou econômica. Ainda assim, estão realmente interessados em ajudar as pessoas."

Isso lhe parece familiar? Os supertrocadores são os Comunicadores do mundo dos entorpecentes em Baltimore. O que o pessoal da Johns Hopkins gostaria de fazer é usá-los para iniciar uma epidemia de combate às drogas. O que aconteceria se eles pegassem algumas dessas pessoas espertas, que têm todos esses relacionamentos sociais e que estão por dentro do que acontece nas ruas, e lhes dessem camisinhas para distribuir? Ou as munissem de informações sobre a saúde que são cruciais para usuários de drogas? Elas parecem possuir as habilidades necessárias para ser a ponte sobre o abismo que separa a comunidade médica e a maioria dos dependentes químicos, que estão incrivelmente afastados do conhecimento e das instituições que poderiam salvar sua vida. A impressão é de que os supertrocadores são capazes de traduzir a linguagem e as idéias de incentivo à saúde de uma forma que os outros usuários de drogas compreendem.

3.

A intenção da Lambesis era prestar esse mesmo serviço à Airwalk. Obviamente, a agência não identificou de imediato o equivalente dos Experts, Comunicadores e Vendedores para disseminar a fama de seu cliente. Era uma agência pequena tentando montar uma campanha internacional. O que eles poderiam fazer, entretanto, era iniciar uma epidemia em que a sua própria campanha publicitária assumisse o papel do tradutor, servindo de intermediária entre os Inovadores e o resto das pessoas. Perceberam que, se cumprissem bem a sua parte, poderiam eles mesmos nivelar e definir as idéias avançadas da cultura jovem fazendo com que fossem assimiladas pelos Inovadores e, depois, aceitas pela Maioria. Eles teriam condições de atuar como Comunicadores, Experts e Vendedores.

A primeira atitude da Lambesis foi desenvolver um programa de pesquisa de mercado interno, visando à faixa jovem que a Airwalk queria conquistar. Antes que as idéias dos Inovadores fossem traduzidas para as pessoas comuns, eles teriam que descobrir que idéias eram essas. Para dirigir a divisão de pesquisa, a Lambesis contratou DeeDee Gordon, que já havia trabalhado para a empresa de calçados de atletismo Converse. DeeDee é uma mulher surpreendente, de ar lânguido, que mora numa obra-prima modernista de ângulos retos, paredes irregulares e caiada de branco nas colinas de Hollywood, entre as antigas residências de Madonna e Aldous Huxley. Seu gosto é tremendamente eclético: dependendo do dia da semana, ela pode estar obcecada por um grupo de rap desconhecido, um filme de Peter Sellers, uma nova engenhoca eletrônica japonesa ou determinado tom de branco que, de repente e de forma misteriosa, lhe pareceu o máximo. Quando estava na Converse, DeeDee notou adolescentes brancas em Los Angeles vestidas como gângsteres mexicanos no estilo que elas chamavam de "espancador de esposas" – usavam um top branco bem apertado e com as alças do sutiã aparecendo, acompanhado de bermudas longas, meias altas e chinelo de borracha. "Eu disse para eles que aquilo ia pegar", lembra-se DeeDee. "É gente demais usando. Temos que fazer um calçado igual." Então eles cortaram a parte de trás de um tênis, colocaram uma sola de chinelo e a Converse vendeu milhões de pares. DeeDee tem um sexto sentido que lhe diz em que bairros, bares ou clubes de Londres, Tóquio ou Berlim ela deve ir para encontrar as mais recentes novidades em moda e estilo. Às vezes ela se manda para Nova York e fica horas seguidas observando as calçadas do Soho e do East Village, fotografando qualquer coisa que pareça incomum. DeeDee é uma Expert – Expert naquela qualidade efêmera, indefinível, conhecida como o "máximo".

Na Lambesis, ela criou uma rede de correspondentes jovens e espertos em Nova York, Los Angeles, Chicago, Dallas, Seattle e em outras cidades fora dos Estados Unidos, como Tóquio e Londres. Era o tipo de gente que estaria usando os Hush Puppies no East Village no início da década de 1990. Todos se encaixavam num tipo particular de personalidade: eram Inovadores.

"É uma garotada que de certa forma é pária. Não importa se isso é verdade. É assim que eles se sentem", diz DeeDee. "Eles sempre se sentiram diferentes. Se você perguntar com o que eles se preocupam, esses definidores de tendências falam de coisas como guerra bacteriológica ou terrorismo. Seu interesse é por temas mais amplos, enquanto os jovens comuns se preocupam mais com o fato de estarem gordos, de que os pais vão morrer um dia ou com seu desempenho no colégio. Há mais ativistas entre eles. São mais apaixonados. Procuro pessoas que sejam indivíduos, que tenham definitivamente se distinguido do resto, que não se pareçam com os colegas."

Ela sente uma espécie de curiosidade incansável pelo mundo. "Tenho encontrado definidores de tendências que parecem pessoas totalmente comuns", continua. "Vejo um desses caras num clube escutando uma banda radical e digo para mim mesma: 'Meu Deus, o que este sujeito está fazendo aqui?' E aquilo me intriga. Tenho que me aproximar dele e dizer: 'Oi, você está mesmo gostando desta banda? O que está acontecendo?' Você me entende? Procuro por toda parte. Se vejo um cara comum sentado num café e todos ao redor têm cabelos azuis, não saio de perto dele. O que ele está fazendo num café com gente de cabelo azul?"

Depois de montar sua equipe de correspondentes Inovadores, DeeDee voltou a falar com eles duas, três ou quatro vezes por ano para perguntar que música estavam ouvindo, que programas de televisão estavam vendo, que roupas estavam comprando ou quais eram seus objetivos e aspirações. As informações nem sempre eram coerentes. Exigiam interpretação. Idéias diferentes pipocavam em partes distintas do país, às vezes iam do leste para o oeste; outras vezes, faziam o movimento inverso. No entanto, olhando o quadro geral, comparando os dados de Austin a Seattle, de Seattle a Los Angeles, de Los Angeles a Nova York e observando-os mudar de um mês para o outro, DeeDee criou um quadro da origem e do deslocamento das novas tendências de um ponto a outro do país. E, confrontando o que aqueles Inovadores estavam dizendo e fazendo com o que a garotada comum começava a dizer e fazer de três meses a um ano depois, ela foi

capaz de identificar quais idéias conseguiam saltar das subculturas mais ousadas para a Maioria.

"Veja, por exemplo, essa história de homem usar maquia-
gem, essa coisa andrógina, Kurt Cobain", disse ela. "Sabe que ele
costumava pintar as unhas com caneta hidrográfica? Vimos isso
primeiro no noroeste do país, depois foi se espalhando por Los
Angeles, Nova York e Austin porque lá eles têm um cenário de
música *hip*. Em seguida, foi se infiltrando em outras regiões. Levou muito tempo para ser uma tendência geral."

Os achados de DeeDee serviram de gabarito para as campanhas da Airwalk. Sempre que ela encontrava uma nova tendência, uma nova idéia ou um novo conceito pegando fogo entre
os Inovadores de todo o país, a empresa inseria a novidade nos
anúncios que criava para o cliente. Uma vez, por exemplo, Dee-
Dee identificou um súbito interesse pelo Tibete e o Dalai-Lama
entre os definidores de tendências. A influente banda de rap
Beastie Boys estava financiando publicamente a campanha Tibete Livre e convidava monges a subir ao palco durante seus shows
para prestarem testemunho. "Os Beastie Boys deram incentivo
àquele movimento e disseram que ele era bacana", lembra-se
DeeDee. Então a Lambesis criou um anúncio muito engraçado
com um jovem monge usando um Airwalk. Ele aparecia sentado
numa sala de aula fazendo prova. De repente, olhava para os pés
porque tinha anotado a cola nas laterais dos sapatos. (Depois de
estampar o anúncio em outdoors nas ruas de São Francisco, a
Lambesis foi obrigada a tirá-lo de circulação porque os monges
tibetanos protestaram dizendo que eles não tocam os pés, muito
menos colam em provas.) Quando James Bond começou a pipo-
car no radar dos definidores de tendências, a Lambesis contratou
o diretor desses filmes para fazer uma série de comerciais, todos
mostrando personagens calçados com Airwalk e fugindo aluci-
nados de vilões sem rosto. No momento em que os Inovadores

passaram a mostrar um irônico interesse pela cultura dos country clubs e a usar as velhas camisas de golfe Fred Perry e Izod, a Airwalk fabricou um sapato com o mesmo material da bola de tênis, enquanto a Lambesis imprimiu um anúncio do calçado sendo lançado no ar e rebatido por uma raquete de tênis. "Certa vez, notamos que essa história de tecnologia do futuro era de fato importante", conta DeeDee. "Perguntávamos a esses jovens o que eles inventariam se pudessem criar qualquer coisa que desejassem. A resposta era sempre no sentido de viver sem ter que fazer esforço. Sabe, enfiar a cabeça numa bolha, apertar um botão e ela sair perfeita. Então conseguimos que a Airwalk fabricasse um solado redondo, bolhudo. Começamos a realizar misturas, a sobrepor telas reticuladas, materiais arejados e tipos especiais de Gore-Tex." Examinar a relação dos anúncios da Airwalk naquele período crítico é ver um guia completo das tendências, dos fascínios e dos interesses da cultura jovem da época. Havia imitações engraçadas de filmes kung fu de 30 segundos, um spot de TV sobre poesia Beat, um comercial no estilo Arquivo X em que um rapaz, ao entrar de carro em Roswell, Novo México, tem o seu par de Airwalk confiscado por alienígenas.

Existem duas explicações para o grande sucesso dessa estratégia. A primeira é óbvia. A Lambesis escolhia tendências variadas e muito contagiantes quando elas ainda estavam no início. Logo que a nova campanha publicitária e os calçados que ela divulgava ficavam prontos, aquela tendência (com a sorte) estaria acabando de atingir o público em geral. A agência, em outras palavras, estava sempre atrelada às epidemias sociais, associando a Airwalk com cada nova onda que varria a cultura jovem. "É uma questão de saber o momento adequado", observa DeeDee. "É necessário acompanhar os definidores de tendências. Descobrir o que eles estão fazendo. Aguardar um ano para que os calçados sejam produzidos. Depois disso, se a tendência identificada for correta, ela vai atingir as pessoas comuns na época certa. Portanto, caso você veja a tecnologia do futuro como uma tendência – se identifica uma quantidade suficiente de definidores de tendência num número razoável de cidades comprando produtos de desenho ergométrico, ou calçados de solado alto, ou pequenos Palm Pilots, ou falando de carros voadores do futuro quando você lhes pede que inventem alguma coisa –, acabará acreditando que, dentro de seis meses a um ano, todo mundo estará usando a mesma coisa."

Mas a Lambesis não foi apenas uma observadora passiva do processo. Seus anúncios também ajudaram a difundir as idéias que ela ia descobrindo entre os Inovadores. DeeDee afirma, por exemplo, que, se algo não passa da comunidade dos definidores de tendência para as pessoas em geral, é porque aquilo não está amplamente enraizado na cultura. "Não há sinais suficientes. A novidade não é vista nas músicas, nos filmes, na arte e na moda. Em geral, se alguma coisa vai fazer sucesso, a tendência está presente em tudo – nos programas de televisão de que eles gostam, nas coisas que querem inventar, no que desejam ouvir e até nos materiais que querem usar. Está disseminada. Mas, se ela é vista apenas em uma dessas áreas, aquilo não emplaca." A Lambesis estava pegando certas idéias e plantando-as por toda parte. E, ao fazer isso, oferecia aquela tradução crítica. A pesquisa de DeeDee mostrou que os definidores de tendências estavam do lado do Dalai Lama e de todas as questões gravíssimas levantadas pela ocupação do Tibete. Portanto, a agência escolheu uma referência bem simples ao tema – um monge tibetano – e o inseriu numa situação engraçada, um tanto atrevida, modificada. Os Inovadores tinham um forte interesse na cultura dos country clubs que era marcado pela ironia. A Lambesis destacou isso. Transformou o sapato numa bola de tênis, e a referência ficou mais engraçada e menos hostil. Eles também se interessavam pelos filmes no estilo kung fu. Então a agência fez uma paródia em que o herói da

Airwalk vence os vilões da arte marcial com sua prancha de skate. A Lambesis pegou o motivo kung fu e fundiu com a cultura jovem. No caso das férias do professor chinês, segundo Allport, os fatos que compunham a situação não faziam sentido para o povo da cidade, por isso as pessoas decidiram inventar uma interpretação que parecesse sensata – a de que o professor era um espião. E, para que a aceitassem, "detalhes discordantes foram nivelados, incidentes foram adaptados para se ajustar ao tema escolhido e o episódio como um todo foi assimilado pela estrutura preexistente de sentimentos e idéias características dos membros do grupo dentro do qual se espalhou o boato". A Lambesis procedeu exatamente assim. Pegou as indicações culturais dos Inovadores – que os garotos comuns talvez tenham visto, porém não compreendido – e as nivelou, definiu e encaixou de forma mais coerente. Eles deram a essas pistas um sentido específico que elas não tinham antes e embalaram essa nova sensibilidade no formato de um par de sapatos. Não surpreende que os rumores sobre a Airwalk tenham se alastrado tão rápido em 1995 e 1996.

4.

A epidemia da Airwalk não durou. Em 1997, as vendas começaram a cair. A empresa teve problemas com a produção e dificuldade em atender os pedidos. Em localidades críticas, não conseguiu fornecer as mercadorias em quantidade suficiente para a volta às aulas, e aqueles que um dia haviam sido seus fiéis distribuidores se voltaram contra ela. Ao mesmo tempo, a Airwalk perdia aquela sensibilidade de vanguarda com que tinha atuado durante tanto tempo. "No início, o produto era direcionado e criativo. Os calçados eram avançados", disse Chad Farmer. "Mantínhamos o foco dos definidores de tendência no mercado.

O produto, entretanto, estava escorregando. A empresa passou a ouvir cada vez mais a equipe de vendas e os artigos foram ficando com uma cara comum, homogeneizada. Todos gostavam do marketing. Nos grupos de foco, ainda se comenta a falta que ele faz. Mas a queixa principal é: o que aconteceu com o produto que era 'o máximo'?" A estratégia da Lambesis baseava-se na tradução dos sapatos Inovadores para a Maioria. De repente, contudo, os calçados Airwalk deixaram de representar uma novidade. "Cometemos outro erro crítico", diz o ex-presidente da Airwalk, Lee Smith. "Mantínhamos uma estratégia de segmentação fornecendo uma linha exclusiva para lojinhas independentes que vendiam artigos para a prática de skate – as 300 butiques em todo o país que de fato nos haviam feito crescer. Elas não queriam ver nossas mercadorias nos shoppings. Então, o que fizemos foi segmentar o produto. Garantimos a esses estabelecimentos que eles não precisariam concorrer com os shoppings. E deu certo." As butiques recebiam os calçados técnicos: com desenhos diferentes, material melhor, mais acolchoados, com sistemas amortecedores distintos, outros compostos de borracha, gáspeas mais caras. "Tínhamos um modelo especial assinado – o Tony Hawk – para skate que era muito mais robusto e durável. Custava no varejo uns US$80." Os calçados Airwalk distribuídos para a Kinney's, Champ's ou Foot Locker, entretanto, eram menos elaborados e vendidos por cerca de US$60 o par. Os Inovadores querem sempre um sapato diferente, mais exclusivo. O cliente comum se satisfazia em usar a mesma marca que eles.

Acontece que, no auge do sucesso, a Airwalk mudou de estratégia. Deixou de fornecer produtos exclusivos para as lojas especializadas. "Foi então que os definidores de tendências começaram a desrespeitar a marca", diz Farmer. "Eles iam às butiques atrás de um artigo especial e percebiam que qualquer um podia comprar os mesmos calçados na J C Penney." A Lambesis, de repente, estava traduzindo a linguagem de produtos comuns para pessoas comuns. Acabou-se a epidemia.

"Um dos gerentes certa vez me perguntou o que tinha acontecido", diz Smith. "Minha resposta foi: 'Você viu o filme *Forrest Gump*? Idiota é o que age como idiota. Quem é especial age de modo especial. Marcas especiais tratam as pessoas bem, nós não fizemos isso. Eu tinha prometido pessoalmente a algumas daquelas lojinhas que forneceria a elas produtos exclusivos. Depois mudamos de idéia. Foi assim que começou. Naquele mundo, o que vale é a palavra. Depois que crescemos, tínhamos que prestar ainda mais atenção nos detalhes e manter a boa fama. Dessa forma, quando dissessem que éramos traidores, que havíamos vulgarizado o produto, que éramos um fiasco, teríamos respondido: Sabe de uma coisa? Isso não é verdade. Tínhamos aquela marca que era uma preciosidade e, aos poucos, a transformamos num produto comum. E, quando está tudo vulgarizado, o que acontece?' – ele fez uma pausa. "Depois de comprar um par dos nossos calçados, por que a pessoa vai querer outro?"

Estudo de caso:

SUICÍDIO, TABAGISMO E A BUSCA
DO CIGARRO SEM PODER DE FIXAÇÃO

Não muito tempo atrás, na Micronésia, no Pacífico Sul, um rapaz de 17 anos chamado Sima discutiu com o pai. Ele estava com a família na casa do avô quando, um dia, o pai – um homem severo e exigente – o tirou da cama cedo e lhe disse para ir buscar uma faca de bambu para colher fruta-pão. Sima passou horas na cidade tentando encontrar aquele objeto, mas não teve sucesso. O pai ficou furioso ao vê-lo chegar de mãos vazias. A família agora ia ficar com fome, ele falou para o filho, acenando com um facão. "Suma daqui. Procure outro lugar para morar."

Sima deixou a casa do avô e retornou a pé para a sua aldeia. No caminho, encontrou-se com o irmão de 14 anos e pediu uma caneta emprestada. Duas horas depois, curioso para saber onde Sima tinha ido, o irmão foi procurá-lo. Voltou para a casa da família, agora vazia, e espiou pela janela. No meio de um quarto escuro, balançando inerte na ponta de uma corda, estava Sima. Morto. O bilhete do suicida dizia:[1]

> Minha vida chega ao fim agora. Hoje é um dia triste e também de sofrimento para mim. Mas é um dia de comemoração para Papai. Hoje Papai me mandou embora. Obrigado por me amar tão pouco. Sima.

Diga à Mamãe que deixo o meu adeus. Mamãe, o seu filho não lhe dará mais preocupação nem frustrações. Muito amor, de Sima.

No início dos anos 1960, o suicídio nas ilhas da Micronésia era quase desconhecido. Contudo, por razões que ninguém consegue entender, o número de suicidas começou a aumentar, de forma aguda e expressiva, aos saltos a cada ano, até que no fim da década de 1980 havia mais suicídios per capita na Micronésia do que em qualquer outra parte do mundo. Nos Estados Unidos, o índice de pessoas do sexo masculino entre 15 e 24 anos que se matam gira em torno de 22 em cada 100 mil. Nas ilhas da Micronésia, a taxa é de cerca de 160 em cada 100 mil – mais de sete vezes superior. Nesse nível, o suicídio é quase um ato corriqueiro, cometido pelos motivos mais banais. Sima tirou a própria vida porque o pai gritara com ele. Em meio a uma epidemia na Micronésia, isso não era raro. Adolescentes estavam se suicidando porque viam a namorada com outro rapaz ou porque os pais se recusavam a lhes dar um dinheiro a mais para a cerveja. Um jovem de 19 anos se enforcou porque os pais não compraram o traje para a sua formatura. Outro, de 17 anos, porque o irmão mais velho o repreendeu por estar fazendo muito barulho. O que, nas culturas ocidentais, é um ato raro, casual e patológico, tornou-se um ritual da adolescência na Micronésia, com suas próprias regras e símbolos. Quase todos os suicídios nas ilhas, de fato, são variações idênticas da história de Sima. A vítima é quase sempre do sexo masculino, está saindo da adolescência, é solteira e mora com os pais. O evento que desencadeia a morte é invariavelmente doméstico: uma briga com a namorada ou com os pais. Em três quartos dos casos, a pessoa nunca tinha tentado se suicidar antes – nem mesmo ameaçado fazer isso. Os bilhetes que deixam tendem a expressar, não o sentimento de depressão, e sim uma espécie de orgulho ferido e autopiedade, um protesto contra maus-tratos. O ato costuma se consumar num fim de semana, à noite, em geral depois de uma rodada de bebida no bar com os amigos. Com pouquíssimas exceções, a vítima observa o mesmo procedimento, como se houvesse um protocolo rígido, que ninguém escreveu no papel, sobre a maneira correta de tirar a própria vida. O garoto encontra um lugar longe de tudo ou uma casa vazia. Pega uma corda e faz um laço, mas não se suspende como num típico enforcamento ocidental. Ele amarra o laço a um galho baixo, janela ou maçaneta e se inclina para a frente, de forma que o peso do corpo estica a corda bem forte ao redor do pescoço, interrompendo o fluxo de sangue para o cérebro. Segue-se a inconsciência. A morte é causada por anóxia – falta de oxigenação sangüínea do cérebro.

Na Micronésia, escreve o antropólogo Donald Rubinstein, esses rituais acabaram inseridos na cultura local. À medida que a quantidade de suicídios cresce, a idéia se alimenta de si mesma, contagiando um número cada vez maior de garotos e transformando o ato que era inimaginável em algo possível. Veja a seguir um trecho de um dos ensaios em que Rubinstein documenta a epidemia.

> A ideação do suicídio parece comum entre os adolescentes de certas comunidades micronésias e é popularmente expressa em canções compostas na região e transmitidas pelas estações de rádio locais, assim como nos grafites que enfeitam as camisetas e as paredes das escolas. Alguns rapazes que tentaram se matar relataram ter visto alguém fazer isso ou escutado falar sobre o assunto quando tinham entre 8 e 10 anos de idade. Suas tentativas parecem motivadas por imitação ou por simples jogo experimental. Um garoto de 11 anos, por exemplo, enforcou-se dentro de casa e quando do foi encontrado já estava inconsciente e com a língua

de fora. Mais tarde, ele explicou que queria "experimentar" como era se enforcar. Disse que não pretendia morrer, embora soubesse que estava correndo esse risco. Tentativas de suicídio por imitação realizadas por meninos de cinco e seis anos foram registradas em Truk. Várias mortes recentes por suicídio de adolescentes na Micronésia resultaram dessas experiências. Assim, à medida que os suicídios se tornam mais freqüentes nessas comunidades, a própria idéia desperta certa familiaridade, se não fascínio, entre os jovens, enquanto o aspecto letal do ato parece banalizado. A impressão que se tem, sobretudo entre alguns garotos mais novos, é de que o suicídio adquiriu um elemento experimental, quase recreativo.

Há algo muito assustador nesse registro. Não esperamos que o suicídio seja banalizado assim. Mas o que é de fato apavorante é como tudo isso parece familiar. Esse é o caso de uma epidemia contagiante de autodestruição, na qual os garotos se envolvem por imitação, rebeldia ou porque querem experimentar. Trata-se de um ato irracional que, de alguma forma, se tornou um meio importante de auto-expressão para eles. De um jeito estranho, a epidemia de suicídio entre os adolescentes micronésios se parece terrivelmente com a de tabagismo entre os jovens ocidentais.

1.

O fumo entre os adolescentes é um dos grandes e frustrantes problemas da atualidade. Ninguém sabe como combatê-lo nem mesmo o que ele é. A principal hipótese do movimento antitabagista é de que as indústrias de tabaco convencem os jovens a fumar mentindo para eles, fazendo com que o cigarro pareça muito mais desejável e muito menos nocivo do que é. Nos Estados Unidos, para tratar desse problema, restringimos e policiamos a propaganda de cigarros, com o objetivo de dificultar as mentiras dos fabricantes. Elevamos o preço desses produtos e impusemos leis contra a sua venda a menores de idade. E fizemos grandes campanhas de saúde pública na televisão, no rádio e nas revistas para alertar os adolescentes sobre o perigo de fumar.

Mas é óbvio que essa abordagem não funciona muito bem. Por que achamos, por exemplo, que o segredo da luta contra o tabagismo está em orientar as pessoas a respeito dos riscos do cigarro? W. Kip Viscusi, economista da Universidade de Harvard, pediu a um grupo de fumantes que fizesse uma previsão de quantos anos de vida, em média, custava o hábito de fumar a partir dos 21 anos de idade.[2] Eles disseram nove anos. A resposta certa está entre seis e sete anos. Uma pessoa fuma não porque subestime os malefícios que o cigarro possa vir a lhe causar. Ela fuma apesar de superestimar esse risco. Ao mesmo tempo, não se sabe até que ponto adianta alguma coisa os adultos dizerem aos adolescentes que não devem fumar. Como qualquer pai de um filho nessa idade lhe dirá, o antagonismo, típico desses jovens, sugere que, quanto mais os adultos atacam o fumo e fazem sermões sobre seus malefícios, mais a garotada, paradoxalmente, deseja experimentá-lo. Com toda a certeza, se você observar as tendências nos últimos 10 anos ou mais, verá que foi isso que aconteceu. O movimento antitabagista nunca fez tanto estardalhaço nem esteve mais em evidência. Ainda assim, todos os sinais indicam que, entre os jovens, a mensagem contra o cigarro é um tiro n'água. Nos Estados Unidos, entre 1993 e 1997, o percentual de universitários fumantes pulou de 22,3% para 28,5%. De 1991 a 1997, o índice de fumantes entre alunos do ensino médio cresceu 32%. Desde 1998, na verdade, o total de adolescentes tabagistas no país subiu extraordinários 73%. Poucos programas de saúde pública nos últimos anos registraram um fracasso tão significativo em sua missão quanto o do combate ao cigarro.[3]

A lição aqui não é a de que devemos desistir da luta contra o tabagismo. E sim a de ver que aquilo que considerávamos as causas desse vício não faz mais sentido. É por isso que a epidemia de suicídios na Micronésia é tão interessante e potencialmente relevante para o problema do cigarro. Ela nos mostra outra maneira de entender o hábito de fumar entre os adolescentes. E, se em vez de seguir os princípios racionais do mercado, o tabagismo se orientasse pelas mesmas regras e rituais misteriosos e complexos que regem o suicídio dos adolescentes? Se o tabagismo é de fato uma epidemia, assim como o suicídio na Micronésia, como isso mudaria a nossa maneira de combatê-lo?

2.

A principal observação daqueles que estudam o suicídio é que, em alguns lugares e em determinadas circunstâncias, o ato de uma pessoa tirar a própria vida pode ser contagiante. Suicídios conduzem a outros suicídios. O pioneiro nessa área é David Phillips, sociólogo da Universidade da Califórnia, em San Diego, que realizou vários estudos sobre o tema, cada um mais fascinante e aparentemente improvável do que o outro.[4] Ele começou com uma lista de todas as matérias sobre suicídios publicadas na primeira página dos jornais mais importantes do país ao longo de 20 anos – do fim da década de 1940 ao fim da década de 1960. Depois as comparou com as estatísticas de suicídios no mesmo período. Phillips queria saber se havia ou não uma relação entre as duas. Sem dúvida, existia. Logo após a publicação das notícias sobre suicídios, a taxa desse tipo de ocorrência na área coberta pelo jornal dava um salto. Quando se tratava de um caso de repercussão nacional, ela subia no país inteiro. (Após a morte de Marilyn Monroe, houve um aumento temporário de 12% no índice nacional de suicídios.) Depois, ele repetiu a experiência com acidentes de trânsito. Comparou as notícias de suicídios estampadas nas primeiras páginas do *Los Angeles Times* e do *San Francisco Chronicle* com mortes em acidentes de trânsito no estado da Califórnia. Encontrou o mesmo padrão. No dia seguinte a um suicídio com grande publicidade, o número de óbitos no trânsito era, em média, 5,9% superior ao usual. Dois dias depois, o percentual ficava em 4,1%. Três dias depois, em 3,1% e, quatro dias depois, subia para 8,1%. (Passados 10 dias, voltava ao habitual.) O psicólogo concluiu que uma das maneiras que as pessoas escolhiam para se matar era batendo com o carro e que esses indivíduos eram tão suscetíveis aos efeitos contagiantes de um suicídio muito noticiado quanto os que tiravam a própria vida por meios mais convencionais.

O tipo de contágio a que Phillips se refere não é algo racional nem necessariamente consciente. Não é como um argumento persuasivo. É uma coisa muito mais sutil. "Às vezes, enquanto espero o sinal abrir, fico imaginando se não deveria furá-lo e cometer uma imprudência", diz ele. "Aí vejo alguém fazer isso e vou atrás. É uma espécie de imitação. Estou sendo 'autorizado' a agir por uma pessoa que está se comportando de forma ilegal. Essa é uma decisão consciente? Não tenho como responder. Talvez depois eu fique matutando sobre a diferença. No momento, porém, não imagino se qualquer um de nós sabe quanto sua própria decisão é consciente ou inconsciente. As decisões humanas têm motivações sutis e complicadas e não são muito bem compreendidas." No caso do suicídio, argumenta Phillips, a resolução de alguém famoso de tirar a própria vida exerce o mesmo efeito – dá a outras pessoas, sobretudo às sugestionáveis por serem imaturas ou doentes mentais, "permissão" para também cometerem uma transgressão. "As notícias sobre suicídios são uma espécie de anúncio natural para uma reação particular aos nossos problemas", continua Phillips. "Existem pessoas infelizes e que têm dificuldade em tomar decisões porque estão deprimidas. Elas vivem em sofrimento. E há muitas notícias destacando diferentes tipos de solução para sua infelicidade. Talvez Billy Graham esteja realizando uma cruzada evangélica no fim de semana – essa é uma saída religiosa. Ou alguém esteja anunciando um filme escapista – é outra opção. Os casos de suicídio são também um tipo de alternativa." As pessoas que "dão permissão", mencionadas por Phillips, são o equivalente funcional dos Vendedores de que falei no capítulo dois. Assim como Tom Gau pôde, pela força persuasiva da sua personalidade, deflagrar uma epidemia de propaganda boca a boca, os indivíduos que cometem suicídios muito noticiados – cujas mortes conferem aos outros "autorização" para tirar a própria vida – servem de Pontos da Virada nas epidemias de suicídios.

O fascinante nessa permissão, entretanto, é que ela é extraordinariamente específica. Em seu estudo de mortes por acidentes de carro, Phillips encontrou um padrão nítido. Às matérias sobre suicídios se seguia um aumento do número de batidas envolvendo um único automóvel, e a vítima era sempre o motorista. Após a publicação de notícias sobre suicídios acompanhados de assassinato, subia o número de desastres com vários automóveis, que incluíam entre as vítimas tanto motoristas quanto passageiros. Depois da divulgação de histórias sobre jovens que se matavam, aumentava o número de mortes no trânsito envolvendo indivíduos jovens. Aos casos de suicídio cometidos por gente mais velha sucediam-se mais acidentes de carro com pessoas de mais idade. Esses padrões foram demonstrados em muitas ocasiões. No fim da década de 1970, por exemplo, a cobertura nos noticiários ingleses de vários suicídios por auto-imolação (incendiando-se) motivou a ocorrência de 82 mortes dessa mesma forma no ano seguinte.[5] A "permissão" dada por um ato inicial de suicídio não é, portanto, é um convite geral aos vulneráveis. É, na verdade, um conjunto bastante detalhado de instruções, específico para pessoas que se encontram em certas situações e que escolhem morrer de determinada maneira. Não é um gesto. É um discurso. Em outro estudo realizado na Inglaterra na década de 1960, pesquisadores analisaram 135 pessoas internadas num hospital psiquiátrico depois de tentarem o suicídio. Eles descobriram que o grupo estava socialmente muito ligado – que boa parte daqueles indivíduos pertencia aos mesmos círculos sociais. Para os pesquisadores, esse fato não era uma coincidência. Era um atestado da verdadeira essência do suicídio: o de que ele é uma linguagem particular entre membros de uma subcultura comum. A conclusão do autor merece ser citada na íntegra:

> Muitos pacientes que tentam suicídio provêm de uma parte da comunidade em que a auto-agressão costuma ser reconhecida como um meio de transmitir certo tipo de informação. Entre as pessoas desse grupo, o suicídio é considerado compreensível e coerente com o resto do padrão cultural... Se isso é verdade, o indivíduo que em determinadas situações, em geral de tristeza, deseja informar os outros da sua dificuldade não precisa inventar um novo meio de comunicação... Dentro da "subcultura da tentativa de suicídio", ele pode cometer um ato que contém um significado pré-formado. A única coisa que necessita fazer é evocá-lo. O processo é essencialmente semelhante ao da pessoa que usa uma palavra na linguagem oral.[6]

É isso que está acontecendo na Micronésia, porém num nível muito mais profundo. Se no Ocidente o suicídio é uma espécie de linguagem crua, naquela região do Pacífico Sul ele se tornou uma forma incrivelmente expressiva de comunicação, rica de significado e matizes e expressa pelos "permissores" mais convincentes. Rubinstein escreve sobre o estranho padrão de suicídios na ilha micronésia de Ebeye, de 6 mil habitantes. Entre 1955 e 1965, não houve uma única ocorrência de suicídio ali. Em maio de 1966, um rapaz de 18 anos se enforcou na cela depois de ter sido preso por roubar uma bicicleta. O seu caso, entretanto, não pareceu causar muito impacto. Em novembro daquele ano, houve o suicídio de R., um herdeiro carismático de uma das famílias mais ricas da ilha. Ele estava se encontrando com duas mulheres e tinha um filho de um mês com ambas. Incapaz de se decidir com qual delas ficaria, R. se enforcou num ato de romântico desespero. No funeral, ao tomarem conhecimento da existência uma da outra, as mulheres desmaiaram sobre o túmulo.

Três dias após a morte de R., outra pessoa se matou – um rapaz de 22 anos que vinha enfrentando dificuldades conjugais. Isso aumentou para dois o número de suicídios por semana numa comunidade que registrara apenas um falecimento desse tipo nos últimos 12 anos. O médico da ilha escreveu: "Depois que R. morreu, muitos meninos disseram ter sonhado com ele, que os incitava a tirar a própria vida." Mais 25 suicídios aconteceram nos 12 anos seguintes, a maioria em blocos de três ou quatro no decorrer de poucas semanas. "Diversas vítimas de suicídio e muitas outras pessoas que haviam tentado se matar naquele período relataram ter tido uma visão em que um barco circunavega a ilha com todos os mortos do passado e que estes convidavam os suicidas em potencial a se juntar a eles", escreve um antropólogo visitante em 1975. Repetidas vezes, o tema ressaltado por R. voltava à tona. Leia a seguir o bilhete deixado por M., um aluno do ensino médio que tinha uma namorada no colégio interno e outra em Ebeye. Quando a primeira menina saiu do colégio e voltou para casa, ele se viu diante das duas – complicação que, na subcultura dos jovens de Ebeye, era uma justificativa para o suicídio: "Saudações a M. e C. [as duas namoradas]. Foi bom estar com vocês." Isso era tudo o que ele tinha a dizer, pois o contexto para o seu ato já havia sido criado por R. Na epidemia de Ebeye, R. foi a Pessoa da Virada, o Vendedor, aquele cuja experiência "sobrescrevia" a dos que o seguiram. O poder da sua personalidade e as circunstâncias da sua morte combinaram-se para fazer a força do seu exemplo continuar viva anos depois do seu falecimento.

3.

O tabagismo entre os adolescentes segue a mesma lógica? Para saber mais sobre o motivo que leva os jovens a fumar, dei a centenas de pessoas um questionário, pedindo que descrevessem as suas primeiras experiências com o cigarro. Não foi um estudo científico. A amostragem não era representativa dos Estados Unidos – compunha-se na maior parte de pessoas entre os 20 e os 30 anos que viviam em grandes cidades. Ainda assim, as respostas foram surpreendentes, sobretudo por se assemelharem tanto. O fumo parecia evocar um tipo particular de recordação da infância – vívida, precisa e carregada de emoções. Uma pessoa se lembra de como gostava de abrir a bolsa da avó, onde encontrava o "perfume suave dos Winston baratos e do couro misturados com o de batom comprado na farmácia e dos chicletes de canela". Outra diz: "Minha recordação é de estar sentado no banco de trás de um Chrysler sedã e sentir o cheiro maravilhoso da mistura de enxofre e tabaco saindo da janela do motorista e entrando nas minhas narinas." O surpreendente é que em quase todos os casos o fumo estava associado com a mesma coisa: sofisticação. Isso era verdade até para pessoas que hoje odeiam fumar, que agora pensam nisso como um hábito sujo e perigoso. A linguagem do cigarro, como a do suicídio, parece incrivelmente coerente. Veja mais duas respostas, ambas lembranças da infância:

> Minha mãe fumava e, mesmo que eu detestasse aquilo
> – odiava o cheiro –, eu via aqueles dedos compridos e os
> lábios carnudos, um tanto vincados, sempre de batom.
> Quando ela fumava parecia tão elegante e à vontade que
> não havia dúvida de que eu fumaria um dia. Ela achava
> que quem não fumava era "covarde". O cigarro faz a pessoa
> cheirar mal e a faz pensar, ela dizia, deixando claro como
> aquilo parecia feio.

> Minha melhor amiga, Susan, era de família anglo-irlan-
> desa. Seus pais, ao contrário dos meus, eram jovens, to-
> lerantes, liberais. Tomavam drinques antes do jantar. O
> Sr. O'Sullivan usava barba e camisas de gola alta. A Sra.
> O'Sullivan cambaleava de um lado para o outro de mules,
> vestida com toda a elegância, de preto, para combinar com
> os cabelos negros. Usava maquiagem pesada nos olhos, ti-
> nha a pele muito branca e estava sempre, quase sempre,
> com uma piteira perigosamente equilibrada nas mãos de
> unhas bem-feitas.

Essa é a linguagem do cigarro, e é tão rica e expressiva quanto a do suicídio. Nessa epidemia, também, existem Pessoas da
Virada, Vendedores, gente que dá permissão. Repetidas vezes,
as pessoas que responderam à minha pesquisa descreveram um
indivíduo em particular que as iniciou no hábito de fumar exatamente da mesma maneira.

> Quando eu tinha uns 9 ou 10 anos, meus pais trouxeram
> uma moça inglesa, a Maggie, para passar o verão conosco.
> Em troca, ela ajudava no serviço da casa. Maggie devia ter

uns 20 anos. Era muito sensual e tomava banho de biquíni na piscina dos Campbell. Era famosa entre os homens adultos por plantar bananeira de biquíni. Dizia-se também que seu sutiã caía quando ela mergulhava – o Sr. Carpenter se enfiava dentro d'água sempre que ela pulava na piscina. Maggie fumava, e eu costumava implorar para que ela me deixasse fumar também.

O primeiro menino que vi fumando foi Billy G. Ficamos amigos na quinta série, quando os principais destaques – atletas, mentes, cérebros – do subúrbio em que morávamos em Nova Jersey estavam começando a se formar. Billy era incrivelmente especial. Foi o primeiro garoto a sair com as meninas, fumava cigarro e maconha, tomava bebida alcoólica e escutava música de drogados. Os pais eram divorciados [outra preciosidade], e a mãe nunca estava em casa. Ainda me lembro dele, no quarto da irmã, separando sementes de maconha sobre a capa de um disco dos Grateful Dead... O que me atraía era o lado mau do que fazíamos, nosso ar adulto e como isso provava que era possível ser mais de uma coisa ao mesmo tempo.

A primeira pessoa que me lembro de ver fumando foi uma menina chamada Pam P. Eu a conheci no ginásio, íamos juntas para o colégio de ônibus, em Great Neck, L. I. Eu a achava o máximo porque ela morava num apartamento. (Em Great Neck não havia muitos apartamentos.) Pam parecia ter muito mais do que os seus 15 anos. Ficávamos sentadas no banco de trás do ônibus soprando a fumaça pela janela. Ela me ensinou a tragar, a amarrar uma camisa masculina na cintura para ficar bacana e a usar batom. Pam tinha uma jaqueta de couro. O pai dela raramente estava em casa.

Hoje muita gente defende a idéia de que os fumantes inveterados têm um tipo de personalidade em comum. Hans Eysenck, renomado psicólogo inglês, argumenta que fumantes desse tipo podem ser separados dos não-fumantes por traços muito simples de personalidade. Para ele, em essência, o fumante inveterado é um extrovertido.

> Ele é sociável, gosta de festas, tem muitos amigos, precisa de gente com quem falar... Anseia por excitação, se arrisca, age sem refletir e é, em geral, um indivíduo impulsivo... Prefere se manter em movimento e em atividade, tende a ser agressivo e perde a paciência com facilidade; não controla os sentimentos e nem sempre é uma pessoa confiável.[7]

Em numerosos estudos, desde o inovador trabalho de Eysenck, esse retrato do "fumante" vem se delineando. Fumantes inveterados apresentam muito mais impulso sexual do que os não-fumantes. São mais precoces sexualmente, têm uma "necessidade" maior de sexo e sentem mais atração pelo sexo oposto. Nos Estados Unidos, por exemplo, aos 19 anos, 15% das universitárias brancas que não fumam já tiveram experiências sexuais. Entre as universitárias brancas fumantes, porém, esse índice é de 55%. As estatísticas para os homens são quase idênticas, segundo Eysenck. Eles se classificam no que os psicólogos chamam de índices "anti-sociais": tendem a exibir níveis superiores de má conduta e são mais rebeldes e desafiadores. Fazem julgamentos precipitados. Assumem mais riscos. Numa casa comum de pessoas fumantes, o consumo de café é 73% mais alto e o de cerveja de duas a três vezes maior do que na média dos lares de não-fumantes. Um fato curioso é que os fumantes parecem ser mais honestos a seu próprio respeito do que os não-fumantes. Como David Krogh relata em *Smoking: The Artificial Passion*[8] (Fumo: a paixão artificial), os psicólogos usam os chamados testes da "mentira", em que inserem declarações indiscutíveis – "Nem sempre falo a verdade" ou "Às vezes trato a minha mulher ou o meu marido com frieza" – para verificar isso. Quando as pessoas sempre negam essas afirmativas, é sinal de que não estão sendo sinceras de modo geral. Os fumantes são muito mais honestos em avaliações como essas. Segundo Krogh, uma teoria diz que a falta de consideração e o excesso de rebeldia combinam-se para torná-los um pouco indiferentes à opinião dos outros".

Esses aspectos não se aplicam a todos os fumantes, é claro. No entanto, como indicadores gerais do comportamento de quem fuma, eles são bastante precisos. Além disso, quanto mais alguém fuma, maior a probabilidade de se encaixar nesse perfil. "Dentro do espírito científico", escreve Krogh, "convido o leitor a fazer uma experiência para comprovar [a relação com a personalidade do fumante] por si próprio. Vá a uma reunião descontraída de atores, músicos de rock ou cabeleireiros ou a outra de engenheiros civis, eletricistas ou programadores de computador. Observe quanto se fuma. Se sua experiência for como a minha, as diferenças serão impressionantes".

Leia a seguir outra resposta ao meu questionário. É possível descrever a personalidade extrovertida de forma mais clara?

> Quando eu era criança, meu avô era a única pessoa próxima de mim que fumava. Ele era uma figura runyonesca, um herói cheio de truques, que imigrou ainda menino da Polônia e que trabalhou a maior parte da vida como vidraceiro. Minha mãe gostava de dizer que a primeira vez que jantou com ele ficou esperando que a qualquer momento ele puxasse a toalha da mesa, sem derrubar nada, só para divertir o pessoal.

A importância da personalidade do fumante não pode ser exagerada. Se juntarmos todos esses traços de extroversão – rebeldia, precocidade sexual, honestidade, impulsividade, indiferença pela opinião alheia, busca de sensações –, o resultado será uma definição quase perfeita do tipo de pessoa pelo qual muitos adolescentes se sentem atraídos. Maggie, a veranista ajudante, Pam P., no ônibus escolar, e Billy G., com seu disco dos Grateful Dead, eram todos muito bacanas. Mas não eram bacanas porque fumavam. Eles fumavam porque eram bacanas. As mesmas características de rebeldia, impulsividade, coragem de assumir riscos, indiferença pela opinião alheia e precocidade que os faziam tão atrativos aos olhos dos outros jovens também tornavam quase inevitável que eles se sentissem igualmente atraídos pela expressão máxima da rebeldia adolescente, da coragem de assumir riscos, da impulsividade, da indiferença pela opinião alheia e da precocidade: o cigarro. Pode parecer uma coisa simples. No entanto, é essencial para compreendermos por que a guerra contra o cigarro tropeçou tão feio. Nos últimos 10 anos, o movimento antitabagista tem brigado com os fabricantes desses produtos porque eles mostram o hábito de fumar como algo bacana. Ao longo desse período, foram gastos incontáveis milhões de dólares do dinheiro público na tentativa de convencer os adolescentes de que o tabagismo não é nada disso. A questão, entretanto, não é essa. Fumar nunca foi algo bacana. Os *fumantes* é que são bacanas. As epidemias de tabagismo começam da mesma forma que a epidemia de suicídio na Micronésia, que as epidemias de propaganda boca a boca e que a epidemia de AIDS – por causa da extraordinária influência de Pam P., Billy G., Maggie e seus equivalentes, as versões fumantes de R. e Tom Gau e Gaetan Dugas. Nessa epidemia, como em todas as outras, um grupo bem pequeno – de uns poucos eleitos – é responsável por disseminá-la.

4.

Contudo, a epidemia de tabagismo entre os adolescentes não serve apenas para ilustrar a Regra dos Eleitos. Ela é também um ótimo exemplo do Fator de Fixação. Afinal de contas, o fato de que uma enorme quantidade desses jovens experimenta o cigarro como conseqüência do contato com outros jovens não é, por si só, tão assustador. O problema – o que faz do hábito de fumar o inimigo número um da saúde pública – é que grande parte dessa garotada vai em frente até se viciar. A experiência com o cigarro é tão memorável e intensa que algumas pessoas não conseguem mais parar. O hábito se fixa.

É importante manter separados esses dois conceitos – o contágio e a fixação – porque eles seguem padrões diferentes e sugerem estratégias também diversas. Lois Weisberg é uma pessoa contagiante. Ela conhece tanta gente e pertence a tantos mundos que é capaz de espalhar uma informação ou idéia em mil direções ao mesmo tempo. Lester Wunderman e os criadores do programa *As pistas de Blue*, por outro lado, são especialistas em fixação: eles têm o dom de elaborar mensagens memoráveis que possuem a capacidade de mudar o comportamento das pessoas. O contágio é em grande parte uma função do mensageiro. A fixação é basicamente uma propriedade da mensagem.

Com o tabagismo não é diferente. Se um jovem vai adquirir o hábito ou não depende do fato de ele estar ou não em contato com um desses Vendedores que dão aos adolescentes "permissão" para terem atitudes rebeldes. No entanto, se um garoto vai ou não gostar de cigarro o bastante para continuar fumando depende de outro conjunto de critérios. Em um estudo realizado na Universidade de Michigan, por exemplo, perguntou-se a um grande número de pessoas o que elas sentiram ao fumar o primeiro cigarro de sua vida. "O que descobrimos foi que, em quase todos os casos, a experiência inicial com o tabaco despertou uma certa aversão", disse Ovide Pomerleau, um dos pesquisadores.[9] "Mas o que distinguiu os futuros fumantes dos que nunca mais quiseram saber do tabaco é que os primeiros tiraram algum prazer da experiência – como uma excitação ou uma tontura agradável." Os números são surpreendentes. Dos indivíduos que experimentaram o cigarro algumas vezes e depois nunca mais fumaram, só aproximadamente um quarto sentiu algum "barato" na primeira vez. Dos ex-fumantes – gente que fumou por uns tempos e depois conseguiu parar –, cerca de um terço sentiu essa excitação agradável. Das pessoas que fumavam pouco, quase metade se lembrou bem do primeiro cigarro. Dos fumantes inveterados, entretanto, 78% se recordaram de ter tido uma boa sensação logo nas primeiras tragadas. Portanto, até que ponto o hábito de fumar acaba se fixando em determinado indivíduo depende muito de sua reação inicial à nicotina.

Esse é um ponto crítico e que, muitas vezes, se perde na acalorada retórica da guerra contra o cigarro. A indústria do tabaco, por exemplo, vem há anos sendo colocada no pelourinho por negar que a nicotina vicia. Essa posição é absurda. Mas a idéia no outro extremo, com freqüência defendida pelos antitabagistas – a de que a nicotina é um capataz mortal que escraviza todos os que entram em contato com ela –, é igualmente ridícula. De todos os adolescentes que experimentam o cigarro, apenas cerca de um terço continua a fumar com freqüência. A nicotina pode causar forte dependência, entretanto somente no caso de determinadas pessoas, às vezes. E o mais importante: descobriu-se que até entre os fumantes regulares existem enormes diferenças na fixação do hábito. Os especialistas na área acreditavam que 90 a 95% dos tabagistas eram fumantes habituais. Muitos anos atrás, porém, as perguntas sobre o fumo na pesquisa nacional sobre saúde realizada pelo governo americano se tornaram mais específicas e, com isso, os pesquisadores acabaram constatando, para seu espanto, que um quinto dos tabagistas não fuma todos os dias. No caso dos americanos, isso corresponde a milhões de pessoas que não se viciam – gente para quem o cigarro é contagiante, contudo não se fixa. Nos últimos anos, os *chippers* (ocasionais) – como esses indivíduos foram apelidados – têm sido estudados à exaustão. A maior parte desse trabalho vem sendo feita pelo psicólogo da Universidade de Pittsburgh, Saul Shiffman, que define o *chipper* como alguém que não consome mais de cinco cigarros por dia e que fuma, no mínimo, em quatro dias na semana. Ele diz:[10]

> No caso dos *chippers*, o ato de fumar varia consideravelmente de um dia para outro, e seus padrões costumam incluir dias de total abstinência. Eles relataram pouca dificuldade em manter essa abstinência ocasional e não apresentam quase nenhum sintoma provocado pela falta do cigarro nessas ocasiões (...) Ao contrário dos fumantes comuns que mal acordam e já estão com o cigarro na boca para compensar a nicotina que não consumiram durante a noite, os *chippers* demoram horas até acender o primeiro cigarro do dia. Em resumo, todos os indicadores examinados sugerem que eles não são viciados em nicotina e que não fumam para aliviar a sua falta nem para evitar sua ausência.

Shiffman diz que os *chippers* correspondem às pessoas que bebem socialmente. Aquelas que têm controle sobre seus hábitos. Ele explica:

> Essas pessoas, em sua maioria, jamais foram fumantes inveterados. Para mim, há um retardo no desenvolvimento do seu hábito de fumar. Todo fumante começa como um *chipper* e aos poucos vai ficando cada vez mais dependente do cigarro. Quando coletamos dados sobre a fase inicial do hábito de fumar, os *chippers* são como todo mundo. A dife-

rença é que, com o tempo, os fumantes inveterados passam a fumar mais, enquanto eles permanecem onde estão.

O que distingue os *chippers* dos fumantes inveterados? Provavelmente fatores genéticos. Allan Collins, da Universidade do Colorado, por exemplo, selecionou grupos de diferentes linhagens de camundongos e injetou em cada um deles quantidades crescentes de nicotina. Quando essa substância (que, afinal, é um veneno) alcança níveis tóxicos em um camundongo, ele tem um ataque – a cauda fica rígida, o animal começa a correr como um louco pela gaiola, a cabeça se balança de um lado para o outro e ele acaba caindo de costas. Collins queria ver se as diversas linhagens conseguiriam suportar doses diferentes de nicotina. Com toda a certeza, sim. A linhagem mais tolerante à substância foi capaz de receber uma quantidade duas ou três vezes maior da droga do que a linhagem que teve ataques com a dose mais baixa. "É mais ou menos a mesma variação que observamos com o álcool", diz Collins. Em seguida, ele colocou todos os camundongos em gaiolas e lhes deu duas garrafas com um líquido para beber: numa delas havia uma solução simples de sacarina; na outra, uma solução de sacarina misturada com nicotina. Dessa vez, sua intenção era verificar se existia relação entre a tolerância genética de cada linhagem à nicotina e a quantidade dessa substância que elas consumiriam de forma voluntária. Mais uma vez, a resposta foi positiva. De fato, a correlação era quase perfeita. Quanto maior a tolerância genética de um camundongo à nicotina, mais ele bebia da garrafa que a continha. Para Collins, há genes no cérebro desses animais que ditam a forma como a nicotina é processada – a rapidez com que ela causa toxicidade, quanto prazer proporciona e o tipo de excitação que provoca. Ele também acredita que algumas linhagens de camundongos têm genes que suportam muito bem essa substância e extraem dela grande prazer, enquanto outras possuem genes que a tratam como veneno.

Os humanos, é claro, não são camundongos, e beber nicotina de uma garrafa dentro de uma gaiola não é a mesma coisa que acender um Hollywood. No entanto, mesmo havendo apenas uma modesta correlação entre o que acontece no cérebro dos camundongos e no nosso, essas constatações parecem concordar com o estudo de Pomerleau. As pessoas que não tiveram uma boa sensação com o primeiro cigarro e acharam a experiência tão horrível que nunca mais voltaram a fumar são provavelmente aquelas que têm o organismo mais sensível à nicotina, incapaz de suportá-la até em doses ínfimas. Já os *chippers* talvez sejam indivíduos que têm genes para extrair prazer dessa substância, porém não para lidar com ela em grandes quantidades. No caso dos fumantes inveterados, pode ser que eles possuam genes para as duas coisas. Isso não quer dizer que a genética explique a quantidade de cigarros que uma pessoa fuma. Como a nicotina é conhecida por aliviar a monotonia e o estresse, quem se encontra em situações dessa natureza vai sempre fumar mais do que os outros. Digo isso apenas para deixar claro que aquilo que faz o cigarro se fixar é algo completamente diferente do tipo de fator que o torna contagiante. Portanto, se estamos buscando Pontos da Virada na guerra contra o tabagismo, precisamos decidir que lado da epidemia atacar para alcançarmos maior sucesso. Devemos tentar fazer o cigarro menos contagiante impedindo os Vendedores de espalhar o vírus do fumo? Ou será melhor fazer com que ele se fixe menos encontrando um jeito de transformar todos os fumantes em *chippers*?

5.

Vamos tratar primeiro da questão do contágio. Existem duas estratégias possíveis para interromper a disseminação do tabagismo. A primeira delas é impedindo aquelas pessoas que "dão permissão" – as Maggies e os Billy G. – de fumar. Esse é o caminho mais difícil de todos, afinal os adolescentes mais independentes, precoces e rebeldes dificilmente serão os mais suscetíveis a acatar um conselho racional sobre a saúde. A segunda possibilidade é convencer todos os que procuram a permissão de pessoas como Maggie e Billy G. de que devem olhar em outra direção, obter com os adultos, por exemplo, as suas dicas do que é bacana.

Mas isso também não é fácil. Na verdade, pode ser uma estratégia ainda mais difícil do que a primeira pela simples razão de que os pais não exercem esse tipo de influência sobre os filhos.

É duro aceitar isso, é claro. Os pais acreditam que podem moldar a personalidade e o comportamento dos filhos. Mas, como Judith Harris argumentou com brilhantismo em *Diga-me com quem anda*,[11] infelizmente não há provas que sustentem essa crença. Considere, por exemplo, o resultado do trabalho realizado por psicólogos ao longo dos anos na tentativa de avaliar exatamente esta questão – o efeito que os pais exercem sobre filhos. É evidente que eles transmitem seus genes à prole, e os genes têm um papel importantíssimo na nossa maneira de ser. Os pais dão amor e afeto nos primeiros anos da infância; privadas do sustento emocional no início da vida, as crianças são prejudicadas de modo irreparável. São eles também que proporcionam alimento, lar, proteção e os elementos básicos do dia-a-dia de que as crianças precisam para se sentir seguras, saudáveis e felizes. Até aí é fácil. Contudo, será que faz muita diferença para a personalidade de uma criança se ela tem um pai ansioso e inexperiente em vez de um pai autoritário e competente? Será que alguém teria uma chance maior de criar filhos mais intelectualizados se enchesse a casa de livros? Será que o fato de um pai ver o filho apenas duas horas por dia em vez de oito afeta a personalidade da criança? Em outras palavras, será que o ambiente social específico que estabelecemos em nossos lares faz mesmo diferença na maneira como nossos filhos serão quando adultos? Em uma extensa e bem planejada série de estudos de gêmeos – em especial dos que foram separados ao nascer e criados distantes um do outro –, os geneticistas mostraram que a maior parte dos traços de caráter que nos fazem ser o que somos – afabilidade, extroversão, nervosismo e franqueza, entre outros – é determinada em 50% por nossos genes. A outra metade é influenciada pelo ambiente, e a suposição é de que esse ambiente que faz tanta diferença em nossa vida é o doméstico. No entanto, o problema é que, sempre que os psicólogos se dispõem a procurar o efeito gerado pela criação, não conseguem encontrá-lo.

Um dos mais abrangentes e rigorosos estudos desse tipo, por exemplo, é o Colorado Adoption Project. Em meados da década de 1970, um grupo de pesquisadores da Universidade do Colorado, chefiados por Robert Plomin, um dos mais importantes geneticistas comportamentais do mundo, recrutou 245 gestantes da região de Denver que iam entregar os filhos para adoção. Em seguida, eles acompanharam as crianças em seus novos lares, dando-lhes uma bateria de testes de personalidade e inteligência em intervalos regulares durante toda a infância e aplicando conjuntos de avaliações idênticas aos pais adotivos. Para efeito de comparação, testes iguais foram realizados com um grupo semelhante de 245 pais e seus filhos biológicos. No caso dos grupos de comparação, os resultados ficaram muito próximos do esperado. Em aspectos como medições de capacidade intelectual e determinados traços de personalidade, os filhos biológicos se assemelhavam muito aos pais. Em relação às crianças adotadas, contudo, os resultados foram bem diferentes. Suas pontuações nada tinham em comum com a dos pais adotivos: sua capacidade intelectual e seus traços de personalidade não eram mais parecidos com os das pessoas que as criaram, alimentaram, vestiram, leram para elas e as amaram durante 16 anos do que com os de qualquer outro casal escolhido ao acaso na rua.

Pensando bem, essa é uma descoberta extraordinária. A maioria de nós acredita que somos iguais aos nossos pais em razão de alguma combinação de genes e, sobretudo, da educação que recebemos em casa – que os pais, em grande parte, nos criam à sua própria imagem. No entanto, se a criação é assim tão importante, então por que as crianças adotadas não têm *nada* de parecido com os pais adotivos? O estudo do Colorado não defende a tese de que os genes explicam tudo e que o ambiente não importa. Pelo contrário, todos os resultados sugerem que o ambiente tem uma relevância tão grande quanto os fatores hereditários na formação da personalidade e da inteligência – às vezes, até maior. O que esse trabalho mostra, porém, é que, qualquer que seja a influência ambiental, ela não tem muito a ver com os pais. Trata-se de outra coisa. Para Judith Harris, essa outra coisa é a influência da turma, ou dos iguais.

Por que, pergunta Harris, os filhos de imigrantes recentes quase nunca conservam o sotaque dos pais? Como é que os filhos de pais surdos conseguem aprender a falar tão bem e rápido quanto as crianças que ouvem os pais conversar com elas desde que nasceram? A resposta tem sido sempre a de que a linguagem é uma habilidade adquirida lateralmente – que o que as crianças assimilam de outras crianças é tão importante na aquisição da linguagem quanto aquilo que elas captam em casa – em alguns casos, até mais. Segundo Harris, isso também é verdade de uma forma mais abrangente, isto é, que a influência ambiental que ajuda as crianças a serem quem são – que molda o seu caráter e a sua personalidade – é a sua turma, ou os seus iguais.

Esse argumento, compreensivelmente, tem despertado muitas controvérsias na imprensa popular. Existem discussões legítimas sobre onde – e até que ponto – ele se aplica. Ainda assim, não há dúvida de que tem muita relevância para a questão do tabagismo entre os adolescentes. Os filhos de tabagistas têm uma probabilidade duas vezes maior de fumar do que os filhos de não-fumantes. Esse é um fato bem conhecido. No entanto – de acordo com a lógica de Harris –, isso não significa que os pais que fumam na frente das crianças são um exemplo que elas seguem. Indica apenas que os filhos de fumantes herdam os genes que os predispõem à dependência da nicotina. Na verdade, estudos sobre crianças adotadas mostram que as que são criadas por fumantes não têm uma probabilidade maior de vir a fumar do que as que são criadas por não-fumantes. "Em outras palavras, os efeitos das variações na criação (por exemplo, pais que acendem ou não cigarros na frente dos filhos ou pais que têm ou não cigarros em casa) são essencialmente nulos quando as crianças chegam à idade adulta", escreveu o psicólogo David Rowe, em 1994, resumindo a pesquisa sobre a questão em *The Limits of Family Influence* (Os limites da influência da família).[12] "O papel dos pais é passivo – proporcionando um conjunto de genes *at loci* relevante para o risco de fumar, mas que não influenciam os filhos em termos sociais."

Para Rowe e Harris, o processo de aquisição do hábito de fumar entre os adolescentes está totalmente ligado à turma a que eles pertencem. Não se trata de copiar o comportamento de um adulto, por isso o tabagismo entre a garotada está aumentando numa época em que as pessoas mais velhas estão deixando de fumar. Cigarro é coisa de adolescentes, de jovens que dividem experiências emocionais semelhantes, uma linguagem expressiva idêntica e rituais tão impenetráveis e irracionais para quem está de fora quanto os rituais suicidas dos adolescentes na Micronésia. Como esperar, nessas circunstâncias, que a intervenção de um adulto possa causar impacto?

"Falar com os adolescentes sobre os riscos do cigarro para a saúde? Você vai ficar cheio de rugas! Vai ficar impotente! Isso vai matar você! É inútil", conclui Harris. "Isso é propaganda dos adultos, são argumentos de adultos. É exatamente porque os adultos condenam o cigarro – porque existe algo de perigoso e infame nisso – que os adolescentes querem tanto fumar."

6.

Se a tentativa de frustrar os esforços dos Vendedores – de procurar intervir no mundo interno dos adolescentes – não parece uma estratégia eficaz contra o hábito de fumar, o que dizer então da fixação? No caso do cigarro, a busca dos Pontos da Virada é muito diferente. Supomos, como já disse, que um dos motivos que fazem com que algumas pessoas experimentem um cigarro e depois nunca mais fumem e que outras fiquem viciadas para o resto da vida é que a tolerância inata à nicotina pode variar muito entre os seres humanos. Num mundo perfeito, daríamos aos fumantes inveterados uma pílula para baixar a sua tolerância ao nível, digamos, de um *chipper*. Seria uma ótima forma de eliminar a fixação do cigarro. Infelizmente, não sabemos como fazer isso. O que temos é o adesivo de nicotina, que vai liberando aos poucos doses constantes da substância, de forma que a pessoa não precise se expor aos riscos do tabaco para satisfazer o vício. Essa é uma estratégia antifixação que tem ajudado milhões de tabagistas. Mas é evidente que o adesivo está longe de ser perfeito. Para um dependente químico, a maneira mais excitante de se drogar é com um "choque" – uma alta dose liberada depressa, que toma conta dos sentidos. Os usuários de heroína não ficam pingando a droga na veia: injetam-na duas, três ou quatro vezes por dia, em quantidades enormes a cada aplicação. Os fumantes, em escala menor, agem de maneira idêntica. Dão um trago, depois param, em seguida tragam de novo. O adesivo, entretanto, libera uma dose constante de nicotina no transcorrer do dia, o que é um jeito bem monótono de absorvê-la. Esse recurso não parece ser um Ponto da Virada na luta contra a epidemia tabagista, não mais do que os milk-shakes da SlimFast são um Ponto da Virada no combate à obesidade. Existe um candidato melhor?

Acredito que há duas possibilidades. A primeira pode ser encontrada na correlação entre tabagismo e depressão, uma associação descoberta há pouco tempo. Em 1986, um estudo com pacientes psiquiátricos externos em Minnesota mostrou que metade deles fumava, um número bem acima da média nacional. Dois anos depois, um psicólogo da Universidade de Columbia, Alexander Glassman, verificou que 60% dos fumantes inveterados que ele estava estudando como parte de uma pesquisa totalmente diferente apresentavam históricos de depressão grave. Em seguida, ele realizou outro trabalho, que foi publicado em 1990 no *Journal of the American Medical Association*,[13] envolvendo 3.200 adultos selecionados de forma aleatória. Entre aqueles que em algum momento da vida tinham recebido o diagnóstico de um importante distúrbio psiquiátrico, 74% já haviam fumado e 14% conseguiram abandonar o cigarro. Entre os que nunca tinham recebido um diagnóstico de problema psiquiátrico, 53% já haviam fumado e 31% conseguiram abandonar o cigarro. À medida que aumenta a incidência de distúrbios psiquiátricos, cresce a correlação com o tabagismo. Cerca de 80% dos dependentes de álcool fumam. Em torno de 90% dos esquizofrênicos são fumantes. Em um estudo de resultados particularmente preocupantes, uma equipe de psiquiatras britânicos comparou um grupo de jovens fumantes com idades entre 12 e 15 anos que apresentavam problemas emocionais e comportamentais com um grupo de alunos da mesma idade que freqüentava escolas comuns. Metade dos estudantes com problemas já estava fumando mais de 21 cigarros por semana, mesmo tendo tão pouca idade, enquanto apenas 10% dos alunos das escolas comuns eram tabagistas. Portanto, à medida que caem os índices gerais de tabagismo, o hábito passa a se concentrar entre os membros mais perturbados e marginais da sociedade.

Várias teorias explicam por que o cigarro combina tanto com distúrbios emocionais. Uma delas é que os mesmos fatores que tornam alguém suscetível aos efeitos contagiantes do fumo – falta de auto-estima, digamos, ou uma vida familiar infeliz e pouco saudável – também contribuem para a depressão. Mais surpreendente, entretanto, são algumas evidências preliminares de que os dois problemas podem ter a mesma raiz genética. Por exemplo, acredita-se que a depressão seja conseqüência, pelo menos em parte, de uma dificuldade na produção de determinadas substâncias químicas essenciais, em particular dos neurotransmissores conhecidos como serotonina, dopamina e norepinefrina. São eles que regulam o humor, que contribuem para sentimentos de confiança, controle e prazer. Drogas como Zoloft e Prozac funcionam porque induzem o cérebro a produzir mais serotonina: digamos que elas compensam a deficiência que algumas pessoas deprimidas apresentam dessa substância. A nicotina parece atuar da mesma forma em relação aos outros dois neurotransmissores-chave – dopamina e norepinefrina. Para resumir, os fumantes deprimidos estão, em essência, usando o tabaco como um meio simples de tratar a própria depressão, de elevar o nível das substâncias do cérebro de que necessitam para funcionar normalmente. Esse efeito é tão forte que aqueles com histórico de problemas psiquiátricos que decidem parar de fumar correm um risco enorme de voltar a ter depressão. Em casos como esse, a fixação é extrema: alguns fumantes sentem dificuldade em abandonar o hábito não apenas porque estão dependentes da nicotina, mas também porque, sem ela, estão sujeitos a apresentar uma doença psiquiátrica debilitante.

Essa é uma dura realidade. Mas também sugere que o tabagismo pode ter uma vulnerabilidade crítica: tratando a depressão dos fumantes, consegue-se vencer esse hábito com mais facilidade. Sem dúvida, é isso. Em meados da década de 1980, os pesquisadores do atual laboratório farmacêutico Glaxo Wellcome estavam fazendo uma grande experiência em âmbito nacional com um novo antidepressivo chamado bupropiona quando, para sua surpresa, começaram a receber do pessoal de campo referências ao hábito de fumar.[14] "Os pacientes passaram a dizer frases como 'Não tenho mais vontade de fumar', 'Estou fumando menos' e 'O cigarro não tem mais o mesmo sabor'", conta Andrew Johnston, que coordena a divisão de psiquiatria do laboratório. "Como você pode imaginar, uma pessoa na minha posição recebe relatos sobre tudo, então não dei muita atenção àquilo. No entanto, comentários desse tipo continuaram chegando. Aquilo não era comum." Isso aconteceu em 1986, quando a relação entre depressão e cigarro ainda não era bem compreendida. Por isso, a princípio, o pessoal do laboratório ficou intrigado. O que se percebeu logo, porém, foi que a bupropiona estava funcionando como uma espécie de substituto da nicotina. Johnston explica: "A dopamina que a nicotina libera vai para o córtex pré-frontal, onde se localiza o centro do prazer no cérebro. Acredita-se que essa seja a parte responsável pela sensação de prazer e bem-estar associada ao cigarro. Por isso é tão difícil parar de fumar. A nicotina aumenta também a produção de norepinefrina. Por esse motivo, quando alguém está largando o cigarro e já não obtém tanto desse hormônio, surgem a agitação e a irritabilidade. A bupropiona faz as duas coisas. Eleva o nível de dopamina, assim a vontade de fumar desaparece, e repõe parte da norepinefrina, o que elimina a agitação e os sintomas da abstinência."

A Glaxo Wellcome testou a droga – hoje comercializada com o nome de Zyban – em tabagistas com alto nível de dependência (mais de 15 cigarros por dia) e obteve resultados impressionantes. No estudo, 23% dos fumantes que participaram de um curso de aconselhamento contra o cigarro e receberam um placebo deixa-ram de fumar após quatro semanas. Dos que tiveram acesso ao aconselhamento e usaram adesivos de nicotina, 36% largaram o vício também depois de quatro semanas. Nesse mesmo quadro, entre os que tomaram Zyban, no entanto, o índice foi de 49%. No caso dos fumantes com alto nível de dependência tratados com Zyban e o adesivo, 58% abandonaram o cigarro um mês depois. Um fato curioso é que o Zoloft e o Prozac – drogas que atuam na serotonina – não ajudam a combater o tabagismo. Portanto, não basta melhorar o humor – é necessário melhorá-lo exatamen-te como a nicotina faz. E só o Zyban consegue isso. Não estou dizendo que ele seja um medicamento perfeito. Como acontece com todos os sistemas de apoio para quem quer parar de fumar, esse remédio tem pouco êxito com fumantes altamente depen-dentes de nicotina. Seu sucesso inicial provou, porém, que existe a possibilidade de se encontrar, no caso do cigarro, um Ponto da Virada que se fixa, isto é, que se concentrando na depressão é possível explorar uma vulnerabilidade crítica no processo de dependência.[15]

Há um segundo Ponto da Virada em potencial na questão da fixação que se torna evidente se reexaminarmos o que acontece com os adolescentes quando eles começam a fumar. No início, quando experimentam o cigarro, todos eles são *chippers*. Fumam apenas de vez em quando. A maioria abandona logo o hábito e nunca mais o retoma. Uns poucos continuam fumando ocasio-nalmente durante muitos anos ainda, sem se tornarem viciados. Cerca de um terço deles acaba como fumantes habituais. O que é interessante nesse período, entretanto, é que leva cerca de três anos para que esses jovens passem de fumantes ocasionais para fumantes habituais – isso ocorre mais ou menos dos 15 aos 18 anos. Depois, nos cinco ou sete anos seguintes, o hábito vai se intensificando de forma gradual. "Quando um aluno do ensino médio está fumando regularmente, ele não está consumindo um maço de cigarros por dia', explica Neal Benowitz, especialista em dependência química da Universidade da Califórnia, em São Francisco. "Somente por volta dos 20 anos é que ele chega a esse nível."

A dependência da nicotina, portanto, está longe de se desenvolver de modo instantâneo. A maioria das pessoas leva tempo para se tornar dependente. E só porque os adolescentes estão fumando aos 15 anos isso não significa que eles acabarão presos a esse hábito pelo resto da vida. Temos cerca de três anos para impedir que isso aconteça. A segunda e mais intrigante implicação desse fato é que a dependência da nicotina não é um fenômeno linear. Não é como se alguém fosse só um pouco viciado porque precisa de um cigarro por dia, um pouco mais viciado se necessita de dois e 10 vezes mais viciado se fuma 10 cigarros todo dia. Isso sugere, pelo contrário, que existe um Ponto da Virada na dependência, um limiar – até determinado número de cigarros por dia a pessoa não é viciada; porém, assim que ultrapassa esse número mágico, ela, de repente, se torna dependente. Essa é outra maneira, mais completa, de entender os *chippers*: eles são indivíduos que nunca fumaram o bastante para atingir o limiar da dependência. Por outro lado, um tabagista inveterado é alguém que, em dado momento, cruzou essa linha.

O que é o limiar da dependência? Ninguém acredita que ele seja o mesmo para todas as pessoas. Contudo, Benowitz e Jack Henningfield – talvez os maiores especialistas em nicotina do mundo – fizeram algumas suposições. Os *chippers*, observam eles, são pessoas capazes de fumar até cinco cigarros por dia sem se viciar. Isso indica que a quantidade de nicotina presente em cinco cigarros – de 4 a 6mg – está provavelmente perto do limiar da dependência. Assim, a sugestão dos dois pesquisadores é que as indústrias de tabaco sejam obrigadas a baixar a concentração dessa substância de tal forma que até o fumante mais ávido – aquele que consome, digamos, 30 cigarros por dia – não consiga mais do que 5mg num período de 24 horas. Esse nível, argumentaram eles num editorial do *New England Journal of Medicine*,[16] "deve ser suficiente para impedir ou limitar o desenvolvimento da dependência entre a maioria dos jovens. Ao mesmo tempo, pode proporcionar nicotina bastante para a estimulação sensorial e do paladar". Os adolescentes, em outras palavras, continuariam a experimentar o cigarro pelas mesmas razões de antes – porque o hábito contagia, porque a garotada bacana fuma, porque eles querem fazer parte da turma. No entanto, com a redução dos níveis de nicotina abaixo do limiar da dependência, o hábito não se fixaria mais. O cigarro não seria tanto como uma gripe, e sim como um resfriado comum: pega-se fácil, mas se acaba rápido com ele.

É importante colocar em perspectiva esses dois fatores de fixação. O movimento antitabagista tem se concentrado até agora no aumento do preço dos cigarros, na restrição dos anúncios, na divulgação de informações do serviço de saúde pública pelo rádio e pela televisão, na limitação do acesso dos menores de idade a esses produtos e na contínua transmissão de mensagens antitabagistas para o público infantil. No entanto, enquanto toda essa ampla, aparentemente abrangente e ambiciosa campanha é travada, o tabagismo entre os adolescentes sobe de forma vertiginosa. Ficamos obcecados com os comportamentos em relação ao cigarro em grande escala, entretanto não conseguimos alcançar os grupos cujas atitudes mais precisam ser alteradas. Permanecemos obstinados na tentativa de anular a influência dos Vendedores do hábito de fumar. No entanto, parece cada vez mais difícil impedi-la. Estamos, em resumo, convencidos de que é necessário atacar todos os aspectos do problema de uma só vez. A verdade é que não é. Basta encontrarmos os Pontos da Virada da fixação – e esses são os elos para a depressão e o limiar da dependência de nicotina.

A segunda lição da estratégia da fixação é que ela nos proporciona uma abordagem mais sensata das experiências que os jovens fazem. A visão absolutista no combate às drogas parte da premissa de que experimentar é a mesma coisa que se viciar. Não queremos nossos filhos expostos à heroína, à maconha nem à cocaína porque achamos que o fascínio dessas substâncias é tão forte que até mesmo um contato mínimo já é suficiente para que eles se tornem dependentes. Mas você sabe o que dizem as estatísticas sobre experimentação de drogas ilegais? No Levantamento sobre Abuso de Drogas na Família, de 1996, 1,1% dos que responderam à pesquisa disseram ter usado heroína pelo menos uma vez. No entanto, apenas 18% desses 1,1% a tinham consumido no ano anterior e somente 9% no mês anterior. Esse não é o perfil de uma droga com um poder particularmente grande de fixação. Os números sobre a cocaína são ainda mais surpreendentes. Menos de 1% – 0,9% – dos que a tinham experimentado eram usuários habituais. O que esses números revelam é que há duas coisas distintas: uma é experimentar drogas, outra é usá-las de forma intensa e regular. Ou seja, o fato de uma droga ser contagiante não significa que ela se fixe. O número de pessoas que parecem ter experimentado cocaína pelo menos uma vez deveria nos mostrar que a necessidade que os adolescentes têm de tentar algo perigoso é quase universal. Nessa fase da vida é isso que as pessoas sentem vontade de fazer. É assim que elas aprendem sobre o mundo. E, na maioria das vezes – em 99,1% dos casos envolvendo cocaína –, essa experiência não resulta em nada de ruim. Temos que parar de combater esse tipo de atitude. Precisamos aceitá-la e até adotá-la. A garotada sempre ficará fascinada por gente como Maggie, Billy G. e Pam P. E deve mesmo se sentir assim, pelo menos para superar a fantasia adolescente de que é bom viver sendo rebelde, truculento e irresponsável. O que deveríamos fazer em vez de lutar contra a atitude de experimentar é garantir que ela não tenha conseqüências graves.[17]

Vale a pena repetir algo que já foi dito no início deste capítulo, uma citação de Donald Rubinstein descrevendo como o suicídio se entranhou na cultura dos adolescentes da Micronésia.

> Alguns rapazes que tentaram se matar relataram ter visto alguém fazer isso ou escutado falar sobre o assunto aos oito ou 10 anos de idade. Suas tentativas parecem motivadas por imitação ou por simples jogo experimental. Um garoto de 11 anos, por exemplo, enforcou-se dentro de casa e quando foi encontrado já estava inconsciente e com a língua de fora. Mais tarde, ele explicou que queria "experimentar" como era se enforcar. Disse que não pretendia morrer (...)

O que é trágico em tudo isso não é que esses garotos estivessem experimentando alguma coisa. Fazer experiências é uma atitude típica de meninos. O trágico é que eles escolheram fazer isso com algo que não se pode experimentar. Infelizmente, nunca vai existir uma forma de suicídio menos arriscada para ajudar a salvar os adolescentes da Micronésia. Mas pode haver um meio mais seguro de fumar. Prestando atenção nos Pontos da Virada do processo de aquisição de um vício, conseguiremos tornar possível uma maneira de fumar mais prudente e sem tanto poder de fixação.

Conclusão:

CONCENTRE-SE, TESTE E ACREDITE

Não muito tempo atrás, uma enfermeira chamada Georgia Sadler iniciou uma campanha para um maior conhecimento e consciência da diabetes e do câncer de mama na comunidade negra de San Diego. Ela desejava criar um movimento popular de prevenção dessas doenças e começou organizando seminários nas igrejas freqüentadas por esse segmento da população em toda a cidade. Os resultados, porém, foram decepcionantes. "Havia talvez 200 pessoas nas igrejas, mas só conseguíamos que umas 20 ficassem depois do culto. E era gente que já sabia muito sobre o assunto e só estava querendo mais informação. Aquilo estava me deixando desanimada." Sadler não conseguia fazer a sua mensagem passar desse pequeno grupo.

Ela percebeu que precisava de um novo contexto. "Acho que as pessoas ficavam cansadas e com fome. Estamos todos sempre muito ocupados. O pessoal quer voltar para casa." Ela precisava de um lugar onde as mulheres estivessem relaxadas, receptivas a novas idéias e com tempo para ouvir falar de novidades. Necessitava também de um novo mensageiro, alguém que fosse um pouco Comunicador, um pouco Expert e um pouco Vendedor. Tinha que encontrar uma maneira diferente, com maior poder de fixação, de apresentar as informações. E realizar todas essas mudanças sem exceder a pequena quantia que recebera como contribuição de várias fundações e grupos patrocinadores. A solução? Transportar a campanha das igrejas freqüentadas por pessoas negras para os salões de beleza.

"É uma platéia cativa", diz Sadler. "Essas mulheres às vezes ficam no salão de duas a oito horas quando estão trançando os cabelos." A cabeleireira também tem um relacionamento especial com as clientes. "Quando uma mulher encontra alguém que acerta com os seus cabelos, ela se dispõe a andar quilômetros só para ser atendida por essa pessoa. Em muitos casos, a cabeleireira acaba se tornando uma amiga. Acompanha a cliente na formatura, no casamento, na maternidade quando nasce o primeiro bebê. É um relacionamento longo. De confiança. A mulher, literal e metaforicamente, solta os cabelos num salão." Além disso, há alguma coisa na profissão de cabeleireira que parece atrair determinado tipo de pessoa – alguém que se comunica com facilidade e bem, alguém com uma grande variedade de conhecidos. "São conversadoras por natureza", diz Sadler. "Adoram bater papo. Tendem a ser muito intuitivas porque têm que ficar de olho na cliente e ver como ela está."

Ela reuniu um grupo de cabeleireiras da cidade para uma série de sessões de treinamento. Levou um especialista em folclore para ensiná-las a apresentar as informações sobre câncer de mama de forma atrativa. "Queríamos nos basear nos métodos tradicionais de comunicação", diz Sadler. "Não estávamos numa sala de aula. Desejávamos que fosse algo que as mulheres sentissem vontade de compartilhar, de passar adiante. E é muito mais fácil transmitir conhecimento com histórias." Sadler manteve um fluxo constante de novas informações, fofocas e introduções de conversas sobre câncer de mama circulando nos salões. Dessa forma, todas as vezes que uma cliente voltava, a cabeleireira podia recorrer a um desses ganchos para começar um papo. Ela organizou todos esses dados em um texto de letras grandes e o colou em folhas laminadas capazes de agüentar o tranco de um salão movimentado. Montou um programa de avaliação para saber o que estava dando certo e verificar se estava conseguindo fazer com que as mulheres mudassem seu comportamento e passassem a realizar mamografias e exames de diabetes. O que ela descobriu foi que o programa funcionava. É possível fazer muito com pouco.

No transcorrer deste livro, vimos várias histórias como essa – da luta contra o crime em Nova York à caça ao tesouro de Lester Wunderman para o Columbia Record Club. O que todas elas têm em comum é a modéstia. Sadler não foi ao Instituto Nacional do Câncer nem ao Departamento de Saúde do Estado da Califórnia pedir milhões de dólares para colocar em ação uma campanha elaborada, multimídia, de conscientização popular. Não foi bater de porta em porta pelos bairros de San Diego, inscrevendo mulheres para fazer mamografias de graça. Não bombardeou as emissoras de rádio e televisão com convocações para exame de prevenção. Ela simplesmente pensou na melhor maneira de usar o pequeno orçamento que tinha nas mãos. Mudou o contexto da mensagem. Mudou o mensageiro e mudou a própria mensagem. Sadler concentrou seus esforços.

Essa é primeira lição do Ponto da Virada. Deflagrar epidemias exige a concentração de recursos em poucas áreas essenciais. A Regra dos Eleitos diz que os Comunicadores, Experts e Vendedores são os responsáveis por iniciar epidemias boca a boca. Isso significa que, se você estiver interessado em desencadear algo do gênero, seus recursos devem ser dirigidos somente a esses três grupos. Ninguém mais importa. Avisar William Dawes de que os ingleses estavam chegando não serviu de nada para os colonos da Nova Inglaterra. Mas dizer isso a Paul Revere fez a diferença entre a derrota e a vitória. Os criadores de *As pistas de Blue* desenvolveram um programa de televisão de meia hora, sofisticado, que as crianças adoraram. No entanto, eles perceberam que era impossível para a garotada se lembrar de tudo e aprender o que era necessário assistindo a cada episódio apenas uma vez. Portanto, fizeram o que ninguém havia feito na televisão até então. Repetiram o mesmo episódio cinco vezes seguidas. Sadler não tentou atingir todas as mulheres de San Diego de uma vez só. Ela usou os recursos disponíveis e os concentrou em um único lugar importante – o salão de beleza.

Um olhar crítico poderia dispensar essas intervenções altamente focalizadas e direcionadas por considerá-las "soluções band-aid". Mas essa expressão não deve ser vista como depreciativa. O band-aid é uma saída barata, muito versátil e conveniente para um número surpreendente de problemas. Na sua história, é provável que esses curativos tenham dado a centenas de milhões de pessoas a possibilidade de continuar trabalhando, jogando tênis, cozinhando ou caminhando quando estariam, de outra forma, paradas. Esse tipo de solução é, na verdade, o melhor porque permite resolver um problema com o mínimo de esforço, tempo e dinheiro. Temos, é claro, um desprezo instintivo por essa idéia porque alguma coisa dentro de nós acredita que as verdadeiras respostas para os problemas têm que ser abrangentes, que há virtude na aplicação persistente e indiscriminada de esforço, que devagar e sempre se chega longe. A questão é que a aplicação indiscriminada de esforço nem sempre é possível. Há ocasiões em que necessitamos de um bom atalho, de um jeito de fazer muito com pouco. E é aí que entram os Pontos da Virada.

A teoria dos Pontos da Virada requer, entretanto, uma reestruturação da maneira como entendemos o mundo. Neste livro me estendi bastante sobre as idiossincrasias da nossa forma de nos relacionar uns com os outros e com as novas informações. Achamos difícil estimar mudanças drásticas, exponenciais. Não conseguimos imaginar que um pedaço de papel dobrado 50 vezes pode alcançar o Sol. Existem limites bem delineados para o número de categorias cognitivas que somos capazes de organizar, para o número de pessoas que conseguimos amar de verdade e para o número de indivíduos que podemos conhecer de fato. Desistimos diante de um problema enunciado de forma abstrata, todavia não temos nenhuma dificuldade em solucioná-lo se ele nos for apresentado como um dilema social. Todos esses elementos são expressões das peculiaridades da mente e da alma humanas, uma refutação do conceito de que o modo como nos comportamos, nos comunicamos e processamos as informações é direto e transparente. Não é. Ele é confuso e opaco. *Vila Sésamo* e *As pistas de Blue* alcançaram sucesso, em grande parte, pelas coisas que fizeram que não são óbvias. Quem diria, de antemão, que Big Bird [Garibaldo] tinha que dividir o mesmo cenário com personagens adultos? Ou quem poderia imaginar que aumentar o número de operários de uma fábrica de 100 para 150 não causa problema, mas que pode haver um problemão se ele passar de 150 para 200? No teste com os nomes da lista telefônica que fiz, não tenho certeza se alguém teria previsto que as altas pontuações seriam superiores a 100, enquanto as baixas seriam inferiores a 10. Achamos que as pessoas são diferentes, porém não tanto assim.

O mundo – por mais que queiramos – não corresponde àquilo que a nossa intuição nos diz. Essa é a segunda lição do Ponto da Virada. Quem é bem-sucedido na criação de uma epidemia social não consegue isso fazendo apenas o que acha que está certo. Essas pessoas testam intencionalmente a forma como vêem as coisas. Sem as indicações do Distraidor, que lhe mostrou que suas intuições sobre fantasia e realidade estavam erradas, *Vila Sésamo* seria hoje nota de rodapé na história da televisão. A caixinha dourada de Lester Wunderman parecia uma idéia tola até ele provar que essa sugestão era muito mais eficaz do que um anúncio convencional. O fato de ninguém socorrer Kitty Genovese parecia um caso óbvio de indiferença humana, até que testes psicológicos bem elaborados demonstraram a forte influência do contexto. Para entender as epidemias sociais, precisamos antes compreender que a comunicação humana tem suas próprias regras bastante insólitas e contrárias às expectativas.

O que deve sustentar as epidemias de sucesso, no fim das contas, é uma fé inabalável de que é possível mudar, que as pessoas são capazes de transformar radicalmente seus comportamentos ou suas crenças diante do estímulo certo. Esse é outro elemento que contradiz algumas das suposições mais enraizadas que temos sobre nós mesmos e a respeito uns dos outros. Gostamos de pensar que somos pessoas autônomas, orientadas de dentro para fora e que a nossa maneira de ser e agir é algo estabelecido de modo definitivo pelos genes e pelo temperamento. Contudo, combinando os exemplos de Vendedores e Comunicadores, da cavalgada de Paul Revere, de *As pistas de Blue*, da Regra dos 150, da limpeza do metrô de Nova York e do Erro Fundamental de Atribuição, chegamos a uma conclusão bem diferente do que é ser humano. Sofremos uma influência tremenda do meio em que vivemos – o nosso contexto imediato – e da personalidade das pessoas que nos cercam. Limpar as pichações das paredes das estações do metrô de Nova York transformou os moradores da cidade em cidadãos melhores. Dizer aos seminaristas que se apressassem fez deles maus cidadãos. O fato de um jovem carismático da Micronésia ter tirado a própria vida deflagrou uma epidemia de suicídios que durou uma década. Colocar uma caixinha dourada no canto de um anúncio do Columbia Record Club fez a compra de discos pelo correio parecer irresistível. Examinar comportamentos complexos, como fumar, suicidar-se e cometer crimes, é avaliar como estamos sujeitos à influência do que vemos e escutamos e como somos profundamente sensíveis até aos mínimos detalhes do cotidiano. Por isso a mudança social é tão inconstante e tantas vezes inexplicável – é porque faz parte da nossa natureza ser inconstante e inexplicável.

No entanto, se existe dificuldade e inconstância no mundo do Ponto da Virada, também há uma grande dose de esperança. Pela simples manipulação do tamanho de um grupo de pessoas, temos condições de melhorar significativamente a sua receptividade a novas idéias. Adequando a forma de apresentar as informações, podemos aumentar de modo extraordinário sua capacidade de fixação. Encontrando e atingindo aquelas raras pessoas especiais que detêm grande poder social, somos capazes de alterar o curso das epidemias sociais. No fim, os Pontos da Virada são uma reafirmação do potencial para mudanças e do poder da ação inteligente. Veja o mundo à sua volta. Pode parecer um lugar impossível de mover, fixo, implacável. Mas com um leve empurrãozinho – no lugar certo – ele dá uma virada.

Lições de O Ponto da Virada vindas do mundo real

Pouco tempo depois do lançamento deste livro nos Estados Unidos, conversei com um epidemiologista, um homem que tinha dedicado a maior parte da sua vida profissional ao combate da epidemia de AIDS. Ele era uma pessoa equilibrada e estava frustrado, assim como estaria qualquer um que tivesse que lidar todos os dias com uma doença tão terrível. Estávamos sentados num café falando sobre o meu livro, que ele tinha lido. De repente, ele fez um comentário espantoso: "Eu me pergunto se não estaríamos numa situação melhor se nunca tivéssemos descoberto o vírus da AIDS." Não acho que ele estivesse dizendo aquilo literalmente nem que lamentava pelas incontáveis vidas que haviam sido salvas ou prolongadas por drogas contra o HIV e os testes de AIDS. Com aquelas palavras ele queria dizer que a epidemia de AIDS é, em essência, um fenômeno social. Ela se alastra por causa de crenças, estruturas sociais, pobreza, preconceitos e personalidades de uma comunidade. Por isso, às vezes, voltar-se inteiramente para as características biológicas precisas de um vírus só serve para distrair a atenção. Poderíamos ter contido a disseminação da AIDS de forma muito mais eficaz se tivéssemos nos concentrado naqueles fatores – crenças, estruturas sociais, pobreza, preconceitos e personalidades. Quando ele disse aquela frase, uma lâmpada se acendeu dentro da minha cabeça: era isso que eu estava tentando dizer neste livro.

Um livro, como aprendi há muito tempo numa aula de literatura, é um documento vivo e dinâmico que se enriquece a cada nova leitura. Mas nunca tinha acreditado nisso até escrever *O Ponto da Virada*. Fiz este livro sem ter a menor idéia de quem iria lê-lo nem de que forma ele seria útil – se é que seria útil de algum modo. Parecia presunçoso pensar de outra maneira. A partir do seu lançamento, no entanto, recebi rios de comentários de leitores. Foram milhares de e-mails chegando ao meu site (www.gladwell.com). Realizei palestras e seminários, participei de reuniões de vendas, conversei com empresários da internet, designers de sapatos, ativistas, executivos do cinema e muitas outras pessoas. Em cada uma dessas ocasiões, aprendi algo novo sobre o livro e sobre a razão de ter caído no gosto popular.

Em Nova Jersey, o filantropo Sharon Karmazin comprou 300 exemplares de *O Ponto da Virada* e enviou um para cada biblioteca pública do estado, prometendo financiar quaisquer idéias que elas apresentassem inspiradas no livro. "Baseiem-se no livro para criar algo novo. Não me venham com uma sugestão qualquer que gostariam de pôr em prática", Karmazin disse aos bibliotecários. Em poucos meses, verbas de *O Ponto da Virada* totalizando cerca de US$100 mil tinham sido concedidas a 21 bibliotecas. Em Roselle, a biblioteca pública se localiza numa rua transversal, escondida atrás de uns arbustos. Sua administração recebeu dinheiro para colocar placas pela cidade orientando como chegar ao prédio. Outra biblioteca usou a verba para ensinar os Comunicadores que integram seu grupo de terceira idade a navegar na internet – apostando que fossem atrair outros benfeitores. Houve também uma biblioteca que comprou livros e outras publicações em espanhol, na esperança de conquistar uma comunidade rejeitada em sua cidade. Em nenhum dos casos os recursos ultrapassaram poucos milhares de dólares. Eles foram modestos, assim como as idéias em si – porém esse era o objetivo.

Na Califórnia, Ken Futernick, professor de educação da Universidade do Estado da Califórnia, em Sacramento, disse que sua idéia para atrair professores para escolas problemáticas foi inspirada em *O Ponto da Virada*. "Existe um impasse interessante", comentou ele. "Bons diretores dizem que só aceitam ir para uma escola desse tipo se lá houver bons professores, enquanto bons professores dizem que só topam ir se lá houver um bom diretor." Muitos esforços têm sido feitos no sentido de atraí-los, como programas de incentivo financeiro voltados para a formação acadêmica, porém não dão em nada. Em algumas escolas de partes pobres de Oakland onde Futernick tem se concentrado, falta habilitação a cerca de 40% dos professores, que trabalham num esquema de "emergência" de apenas dois anos. "Comecei a perguntar a professores o que seria necessário para que eles fossem lecionar nessas escolas, em áreas de baixa renda e perigosas, onde muitos pais criam os filhos sozinhos", continuou ele. "Incentivos salariais? Turmas pequenas? Eles diziam que talvez sim. Todos os itens da minha lista pareciam de certa forma atrativos, contudo nenhum deles era suficiente para motivá-los." Diante desse quadro, seria fácil concluir que os professores não são dedicados, e sim egoístas, sem disposição para atuar nos locais em que são mais necessários. Futernick, entretanto, ficou imaginando o que aconteceria se ele alterasse o contexto da proposta. Sua idéia, que ele espera colocar em prática em breve, é que sejam recrutados diretores para as escolas problemáticas de Oakland e que eles tenham um ano para montar uma equipe de professores habilitados, provenientes de boas instituições de ensino – um grupo que comece junto na nova escola. Em campos de esporte e de batalha, desafios que seriam assustadores e impossíveis de vencer se encarados por uma pessoa sozinha passam a ser possíveis de superar quando enfrentados por um grupo coeso. As pessoas não mudaram, mas a forma como o trabalho foi apresentado, sim.

Futernick acredita que esse princípio também é válido para a sala de aula, isto é, que os professores talvez se mostrem mais propensos a aceitar uma missão difícil caso se sintam rodeados por colegas igualmente experientes e qualificados. Essa é uma lição retirada de *O Ponto da Virada* que nunca pensei que pudesse ter aplicação no subúrbio de Oakland.

Uma das coisas que me motivaram a escrever este livro foi o mistério da propaganda boca a boca – fenômeno que todo mundo parece considerar importante, mas que ninguém consegue definir. Foi sobre esse assunto que os leitores mais comentaram comigo no último ano e sobre o qual mais refleti também. O que agora é mais óbvio para mim – embora não fosse na época em que escrevi *O Ponto da Virada* – é que estamos prestes a entrar na era da propaganda boca a boca e que, paradoxalmente, a sofisticação, a magia e o acesso ilimitado à informação na Nova Economia nos levarão a confiar cada vez mais nos tipos mais primitivos de contatos sociais. Confiar nos Comunicadores, Experts e Vendedores que existem em nossa vida será nossa forma de lidar com a complexidade do mundo moderno. Isso é uma decorrência de diversos fatores e mudanças em nossa sociedade. Vou mencionar três em particular: o aumento do isolamento, sobretudo entre adolescentes; o aumento da imunidade na comunicação; e o papel especialmente crítico do Expert na economia moderna.

Entendendo a idade do isolamento

Às 9h20 da manhã de 5 de março de 2001, Andy Williams, um garoto de 15 anos, disparou, com um revólver calibre 22 cano longo, do banheiro da sua escola em Santee, Califórnia. Ele deu 30 tiros em seis minutos. Primeiro, dentro do próprio banheiro e, depois, em direção ao pátio adjacente, matando dois alunos e atingindo outras 13 pessoas. Andy era novo na escola, magro e com orelhas de abano, recém-chegado à cidade. Usava um colar de prata em que estava escrito MOUSE (rato). Mais tarde, como sempre acontece nesses casos, seus amigos e professores disseram que não acreditavam que alguém tão quieto e bem-educado pudesse cometer tamanha violência.

Em *O Ponto da Virada*, escrevo sobre epidemias na adolescência e uso como estudo de caso a epidemia de suicídios entre adolescentes que grassou por muitos anos nas ilhas da Micronésia. Não consegui encontrar um exemplo mais dramático da propensão dos adolescentes a serem atraídos por rituais irracionais e altamente contagiantes de autodestruição. A epidemia micronésia começou com um único suicídio de grande repercussão – o do jovem carismático de classe alta envolvido num triângulo amoroso – ao qual se seguiu uma cena impressionante no funeral. Logo depois, outros garotos estavam tirando a vida da mesma forma e por motivos que pareciam absurdos. Achei que o recente aumento dos índices de tabagismo entre os adolescentes ocidentais correspondesse à nossa versão desse tipo de epidemia. No entanto, a analogia não foi exata. Na Micronésia, os adolescentes estavam fazendo algo singular dentro da sua própria cultura. Não estavam imitando um hábito dos adultos nem reagindo a uma imposição do mundo dos mais velhos. Estavam seguindo as regras internas do seu universo jovem, como se não enxergassem o que os adultos diziam e faziam. O fumo entre adolescentes, ao contrário, é bem diferente. É um hábito de adultos que os adolescentes consideram bacana justamente por causa das suas raízes adultas. E a garotada fuma, em parte, em reação aos sermões sobre os malefícios do fumo. O primeiro exemplo é uma epidemia "isolada". O segundo é uma epidemia "reativa". Pensei que não poderíamos ter o primeiro tipo entre adolescentes ocidentais. Estava errado. Agora temos a epidemia de disparos nas escolas.

O massacre na escola Columbine High em Littleton, Colorado, aconteceu em 20 de abril de 1999. Nos 22 meses seguintes, houve 19 incidentes isolados de violência escolar em diferentes pontos dos Estados Unidos – 10 deles, felizmente, foram controlados antes que alguém acabasse ferido. E cada um desses episódios se espelhou de forma lúgubre nos disparos em Columbine. Seth Trickey, aluno da sétima série em Fort Gibson, Oklahoma, que sacou uma arma 9mm semi-automática e deu 15 tiros num grupo de colegas em dezembro de 1999, estava tão obcecado com o que acontecera em Columbine que, antes do incidente, vinha fazendo terapia. Um rapaz de 17 anos em Millbrae, Califórnia, foi preso por ameaçar "fazer um Columbine" na escola. A polícia descobriu um arsenal de 15 armas e espingardas na casa dele. Joseph DeGuzman, em Cupertino, Califórnia, planejou, em janeiro de 2001, um ataque à escola em que estudava. Mais tarde, disse à polícia que os atiradores de Columbine eram "a única coisa verdadeira". No mês seguinte, três garotos foram presos no Kansas. Com eles os policiais encontraram material para fabricação de bombas, espingardas e sobretudos iguais aos usados pelos atiradores de Columbine. Dois dias depois, em Fort Collins, Colorado, foi descoberto outro arsenal com munição e armas. Alguém tinha escutado os adolescentes envolvidos planejando "refazer Columbine".

Na imprensa, essa onda de disparos, reais e potenciais, estava às vezes sendo retratada como parte de um movimento maior de violência. Mas isso não é verdade. Em 1992-1993, houve 54 mortes violentas em escolas públicas nos Estados Unidos. Em 2000, foram 16. A onda de Columbine aconteceu num período em que a violência entre alunos estava em *baixa*, não em alta. Muita atenção também foi dada às circunstâncias sociais dos adolescentes envolvidos nesses episódios. Andy Williams era um garoto solitário e intimidado pelos colegas, produto do divórcio e da negligência. A revista *Time* resumiu o mundo dele como um lugar em que "ficar chapado com maconha superforte, do tipo *bubblegum chronic*, é para alguns um ato diário e em que matar aula para se encontrar com a gangue dos Irmãos Arianos na rampa de skate é uma opção de vida comum". No entanto, o fato de uma criança crescer em meio ao desafeto e à solidão não é uma situação nova. Milhões de outros adolescentes que têm seu desenvolvimento emocional tão prejudicado quanto Andy Williams não entram na escola de manhã e saem atirando. A diferença é Columbine. Andy Williams foi infectado pelo exemplo de Eric Harris e Dylan Klebold, assim como os garotos que começaram a se matar na Micronésia foram infectados pelo exemplo do suicídio do jovem carismático envolvido com duas mulheres. É um erro tentar entender os atos desses jovens pondo a culpa em influências do universo externo, isto é, considerando tendências mais abrangentes de violência e colapso social. Essas são epidemias isoladas. Elas seguem um roteiro misterioso interno que só faz sentido no mundo fechado dos adolescentes que o habitam.

A melhor analogia com esse tipo de epidemia foi a explosão de intoxicação alimentar que assolou várias escolas públicas na Bélgica no verão de 1999. Tudo começou quando 42 crianças na cidade de Bornem adoeceram de forma misteriosa depois de beberem Coca-Cola. Todas foram hospitalizadas. Dois dias depois, mais oito crianças que freqüentavam a escola adoeceram em Bruges, seguidas por 13 em Harelbeke no dia seguinte e por 42 em Lochristi três dias depois disso. A espiral foi crescendo cada vez mais até que, no fim, havia mais de 100 crianças internadas se queixando de náusea e dores de cabeça. Isso forçou a Coca-Cola a fazer o maior recolhimento do produto nos seus 113 anos de história. A investigação apontou um suposto culpado. Na fábrica da empresa na Antuérpia, dióxido de carbono contaminado fora usado para carbonar um lote do xarope do refrigerante. O caso, porém se complicou: a análise mostrou que os agentes contaminantes no dióxido de carbono eram compostos sulfúricos presentes na proporção de 5 para 17 partes por bilhão. No entanto, essas substâncias só causam doenças quando se apresentam em níveis cerca de mil vezes maiores do que esse. Na proporção de 17 partes por bilhão, elas apenas exalam um cheiro ruim – parecido com o de ovo podre. Assim, a Bélgica deve ter vivenciado nada mais do que uma epidemia insignificante de narizes se franzindo por causa do mau cheiro. Mais intrigante ainda é o fato de que, em quatro ou cinco escolas onde a Coca-Cola ruim teria supostamente causado o problema, metade das crianças que adoeceu nem tinha bebido o refrigerante naquele dia. Não importa o que aconteceu na Bélgica, mas com certeza não foi intoxicação por Coca-Cola. Então o que foi? Foi um tipo de histeria coletiva, um fenômeno que não é nem um pouco incomum entre crianças nas escolas. Simon Wessely, psiquiatra da faculdade de Medicina do King's College em Londres, coletou relatos desse tipo de histeria por cerca de 10 anos. Ele dispõe de centenas de exemplos que datam desde 1787, quando fiadores de Lancashire ficaram doentes de repente por acreditarem que tinham sido intoxicados por algodão tingido. Segundo Wessely, quase todas as histórias se encaixam num padrão. Uma pessoa vê alguém próximo adoecer e se convence de que está sendo contaminada por um mal oculto (enquanto no passado eram demônios e espíritos, agora costumam ser toxinas e gases). O medo a deixa ansiosa. A ansiedade provoca náusea. Sua respiração se acelera. Ela desmaia. Outras pessoas escutam a mesma afirmação, vêem a "vítima" desfalecer e ficam ansiosas. Sentem-se nauseadas. Sua respiração se acelera. Desmaiam. Num segundo, todo mundo ali está ofegante e desmaiando. "Esses sintomas são totalmente reais. O problema é que eles são manifestações de uma ameaça que é apenas fruto da imaginação. Esse tipo de coisa é muito comum e quase normal.

Isso não significa que a pessoa tenha um distúrbio mental ou seja louca", explica Wessely. O que aconteceu na Bélgica foi um exemplo típico de uma forma-padrão de ansiedade contagiante, talvez intensificada pelo pânico que havia no país por causa da contaminação de ração animal por dioxina. O espanto dos alunos com o cheiro de ovo podre da Coca-Cola é um exemplo clássico dos casos de histeria relatados em livros. "A maioria desses eventos é desencadeada por algum odor anormal, mas inofensivo. Algo diferente, como um cheiro estranho vindo do aparelho de ar-condicionado", disse Wessely. "O fato de que esses incidentes explosivos aconteçam em escolas também é típico. As ocorrências clássicas são sempre com alunos", continuou ele. "Há um episódio famoso na Inglaterra envolvendo centenas de meninas, todas estudantes, que desmaiaram durante um festival de jazz em Nottinghamshire, em 1980. Elas puseram a culpa num fazendeiro local por ter espargido pesticidas na área. Houve mais de 115 casos documentados de histeria em escolas nos últimos 300 anos."

É um erro levar muito a sério explosões de histeria como no caso da Coca-Cola belga? De jeito nenhum. Esse foi, em parte, um sinal de ansiedades encobertas e muito profundas. Além disso, as crianças não estavam fingindo que tinham aqueles sintomas: elas *estavam* doentes de verdade. É importante perceber que às vezes o comportamento epidêmico entre crianças não apresenta uma causa identificável e racional: elas adoecem apenas porque outras crianças ficaram doentes. Nesse sentido, a explosão de disparos em escolas após o massacre em Columbine não é diferente. Esses eventos aconteceram exatamente porque a tragédia de Columbine ocorreu e porque um comportamento ritualizado, dramático e autodestrutivo entre adolescentes – que pode envolver suicídio, tabagismo, ir armado para a escola ou desmaiar depois de beber uma inofensiva lata de Coca-Cola – têm um extraordinário poder contagiante.

Acredito que a forma como o universo dos adolescentes vem se desenvolvendo nos últimos anos aumentou o potencial desse tipo de isolamento. Esses jovens recebem mais dinheiro dos pais, então podem construir seus próprios mundos material e social com mais facilidade. Agora também estão autorizados a passar mais tempo com os amigos – e menos tempo na companhia dos adultos. Ganham e-mails e pagers e, sobretudo, telefones celulares, para que possam preencher todas as horas vagas do dia com as vozes dos colegas da turma – quando antes elas eram preenchidas com vozes de adultos. Esse é um universo regido pela lógica da propaganda boca a boca, pelas mensagens contagiantes que os adolescentes compartilham. Columbine é agora a epidemia isolada de maior destaque entre eles. Mas não será a última.

Cuidado com o aumento da imunidade

Um dos assuntos que não explorei muito em *O Ponto da Virada*, mas sobre o qual fui bastante questionado, é o efeito da internet – em particular, do e-mail – sobre minhas idéias acerca da propaganda boca a boca. É certo, afinal de contas, que o e-mail parece ter tornado obsoleto o papel do Comunicador ou, pelo menos, que o fez mudar significativamente. O e-mail permite que quase todos se mantenham a par do que está acontecendo com um grande número de pessoas. Na realidade, com esse meio de comunicação podemos entrar em contato, de forma barata e eficaz, com indivíduos – incluindo clientes – que nem mesmo conhecemos.

Kevin Kelly, um dos gurus da Nova Economia, escreveu, por exemplo, sobre o que ele chama de "efeito fax", que é uma versão desse argumento. O primeiro aparelho desse tipo resultou do investimento de milhões de dólares em pesquisa e desenvolvimento e custava cerca de US$2 mil no varejo. Mas não servia para nada porque não existia outra máquina similar com a qual pudesse se comunicar. O segundo aparelho tornou o primeiro mais valioso, o terceiro tornou os dois primeiros ainda mais valiosos, e assim por diante. "Como esses equipamentos estão ligados em uma rede, cada fax adicional vendido aumenta o valor de todos os que entraram em operação antes dele", disse Kelly. Portanto, quando uma pessoa compra um desses produtos, o que ela está adquirindo de verdade é acesso a toda uma rede de fax – o que vale muito mais do que a máquina em si.

Kelly chama isso de "efeito fax", ou lei da plenitude, e a considera uma idéia extraordinariamente radical. Na economia tradicional, afinal, o valor é resultado da escassez. Os "ícones de riqueza" convencionais – diamantes, ouro – são preciosos porque são raros. E, quando algo escasso se torna abundante – como o petróleo nas décadas de 1980 e 1990 –, ele perde valor. A lógica da rede, porém, é o contrário. Poder e valor resultam da abundância. Quanto mais cópias alguém fizer do seu software, mais pessoas adicionará à sua rede e mais forte ela se tornará. É por isso que o e-mail é, em tese, tão poderoso: ele é a melhor ferramenta para criarmos facilmente redes pessoais desse tipo.

Mas será que isso é verdade? As epidemias também formam redes: um vírus passa de uma pessoa a outra, espalhando-se por toda uma comunidade. Quanto mais indivíduos forem infectados, mais "poderosa" a epidemia se tornará. No entanto, é também por isso que as epidemias costumam desaparecer de repente. Depois de expostos a um tipo específico de gripe ou sarampo, por exemplo, desenvolvemos imunidade à doença e, no momento em que muitas pessoas ficam resistentes a um vírus em particular, a epidemia chega ao fim. Acho que quando falamos de epidemias sociais damos muito pouca atenção à questão da imunidade.

No fim da década de 1970, por exemplo, as empresas começaram a perceber que o telefone era um meio realmente barato e eficiente de atingir clientes potenciais. Desde então, o número de telefonemas de telemarketing aumentou 10 vezes. Isso parece ilustrar muito bem o ponto levantado por Kelly – o extraordinário potencial econômico de uma rede de comunicação à qual todos nós pertencemos –, exceto pelo argumento de que, sob determinados aspectos essenciais, a explosão do uso do telefone não tem nada a ver com a lei da plenitude. O fato de todo mundo ter um aparelho desse tipo torna essa rede muito poderosa, em teoria. A verdade, porém, é que nos últimos 25 anos a eficácia do telemarketing nos Estados Unidos caiu algo em torno de 50%. Por exemplo, deixou de ser vantajoso economicamente tentar vender por telefone determinados itens de preço baixo, como assinaturas de revistas. Pertencer a uma grande rede pode ser algo maravilhoso e, teoricamente, quanto maior o seu tamanho, mais forte ela é. Contudo, à medida que uma rede cresce, os custos relativos a tempo e aborrecimentos contabilizados por seus membros também aumentam. É por isso que as pessoas não falam mais com atendentes de telemarketing e por que a maioria delas tem secretárias eletrônicas e aparelhos identificadores de chamadas. A rede de telefones é tão ampla e pesada que cada vez mais nos interessamos em usá-la de forma seletiva. Estamos ficando imunes ao telefone.

Com o e-mail é diferente? Ainda me lembro de quando comecei a usar meu primeiro e-mail, em meados da década de 1990. Corria para casa ansioso para me conectar por linha discada pelo modem e tinha... *quatro* mensagens de quatro grandes amigos. E o que eu fazia? Na mesma hora, redigia respostas longas e elegantes. Agora, é claro, me levanto de manhã, ligo o computador e tenho 64 mensagens. A antiga ansiedade foi substituída por pavor. Além de spams, recebo histórias e piadas nas quais não tenho nenhum interesse. E também mensagens de gente com quem não tenho a menor ligação me pedindo que faça coisas que não quero. E aí, como reajo? Redijo bilhetes muito curtos – em geral de duas linhas – e costumo levar de dois a três dias para mandá-los. A outras pessoas nem respondo. Desconfio que isso esteja acontecendo com outros usuários de correio eletrônico em todo o mundo: quanto mais recebemos e-mails, mais curtas e mais seletivas se tornam nossas repostas e mais tempo demoramos a enviá-las. Esses são sintomas de imunidade.

O que deixa o e-mail tão suscetível à imunidade é o mesmo fator que no início o tornou tão atrativo para gente como Kevin Kelly: uma maneira fácil e barata de se manter em contato com as pessoas. Um estudo realizado por psicólogos mostrou que grupos que se comunicam por meio eletrônico lidam com opiniões divergentes de forma bem diferente daqueles que têm encontros pessoais. Os participantes que tinham opiniões divergentes expressavam seus argumentos de "forma mais freqüente e persistente" na comunicação on-line, concluíram os pesquisadores. "Ao mesmo tempo, as minorias recebiam o mais alto nível de atenção positiva e tinham maior influência sobre opiniões particulares de membros da maioria e sobre a decisão final do grupo quando se encontravam pessoalmente." Portanto, como o ato de expressar uma visão contrária cara a cara é bem mais difícil em termos sociais, essa opinião ganha muito mais crédito nas deliberações do grupo. Isso também acontece em outros tipos de comunicação. O fato de que qualquer um pode nos mandar uma mensagem eletrônica gratuitamente faz com que as pessoas nos enviem e-mails com freqüência. Mas isso logo nos leva a desenvolver imunidade e valorizar ainda mais os contatos pessoais e a comunicação com aqueles que já conhecemos e em quem confiamos.

Acredito que o erro do "efeito fax" está sendo repetido de forma contínua por profissionais de marketing e comunicadores. As agências de publicidade costumam decidir com base no custo em que revistas e programas de televisão vão veicular seus anúncios

– elas compram o tempo e os espaços mais baratos como meio de alcançar o maior público possível. Mas e quanto à imunidade? Essa lógica das agências leva tantas empresas a fazer propaganda na televisão que hoje a quantidade de anúncios é maior do que nunca. Assim sendo, é difícil acreditar que o público esteja de fato assistindo aos comerciais como fazia antes. O mesmo se pode dizer de uma revista com centenas de anúncios e das avenidas com um outdoor a cada 30m. Quando as pessoas ficam soterradas em informações e desenvolvem imunidade a formas tradicionais de comunicação, elas buscam conselhos e informações com aqueles por quem têm admiração e respeito e em quem confiam. A solução para a imunidade é encontrar Comunicadores, Experts e Vendedores.

Encontrando os Experts

Sempre que olho para uma embalagem fechada de sabonete Ivory, viro o verso e caio na gargalhada. No meio de todas as informações sobre o produto, há uma linha que diz: "Perguntas? Comentários? Ligue para 1-800-395-9960." Quem, na face da Terra, poderia ter alguma pergunta sobre o sabonete Ivory? Na verdade, quem, na face da Terra, teria uma pergunta tão importante sobre o sabonete Ivory a ponto de se sentir compelido a entrar em contato com a empresa imediatamente? A resposta é que, embora a maioria nunca vá ligar para esse número, uma porcentagem muito pequena de pessoas bastante esquisitas talvez sinta um desejo irrefreável de telefonar em algum momento para fazer uma pergunta. São aquelas que têm paixão por sabonete. Os Experts nesses produtos. Portanto, se você trabalha nesse setor, é melhor tratá-los bem, pois eles são a fonte a que todos os amigos recorrem quando querem orientações sobre o assunto.

A linha de atendimento ao consumidor do sabonete Ivory é o que chamo de armadilha para Experts – um meio eficaz de detectar quem são eles num universo específico. E como armar armadilhas para esses especialistas é um dos problemas centrais que o mercado moderno enfrenta. Durante a maior parte do último século, o sentido da palavra influência nos Estados Unidos esteve associado a status. Aprendemos que a influência mais importante era a das pessoas de alta renda, com maior nível de instrução e que viviam nos bairros mais chiques. A vantagem dessa idéia era que esse tipo de indivíduo era fácil de encontrar. De fato, um setor inteiro do mundo do marketing foi criado em torno da preparação de longas listas de cidadãos que tinham cursos universitários, ganhavam muito dinheiro e moravam em áreas sofisticadas. Contudo, Comunicadores, Experts e Vendedores são um pouco diferentes. Eles se distinguem não pelo status e pelas realizações materiais, e sim pela situação privilegiada em que vivem entre os amigos. As pessoas olham para eles não com inveja, mas com amor, o que explica por que essas personalidades têm o poder de romper com a onda crescente de isolamento. Onde elas estão?

Essa é uma pergunta que me fiz continuamente no último ano e não há resposta fácil. Os Comunicadores, acredito, são o tipo de pessoa que não precisa ser encontrado. Eles estabelecem como tarefa para si mesmos descobrir onde *você* está. Mas os Experts são um pouco mais difíceis, o que explica por que é tão importante inventar armadilhas – ou estratégias – para achá-los. Considere a experiência da Lexus. Em 1990, pouco depois de ter lançado seus carros de luxo nos Estados Unidos, a empresa percebeu que a linha LS400 apresentava dois pequenos problemas que exigiam o recolhimento dos veículos. A situação era, de qualquer ponto de vista, complicada. A Lexus decidira, desde o começo, construir sua reputação em torno da mão-de-obra qualificada e da confiabilidade. E agora, pouco mais de um ano após o lançamento da marca, estava sendo forçada a admitir falhas em seu principal produto. Então, optou por realizar um esforço especial. A maioria dos comunicados sobre recolhimento é feita por meio de anúncio na imprensa e envio de carta de notificação aos clientes. A empresa, em vez disso, telefonou para cada um dos proprietários dos carros defeituosos e os avisou do recolhimento. Após o conserto, quando eles foram apanhar os automóveis nas concessionárias, cada um dos veículos tinha sido lavado e abastecido. Se o cliente morasse a mais de 160km da revendedora mais próxima, a loja enviava um mecânico até à casa dele. Houve o caso de um técnico que voou de Los Angeles a Anchorage para fazer os reparos.

Era necessário chegar a tal ponto? Podemos dizer que a Lexus exagerou. Os problemas com os carros eram relativamente pequenos. E o número de automóveis que deveriam ser recolhidos também não era grande, afinal a empresa tinha entrado no mercado havia pouco tempo. A Lexus parecia ter tido muitas oportunidades para corrigir o dano. O fato mais importante, no entanto, não era o número de clientes afetados pelo recolhimento, e sim o *tipo* de cliente envolvido nessa história. Afinal, quem são essas pessoas que se arriscam a comprar um modelo de luxo de uma marca nova? Experts em carros. Talvez só houvesse uns poucos milhares de proprietários de Lexus até aquele momento, porém eles eram especialistas em automóveis, gente que leva esses produtos a sério, que fala sobre eles, que dá conselhos aos amigos sobre o assunto. A Lexus percebeu que tinha um público cativo de Experts e que, se eles ficassem insatisfeitos, poderiam começar uma epidemia boca a boca sobre a qualidade do seu atendimento ao consumidor – e foi exatamente isso que aconteceu. A empresa emergiu de uma situação que poderia ter sido um desastre com uma reputação pelo atendimento que perdura até hoje. Uma revista automobilística chamou o episódio de "comunicação de recolhimento perfeita".

Esta é a armadilha perfeita para Experts – reconhecer que, às vezes, uma situação ou um momento específico acontece para reunir um autêntico público de Experts. Vou citar um exemplo que um leitor de *O Ponto da Virada*, Bill Hartigan, me mandou por e-mail. Hartigan trabalhava para a ITT Financial Services no início da década de 1970, exatamente a época em que o setor conseguiu autorização para comercializar a até então desconhecida conta individual de aposentadoria. Esse foi um mercado que a ITT acabou dominando. Por quê? Porque a empresa foi a primeira a descobrir um grupo de Experts. Veja o relato de Hartigan:

> Naquela época, a idéia de dar seu dinheiro a uma instituição até ter pelo menos 59 anos e meio parecia estranha e assustadora. Mas havia algo interessante sobre essas contas individuais de aposentadoria. Até meados de 1970, as isenções fiscais eram apenas para pessoas ricas. Aquela era uma exceção. Saber disso foi o segredo do nosso sucesso.
>
> Focar os ricos? Não. Eles não são muitos, são difíceis de encontrar, e os benefícios das contas individuais de aposentaria provavelmente não teriam muito apelo para esse público. No entanto, um grupo em potencial logo apareceu brilhando em nosso radar. O dos professores.
>
> Na época (e até hoje, infelizmente), esse grupo imprescindível de profissionais trabalhava muito e ganhava mal. Ninguém jamais se aconselhava com eles quando se tratava de deduções fiscais e investimentos. Aquelas contas, porém, lhes proporcionavam muitos benefícios que até então só se destinavam às pessoas ricas. Seriam vantajosas para eles no presente e no futuro.
>
> Como disse o grande colunista de esportes Red Smith: "Lutadores lutam."
>
> E os professores? Eles ensinam.

Logo os professores entenderam quais eram os benefícios que as contas individuais de aposentadoria tinham a lhes oferecer. Imediatamente, a natureza humana assumiu o controle. Pela primeira vez na história, eles foram capazes de conversar com os pais de alunos sobre como lidavam com dinheiro.

Falar sobre o assunto preparou um mercado inteiro. Até hoje essa foi a estratégia de marketing mais brilhante em que já me envolvi.

Existe um modo de encontrar os Experts em cada mercado? Não sei, embora eu tenha certeza de que alguns leitores usarão este livro como inspiração para descobrir uma forma de fazer isso. Num mundo dominado pelo isolamento e pela imunidade, entender os princípios da propaganda boca a boca é mais importante do que nunca.

INTRODUÇÃO

1. Para um bom resumo das estatísticas dos crimes em Nova York, ver: Michael Massing, "The Blue Revolution", no *New York Review of Books*, 19 de novembro de 1998, pp. 32-34. Outra instrutiva discussão sobre a natureza anômala da queda do índice de criminalidade em Nova York encontra-se em William Bratton e William Andrews, "What We've Learned About Policing", em *City Journal*, primavera de 1999, p. 25.

2. O líder das pesquisas sobre bocejo é Robert Provine, psicólogo da Universidade de Maryland. Entre seus ensaios sobre o assunto estão: Robert Provine, "Yawning as a Stereotyped Action Pattern and Releasing Stimulus", *Ethology* (1983), vol. 72, pp. 109-122.
Robert Provine, "Contagious Yawning and Infant Imitation", *Bulletin of the Psychonomic Society* (1989), vol. 27, nº 2, pp. 125-126.

3. A melhor maneira de compreender o Ponto da Virada é imaginar um surto hipotético de gripe. Suponha que, num verão, mil turistas canadenses cheguem a Nova York com um tipo de vírus intratável, com um ciclo de 24 horas. O índice de infecção dessa gripe é de 2%, o que quer dizer que uma em cada 50 pessoas que têm contato com um portador

do vírus fica gripada. Digamos que esse seja exatamente o número de pessoas com quem um nova-iorquino médio – nas viagens de metrô e na convivência com os colegas de trabalho – entra em contato todos os dias. O que temos, então, é uma doença em equilíbrio. Os mil turistas canadenses transmitem o vírus para mil indivíduos no dia da chegada. No dia seguinte, essas mil pessoas recém-infectadas passam o vírus para mais outras mil; mas, ao mesmo tempo, os mil turistas que iniciaram a epidemia estão recuperando a saúde. Com o equilíbrio entre os que estão adoecendo e os que estão se curando, a gripe segue num ritmo constante porém discreto durante todo o verão e o outono.

No entanto, aproximam-se as festas de fim de ano. Metrôs e ônibus ficam apinhados de turistas e de pessoas indo às compras. Agora, em vez de ter contato com 50 indivíduos por dia, o morador de Manhattan se vê diante de, digamos, 55 pessoas por dia. De repente, o equilíbrio se desfaz. Os mil portadores do vírus da gripe passam a se encontrar com 55 mil pessoas diariamente, e o índice de infecção é de 2%. Isso significa que haverá 1.100 novos casos da doença no dia seguinte. Esses 1.100, por sua vez, estão agora transmitindo o vírus a 55 mil pessoas também, de forma que no terceiro dia haverá 1.210 moradores de Manhattan gripados; no quarto dia, serão 1.331; e, no fim da semana, quase 2 mil, e assim por diante, subindo numa espiral exponencial até que Manhattan esteja em meio a uma epidemia de gripe a todo vapor em 25 de dezembro. Aquele momento em que o portador médio do vírus da gripe, que antes tinha contato com 50 pessoas por dia, passou a se encontrar com 55 indivíduos diariamente foi o Ponto da Virada. Significou o patamar em que um fenômeno comum e estável – um surto moderado de gripe – transformou-se numa crise de saúde pública. Se fôssemos traçar um gráfico do progresso dessa epidemia, o Ponto da Virada seria aquele onde a linha de repente dá uma guinada para cima.

Os Pontos da Virada são momentos de grande sensibilidade. Mudanças feitas exatamente nesses momentos decisivos podem ter conseqüências enormes. Aquela gripe se tornou uma epidemia quando o número de nova-iorquinos em contato com um portador do vírus da doença pulou de 50 para 55 por dia. Contudo, se essa pequena mudança tivesse acontecido na direção oposta – caso o número tivesse caído de 50 para 45 numa semana, por exemplo –, essa alteração teria empurrado a quantidade de vítimas da gripe para 478 numa semana. E, com mais algumas semanas nesse patamar, a gripe levada pelos canadenses teria desaparecido totalmente de Manhattan. Cortar o número de expostos de 70 para 65, de 65 para 60 ou de 60 para 55 não teria sido suficiente para acabar com a epidemia. Mas uma mudança bem no Ponto da Virada, de 50 para 45, teria.

O modelo do Ponto da Virada é descrito em vários clássicos da sociologia. Sugiro:

Mark Granovetter, "Threshold Models of Collective Behavior", *American Journal of Sociology* (1978), vol. 83, pp. 1.420-1.443.

Mark Granovetter e R. Soong, "Thereshold Models of Diffusion and Collective Behavior", *Journal of Mathematical Sociology* (1983), vol. 9, pp. 165-179.

Thomas Schelling, "Dynamic Models of Segregation", *Journal of Mathematical Sociology* (1971), vol. 1, pp. 143-186.

Thomas Schelling, *Micromotives and Macrobehavior* (Nova York: W. W. Norton, 1978).

Jonathan Crane, "The Epidemic Theory of Ghettos and Neighborhood Effects on Dropping Out and Teenage Childbearing", *American Journal of Sociology* (1989), vol. 95, n⁰ 5, pp. 1.226-1.259.

CAPÍTULO UM

As três regras que regem as epidemias

1. Uma das melhores abordagens dos mecanismos de uma doença epidêmica feita por um leigo é a de Gabriel Rotello, *Comportamento sexual e AIDS: a cultura gay em transformação* (São Paulo: Edições GLS, 1998).

2. A explicação dos Centros de Controle de Doenças para a epidemia de sífilis em Baltimore pode ser encontrada em *Mortality and Morbidity Weekly Report*. "Outbreak of Primary and Secondary Syphilis – Baltimore City, Maryland, 1995", 1º de março de 1996.

3. Richard Koch, *O Princípio 80/20*. Rio de Janeiro: Rocco, 2000.

4. John Potterat, "Gonorrhea as a social disease", *Sexually Transmitted Disease* (1985), vol. 12, nº 25.

5. Randy Shilts, *O prazer com risco de vida* (Rio de Janeiro: Record, 1990).

6. Jaap Goudsmit, *Viral Sex: The Nature of AIDS* (Nova York: Oxford Press, 1997), pp. 25-37.

7. Richard Kluger, *Ashes to Ashes* (Nova York: Alfred A. Knopf, 1996), pp. 158-159.

8. A. M. Rosenthal, *Thirty-Eight Witnesses* (Nova York: MacGraw-Hill, 1964).

9. John Darley e Bibb Latane, "Bystander Intervention in Emergencies: Diffusion of Responsibility", *Journal of Personality and Social Psychology* (1968), vol. 8, pp. 377-383.

CAPÍTULO DOIS
A Regra dos Eleitos: Comunicadores, Experts e Vendedores

1. Toda a discussão sobre Paul Revere vem do livro de David Hackett Fischer, *Paul Revere's Ride* (Nova York: Oxford University Press, 1994).

2. Stanley Milgram, "The Small World Problem", *Psychology Today* (1967), vol. 1, pp. 60-67. Para um tratamento (altamente) teórico do tema do pequeno mundo, ver: Manfred Kochen (Org.), *The Small World* (Norwood, Nova Jersey: Ablex Publishing Corp., 1989).

3. Carol Werner e Pat Parmelee, "Similarity of Activity Preferences Among Friends: Those Who Play Together Stay Together", *Social Psychology Quarterly* (1979), vol. 42, nº 1, pp. 62-66.

4. O projeto de Brett Tjaden, hoje mantido pelo Departamento de Ciência da Computação da Universidade de Virgínia, chama-se Oracle of Bacon at Virginia e pode ser encontrado em www.cs.virginia.edu/orade/.

5. Mark Granovetter, *Getting a Job* (Chicago: University of Chicago Press, 1995).

6. O trabalho de promoções nos supermercados é descrito por J. Jeffrey Inman, Leigh McAlister e Wayne D. Hoyer em "Promotion Signal: Proxy for a Price Cut?", *Journal of Consumer Research* (1990), vol. 17, pp. 74-81.

7. Linda Price e colegas escreveram vários artigos sobre o fenômeno Experts do mercado, entre eles:

Lawrence F. Feick e Linda L. Price, "The Market Maven: A Diffuser of Marketplace Information", *Journal of Marketing* (janeiro de 1987), vol. 51, pp. 83-97.

Robin A. Higie, Lawrence F. Feick e Linda L. Price, "Types and Amount of Word-of-Mouth Communications About Retailers", *Journal of Retailing* (outono de 1987), vol. 63, nº 3, pp. 260-278.

Linda L. Price, Lawrence F. Feick e Audrey Guskey, "Everyday Market Helping Behavior", *Journal of Public Policy and Marketing* (outono de 1995), vol. 14, nº 2, pp. 255-266.

8. Brian Mullen et al., "Newscasters' facial expression and voting behavior of viewers: Can a smile elect a President?" *Journal of Personality and Social Psychology* (1986), vol. 51, pp. 291-295.

9. Gary L. Wells e Richard E. Petty, "The Effects of Overt Head Movements on Persuasion", *Basic and Applied Social Psychology* (1980), vol. 1, nº 3, pp. 219-230.

10. William S. Condon, "Cultural Microrhythms", em M. Davis (Org.), *Interaction Rhythms: Periodicity in Communicative Behavior* (Nova York; Human Sciences Press, 1982), pp. 53-76.

11. Elaine Hatfield, John T. Cacioppo e Richard L. Rapson, *Emotional Contagion* (Cambridge: Cambridge University Press, 1994).

12. Howard Friedman et al., "Understanding and Assessing Nonverbal Expressiveness: The Affective Communication Test", *Journal of Personalyty and Social Psychology* (1980), vol. 39, nº 2, pp. 333-351.

Howard Friedman e Ronald Riggio, "Effect of Individual Differences in Nonverbal Expressiveness on Transmission of Emotion", *Journal of Nonverbal Behavior* (inverno de 1981), vol. 6, pp. 96-104.

CAPÍTULO TRÊS

O Fator de Fixação: Vila Sésamo,
As pistas de Blue *e o vírus educacional*

1. A melhor história sobre *Vila Sésamo* é provavelmente a de Gerald Lesser, *Children and Television: Lessons from Sesame Street* (Nova York: Vintage Books, 1975). Ver também Jim Henson, *The Works: The Art, the Magic, the Imagination* (Nova York: Random House, 1993).

2. Pesquisadores da Universidade de Massachusetts e da Universidade de Kansas voltaram a entrar em contato com cerca de 600 crianças que eles haviam acompanhado na década de 1980, na fase pré-escolar, enquanto elas assistiam à televisão. Hoje esses meninos e meninas são estudantes do ensino fundamental. Os pesquisadores descobriram – para seu espanto – que as crianças que tinham visto *Vila Sésamo* por mais tempo, a partir dos quatro ou cinco anos de idade, ainda estavam se saindo melhor no colégio do que as que não tinham conhecido o programa. Mesmo considerando aspectos como a educação dos pais, tamanho da família e nível vocabular na pré-escola, o estudo mostrou que as crianças que haviam assistido a *Vila Sésamo* apresentavam agora mais facilidade no aprendizado de inglês, matemática e ciências do que as que não tinham assistido ao programa ou o tinham visto menos vezes. Segundo o estudo, para cada hora por semana de *Vila Sésamo*, as notas médias no ensino fundamental aumentavam 0,052. Isso significa que uma criança que tivesse visto cinco horas do programa por semana aos cinco anos ganhava, em média, uma nota cerca de um quarto acima da nota de uma criança com ambiente familiar semelhante, mas que nunca assistira a *Vila Sésamo*. Um só programa de televisão de uma hora de duração, acompanhado no transcorrer de não mais do que dois ou três anos, continuava fazendo diferença 12 ou 15 anos depois.

Essa pesquisa está resumida em "Effects of Early Childhood Media Use on Adolescent Achievement" do Projeto "Recontact", da Universidade de Massachusetts, em Amherst, e da Universidade de Kansas, Lawrence (1995).

Ver também: John C. Wright e Aletha C. Huston, "Effects of educational TV viewing of lower income preschoolers on academic skills, school readiness, and school adjustment one to three years later", *A Report to Children's Television Workshop*, Universidade de Kansas (1995).

3. Lester Wunderman escreveu uma autobiografia maravilhosa contan-

do a história da Columbia Record House e muitas outras sobre marketing direto. Lester Wunderman, *Marketing direto* (Rio de Janeiro: Campus, 1999), capítulos 10 e 11.

4. Howard Levanthal, Robert Singer e Susan Jones, "Effects on Fear and Specificity of Recommendation Upon Attitudes and Behavior", *Journal of Personality and Social Psychology* (1965), vol. 2, nº 1, pp. 20-29.

5. O melhor resumo da teoria "ativa" de ver televisão é de Daniel Anderson e Elizabeth Lorch, "Looking at Television: Action or Reaction?", em *Children's Understanding of Television: Research on Attention and Comprehension* (Nova York: Academic Press, 1983).

6. A obra de Palmer aparece em várias fontes. Por exemplo:
Edward Palmer, "Formative Research in Educational Television Production: The Experience of CTW", em W. Schramm (Org.), *Quality in Instructional Television* (Honolulu: University Press of Hawaii, 1972), pp. 165-187.

7. A pesquisa dos movimentos dos olhos, de Barbara Flagg, sobre "Oscar's Blending" e "Hug" está resumida em Barbara N. Flagg, "Formative Evaluation of *Sesame Street* Using Eye Movement Photography" em J. Baggaley (Org.), *Experimental Research in Televised Instruction*, vol. 5 (Montreal, Canadá: Concordia Research, 1982).

8. Ellen Markman, *Categorization and Naming in Children* (Cambridge: MIT Press, 1989).

9. Nelson, Katherine (Org.), *Narratives from the Crib* (Cambridge: Harvard University Press, 1989). Ver os ensaios de Bruner e Lucariello e de Feldman.

CAPÍTULO QUATRO
O Poder do Contexto (parte um):
Bernie Goetz e a ascensão e queda do crime em Nova York

1. Os melhores relatos do caso de Goetz estão em: George P. Fletcher, *A Crime of Self Defense* (Nova York: Free Press, 1988).

Também: Lillian Rubin, *Quiet Rage: Bernie Goetz in a Time of Madness* (Nova York: Farrar, Straus and Giroux, 1986).

2. Para um bom resumo das estatísticas do crime em Nova York, ver: Michael Massing, "The Blue Revolution", em *New York Review of Books*, 19 de novembro de 1998, pp. 32-34.

William Bratton, *Turnaround: How Americas Top Cop Reversed the Crime Epidemic* (Nova York: Random House, 1998), p. 141.

3. Malcolm Gladwell, "The Tipping Point", *The New Yorker*, 3 de junho de 1996, pp. 32-39. Esse artigo está arquivado em www.gladwell.com. Existe outra boa discussão sobre a natureza anômala da queda do crime em Nova York em William Bratton e William Andrews, "What We've Learned About Policing", em *City Journal*, primavera de 1999, p. 25.

4. George L. Kelling e Catherine M. Coles, *Fixing Broken Windows* (Nova York: Touchstone, 1996), p. 20.

5. A descrição das experiências de Zimbardo é de Craig Haney, Curtis Banks e Phillip Zimbardo, "Interpersonal Dynamics in a Simulated Prison", *International Journal of Criminology and Penology* (1973), nº 1, p. 73. As citações dos guardas e de Zimbardo são do programa *60 Minutes*, da CBS, 30 de agosto de 1998, "The Stanford Prison Experiment".

6. Para um bom resumo das experiências com as crianças em idade escolar ver: Hugh Hartshorne e Mark May, "Studies in the Orga-

nization of Character", em H. Munsinger (Org.), *Reading in Child Development* (Nova York: Holt, Rinehart and Wisnton, 1971), pp. 190-197.

Suas constatações completas estão em Hugh Hartshorne e Mark May, *Studies in the Nature of Character*, vol. 1, *Studies in Deceit* (Nova York: Macmillan, 1928).

7. O trabalho com os *vervets* e o jogo de cartas é descrito em Rohin Dunhat, *The Trouble with Science* (Cambridge: Harvard University Press, 1995), capítulos 6 e 7.

8. O Erro Fundamental de Atribuição está resumido em Richard E. Nisbett e Lee Ross. *The Person and the Situation* (Filadélfia: Temple University Press, 1991).

A experiência com o jogo de quebra-cabeça é descrita em: Lee D. Ross, Teresa M. Amabile e Julia L. Steinmerz, "Social Roles, Social Control, and Biases in Social-Perception Process", *Journal of Personality and Social Psychology* (1977), vol. 35, n.º 7, pp. 485-494.

9. O nascimento do mito da ordem está brilhantemente detalhado em Judith Rich Harris, *Diga-me com quem anda* (Rio de Janeiro: Objetiva, 1999).

10. Walter Mischel, "Continuity and Change Personality", *American Psychology* (1969), vol. 24, pp. 1.012-1.017.

11. John Darley e Daniel Batson, "From Jerusalem to Jericho: A study of situational and dispositional variables in helping behavior", *Journal of Personality and Social Psychology* (1973), vol. 27, pp. 100-119.

12. Myra Friedman, "My Neighbor Bernie Goetz", *New York*, 18 de fevereiro de 1985, pp. 35-41.

CAPÍTULO CINCO

O Poder do Contexto (parte dois): 150, o número mágico

1. George A. Miller, "The Magical Number Seven", *Psychological Review* (março de 1956), vol. 63, nº 2.

C. J. Buys e K. L. Larsen, "Human Sympathy Groups", *Psychology Reports* (1979), vol. 45, pp. 547-553.

2. S. L. Washburn e R. Moore, *Ape into Man* (Boston: Little, Brown, 1973). As teorias de Dunbar são descritas em várias fontes. O melhor resumo acadêmico é provavelmente: R. I. M. Dunbar, "Neocortex size as a constraint on group size in primates", *Journal of Human Evolution* (1992), vol. 20, pp. 469-493.

Ele também escreveu um trabalho maravilhoso de ciência popular: Robin Dunbar, *Grooming, Gossip, and the Evolution of Language* (Cambridge: Harvard University Press, 1996).

3. Daniel Wegner, "Transactive Memory in Close Relationships", *Journal of Personality and Social Psychology* (1991), vol. 61, nº 6, pp. 923-929. Outra boa discussão sobre o assunto é: Daniel Wegner, "Transactive Memory: A Contemporary Analysis of the Group Mind", em Brian Mullen e George Goethals (Orgs.), *Theories of Group Behavior* (Nova York: Springer-Verlag, 1987), pp. 200-201.

CAPÍTULO SEIS

Estudo de caso: boatos, tênis e o poder da tradução

1. Bruce Ryan e Neal Gross, "The Diffusion of Hybrid Seed Corn in Two Iowa Communities", *Rural Sociology* (1943), vol. 8, pp. 15-24.

O estudo está muito bem descrito em Everett Rogers, *Diffusion of Innovations* (Nova York: Free Press, 1995).

2. Geoffrey Moore, *Crossing the Chasm* (Nova York: HarperCollins, 1991), pp. 9-14.

3. Gordon Allport e Leo Postman, *The Psychology of Rumor* (Nova York: Henry Holt, 1947), pp. 135-158.

4. Thomas Valente, Robert K. Foreman e Benjamin Junge, "Satellite Exchange in the Baltimore Needle Exchange Program", *Public Health Reports*, no prelo.

CAPÍTULO SETE

Estudo de caso: suicídio, tabagismo e a busca
do cigarro sem poder de fixação

1. A história de Sima está muito bem contada pelo antropólogo Donald H. Rubinstein em vários ensaios, entre eles: "Love and Suffering: Adolescent Socialization and Suicide in Micronesia", *Contemporary Pacific* (primavera de 1995), vol. 7, nº 1, pp. 21-53.

Donald H. Rubinstein, "Epidemic Suicide Among Micronesian Adolescents", *Social Science and Medicine* (1983), vol. 17, p. 664.

2. W. Kip Viscusi, *Smoking: Making the Risky Decision* (Nova York: Oxford Universiry Press, 1992), pp. 61-78.

3. As estatísticas sobre o aumento do tabagismo entre os adolescentes são de várias fontes. Elas divergem segundo a maneira como se chega ao índice de "novos fumantes". De acordo com um estudo dos Centros de Controle de Doenças liberado em outubro de 1998, por exemplo, o número de jovens americanos – pessoas com menos de 18 anos de idade – que adotaram o tabagismo como hábito diário aumentou de 708 mil em 1988 para 1,2 milhão em 1996, um cresci-

mento de 73%. O índice em que os adolescentes se tornaram fumantes também subiu. Em 1996, 77 em cada mil adquiriram o hábito do tabagismo. Em 1988, a proporção foi de 51 em cada mil. A taxa mais alta já registrada até então tinha sido de 67 em cada mil, em 1977, enquanto a mais baixa fora de 44 em cada mil em 1983 ("New teen smokers up 73 percent": Associated Press, 9 de outubro de 1988). O tabagismo entre os universitários – um grupo um pouco mais velho – também está subindo. No estudo da Harvard School of Public Health – publicado no *Journal of the American Medical Association*, 18 de novembro de 1998 –, a estatística usada foi o percentual de universitários que tinha fumado no mínimo um cigarro nos últimos 30 dias. Em 1993, o índice era de 22,3%. Em 1997, ele aumentou para 28,5%.

4. O primeiro ensaio que David Phillips escreveu sobre os índices de suicídio após os jornais publicarem matérias sobre suicídios de celebridades foi "The Influence of Suggestion on Suicide: Substantive and Theoretical Implications of the Werther Effect", *American Sociological Review* (1974), vol. 39, pp. 340-354. Um bom resumo desse ensaio – como também as estatísticas sobre o caso de Marilyn Monroe – pode ser encontrado no início do seu artigo sobre acidentes de trânsito, "Suicide, Motor Vehicle Fatalities, and the Mass Media: Evidence toward a Theory of Suggestion", *American Journal of Sociology* (1979), vol. 84, nº 5, pp. 1.150-1.174.

5. V. R. Ashton e S. Donnan, "Suicide by burning as an epidemic phenomenon: An analysis of 82 deaths and inquests in England and Wales in 1978-79", *Psychological Medicine* (1981), vol. 2, pp. 735-739.

6. Norman Kreitman, Peter Smith e Eng-Seong Tan, "Attempted Suicide as Language: An Empirical Study", *British Journal of Psychiatry* (1970), vol. 116, pp. 465-473.

7. H. J. Eysenck. *Smoking, Health and Personality* (Nova York: Basic Books, 1965), p. 80. Essa referência está em David Krogh, *Smoking: The Artificial Passion*, p. 107.

As estatísticas sobre tabagismo e comportamento sexual estão em: H. J. Eysenck, *Smoking, Personality and Stress* (Nova York: Springer-Verlag, 1991), p. 27.

8. David Krogh, *Smoking, The Artificial Passion* (Nova York: W. H. Freeman, 1991).

9. Ovide Pomerleau, Cynthia Pomerleau, Rebecca Namenek, "Early Experiences with Tobacco among Women Smokers, Ex-smokers, and Never Smokers", *Addiction* (1998), vol. 93, nº 4, pp. 595-601.

10. Saul Shiffman, Jean A. Paty, Jon D. Kassel, Maryann Gnys e Monica Zettler-Segal, "Smoking Behavior and Smoking History of Tobacco Chippers", *Experimental and Clinical Psychopharmacology* (1994), vol. 2, nº 2, p. 139.

11. Judith Rich Harris, *Diga-me com quem anda*.

12. David C. Rowe, *The Limits of Family Influence* (Nova York: Guilford Press, 1994). Rowe tem um resumo muito bom do trabalho com os gêmeos e a adoção.

13. Alexander H. Glassman, F. Stetner, B. T. Walsh et al., "Heavy smokers, smoking cessation, and clonidine: results of a double-blind, randomized trial", *Journal of the American Medical Association* (1988), vol. 259, pp. 2.863-2.866.

14. Alexander H. Glassman, John E. Helzer, Lirio Covey et al., "Smoking, Smoking Cessation, and Major Depression", *Journal of the American Medical Association* (1990), vol. 264, pp. 1.546-1.549.

15. Wendy Fidler, Lynn Michell, Gillian Raab, Anne Charlton, "Smoking: A Special Need?", *British Journal of Addiction* (1992), vol. 87, pp. 1.583-1.591.

16. A estratégia de Neal Benowitz e Jack Henningfield está descrita em dois lugares. Neal L. Benowitz e Jack Henningfield, "Establishing a nicotine threshold for addiction", *New England Journal of Medicine* (1994), vol. 331, pp. 123-125. Também: Jack Henningfield, Neal Benowitz e John Slade, "Report to the American Medical Association: Reducing Illness and Death Caused by Cigarettes by Reducing Their Nicotine Content" (1997).

17. Há um bom resumo das estatísticas disponíveis sobre uso de drogas e dependência química em: Dirk Chase Eldredge, *Ending the War on Drugs* (Bridgehampton, Nova York: Bridge Works Publishing, 1998), pp. 1-17.

Rubinstein, "Epidemic Suicide Among Micronesian Adolescents", p. 664.

AGRADECIMENTOS

O Ponto da Virada surgiu de um artigo que escrevi como freelance para Tina Brown, da revista *New Yorker*, que o publicou e em seguida – para minha surpresa e satisfação – contratou-me. Obrigado, Tina. Ela e seu sucessor, David Remnick, me permitiram passar muitos meses afastado da revista para trabalhar neste livro. O primeiro rascunho dos originais foi brilhantemente criticado por Terry Martin, hoje na Universidade de Harvard e antes na nossa cidade natal de Elmira. Devo também um agradecimento especial às extraordinárias contribuições de Judith Rich Harris, autora de *Diga-me com quem anda*, que mudou a minha maneira de ver o mundo, e à minha mãe, Joyce Gladwell, que é e sempre será a minha escritora preferida.

Judith Shulevitz, Robert McCrum, Zoe Rosenfeld, Jacob Weisberg e Deborah Needleman tiveram paciência de ler os originais e dividir suas idéias comigo. DeeDee Gordon (e Sage) e Sally Horchow me emprestaram suas casas durante as semanas que passei escrevendo. Espero um dia retribuir o favor. Na Little, Brown, tive o prazer de trabalhar com uma equipe de profissionais maravilhosos: Katie Long, Betty Power, Ryan Harbage, Sarah Crichton e, sobretudo, meu editor, Bill Phillips. Bill leu este livro tantas vezes que provavelmente é capaz de recitá-lo de cor e, todas as vezes que o lia, sua perspicácia e inteligência o deixavam ainda melhor. Obrigado.

Duas pessoas, por fim, merecem a minha mais profunda gratidão. Minha agente e amiga Tina Bennett, que concebeu este projeto e o acompanhou, e o meu editor na *New Yorker*, Henry Finder, a quem devo mais do que posso dizer. Obrigado a todos.

FORA DE SÉRIE – OUTLIERS
Malcolm Gladwell

O que torna algumas pessoas capazes de atingir um sucesso tão extraordinário e peculiar a ponto de serem chamadas de "fora de série"?

Costumamos acreditar que trajetórias excepcionais, como a dos gênios que revolucionam o mundo dos negócios, das artes, das ciências e dos esportes, devem-se unicamente ao talento. Mas nesse livro você verá que o universo das personalidades brilhantes esconde uma lógica muito mais fascinante e complexa do que aparenta.

Baseando-se na história de celebridades como Bill Gates, os Beatles e Mozart, Malcolm Gladwell mostra que ninguém "se faz sozinho". Todos os que se destacam por uma atuação fenomenal são, invariavelmente, pessoas que se beneficiaram de oportunidades incríveis, vantagens ocultas e heranças culturais. Tiveram a chance de aprender, trabalhar duro e interagir com o mundo de uma forma singular. Esses são os indivíduos fora de série – os *outliers*.

Para Gladwell, mais importante do que entender como são essas pessoas é saber qual é sua cultura, a época em que nasceram, quem são seus amigos, sua família e o local de origem de seus antepassados, pois tudo isso exerce um impacto fundamental no padrão de qualidade das realizações humanas.

INFORMAÇÕES SOBRE OS
PRÓXIMOS LANÇAMENTOS

Para receber informações sobre os
lançamentos da EDITORA SEXTANTE,
basta cadastrar-se diretamente no site
www.sextante.com.br

Para saber mais sobre nossos títulos e autores,
e enviar seus comentários sobre este livro, visite
o nosso site www.sextante.com.br ou mande um e-mail
para atendimento@esextante.com.br.

EDITORA SEXTANTE
Rua Voluntários da Pátria, 45/1.404 – Botafogo
Rio de Janeiro – RJ – 22270-000 – Brasil
Telefone (21) 2286-9944 - Fax (21) 2286-9244
E-mail: atendimento@esextante.com.br